JN198114

THE FIRST STEP!

法律トラブルを解決するならこの1冊

弁護士
國部 徹［監修］

自由国民社

目次

第2部　紛争のケース別・トラブルはこう解決する　45

第1章　民事事件一般の解決法　48

第2章 家庭内や身内・戸籍などのトラブルと解決法

第5章 行政・年金・福祉のトラブルと解決法 160

第3部 各種の相談所&紛争解決法・専門家の活用の仕方 177

第1章 相談・あっせん・仲裁などの各種機関と専門家 178

第2章 いろいろな紛争解決法を知っておこう　190

第3章 各種の専門家を上手に活用しよう 226

資料

早わかり

各種の法律トラブルと相談先＆解決手続き

- 1 法律全般のトラブル
- 2 お金の回収のトラブル
- 3 借金返済のトラブル
- 4 売買のトラブル
- 5 悪質商法のトラブル
- 6 交通事故のトラブル
- 7 医療事故のトラブル
- 8 不動産のトラブル
- 9 離婚のトラブル
- 10 相続のトラブル
- 11 子ども・老人関連のトラブル
- 12 仕事・職場のトラブル
- 13 知的財産権のトラブル
- 14 インターネット・携帯電話のトラブル
- 15 刑事関連のトラブル

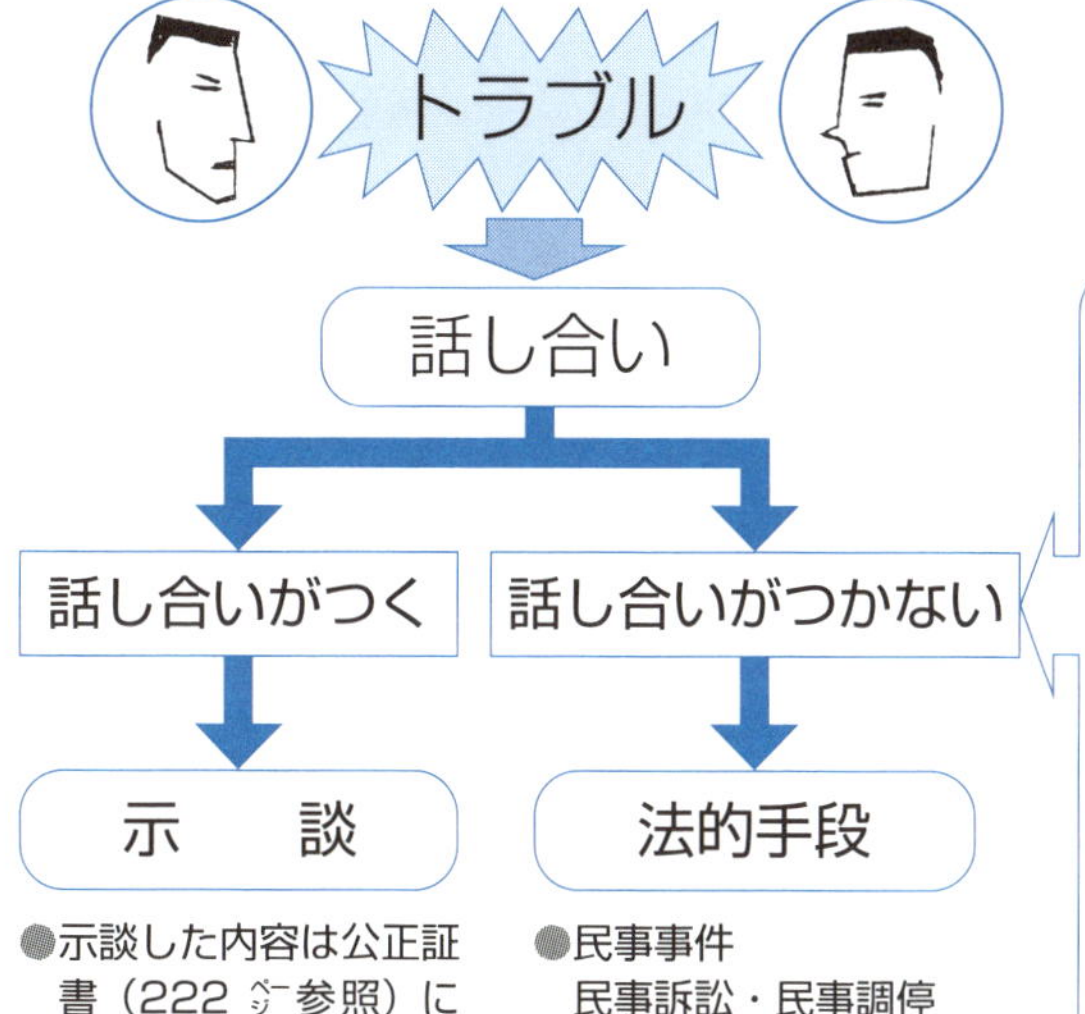

●示談した内容は公正証書（222ページ参照）にしておくとよい
●弁護士などの専門家に依頼しての示談もある

●民事事件
民事訴訟・民事調停
●家事事件
家事調停・審判・訴訟
●刑事事件
刑事訴訟・告訴・告発
●その他　非訟事件手続き・支払督促・破産申立て・労働審判など

トラブルの相談

●トラブルの相談はできるだけ早めにするのがよい。
●相談先としては弁護士会の法律相談センターや裁判所の手続き相談および各種の ADR（紛争解決）機関がある。
●各種の ADR 機関の相談は有料のものと無料のものとがあり、相談だけでなくトラブル解決のあっせん仲裁を行なうところもある。訴訟より定額で比較的短時間でトラブルが解決できるというメリットがある。

※トラブルの相談先・解決手続きについては次ページ以下を参照してください。

◆トラブルの解決では、そのトラブルを法的に見ればどうなるか、また、解決手続きがどうなっているかを知ることが大切です。そのためには、専門家（弁護士など）や相談機関で早めに相談されることをおすすめします。こじれればこじれるほど、解決は難しくなります。

1

法律全般のトラブル

・民事事件
・刑事事件
・行政事件
・渉外事件　など

主な相談先

・法テラス　⇒180ページ参照
・各地の弁護士会の法律相談センター　⇒182ページ参照
・自治体の法律相談所　⇒187ページ参照

解決手続き

・示談（和解）　⇒192ページ参照
・訴訟など裁判所の解決手続き　⇒206ページ参照
・ADR機関による仲裁・裁定　⇒194ページ参照

▶コメント　法律トラブルにはさまざまなもの（下記❷以下など）がありますが、どこに相談すればよいかがわからない場合には「法テラス」に電話するとよいでしょう。

2

お金の回収のトラブル

・債権の立証
・債権の督促
・民事訴訟手続き
・民事執行　など

主な相談先

・法テラス⇒180ページ参照
・各地の弁護士会の法律相談センター　⇒182ページ参照
・自治体の法律相談所　⇒187ページ参照

解決手続き

・示談（和解）　⇒192ページ参照
・内容証明郵便による催告　⇒220ページ参照
・支払督促　⇒198ページ参照
・民事調停　⇒200ページ参照
・訴訟（少額訴訟含む）　⇒206・208ページ参照

▶コメント　債権には貸金・売掛金などがありますが、契約においてきちんとした契約書を作成しておくことが回収の第一歩です。

3

借金返済のトラブル

・任意整理／特定調停／民事再生／自己破産／過払金返還　など

主な相談先

・法テラス⇒　180ページ参照
・各地の弁護士会の法律相談センター　⇒182ページ参照
・自治体の法律相談所　⇒187ページ参照
・各地の財務局・都道府県の貸金業担当係など　⇒59ページ参照

解決手続き

・任意整理　⇒216ページ参照
・特定調停　⇒216ページ参照
・民事再生　⇒216ページ参照
・自己破産　⇒217ページ参照
・過払金の返還請求　⇒216ページ参照

▶コメント　借金整理の最後の手段は「自己破産」です。

4

売買のトラブル

- 契約（約束）違反
- 損害賠償責任
- 契約の無効・取消し　など

主な相談先

- 法テラス ⇒180ページ参照
- 各地の弁護士会の法律相談センター ⇒182ページ参照
- 自治体の法律相談所 ⇒187ページ参照
- 製造物責任に関するPL 機関 ⇒88ページ参照

解決手続き

- 示談（和解） ⇒192ページ参照
- 民事調停⇒ 200ページ参照
- 民事訴訟（売買代金、少額訴訟含む） ⇒206・208ページ参照
- ADR 機関による仲裁・裁定 ⇒194ページ参照

※詐欺相談は次項参照

▶コメント　購入ではクーリング・オフの活用ができる場合があります。

5

悪質商法のトラブル

- 高金利
- 詐欺・強迫を伴う商売
- ネットでの商法

主な相談先

- 法テラス ⇒180ページ参照
- 各地の弁護士会の法律相談センター ⇒182ページ参照
- 国民生活センター ⇒68ページ参照
- 消費生活相談センター ⇒68ページ参照
- 警察 ⇒158ページ参照

解決手続き

- 告発 ⇒146ページ参照
- 告訴 ⇒146ページ参照
- 民事訴訟（損害賠償の請求） ⇒206ページ参照

※左記の専門家に相談して、対応策は考えてください。

▶コメント　悪質商法の被害にあったら、すぐに消費生活センター等で相談を。

6

交通事故のトラブル

- 損害賠償の請求　賠償額／過失割合／後遺障害
- 刑事責任　など

主な相談先

- 法テラス ⇒180ページ参照
- 各地の弁護士会の法律相談センター ⇒182ページ参照
- （公財）日弁連交通事故相談センター⇒87ページ参照
- （公財）交通事故紛争処理センター⇒87ページ参照
- 警察 ⇒158ページ参照

解決手続き

- 示談（和解） ⇒192ページ参照
- 民事調停 ⇒200ページ参照
- 民事訴訟（損害賠償の請求） ⇒206ページ参照
- ADR 機関による仲裁・裁定 ⇒194ページ参照
- 告訴 ⇒146ページ参照

▶コメント　多くの場合、保険会社が示談交渉に来ます。どこかで相談を。

7

医療事故のトラブル

・損害賠償の請求
医師の過失の立証がカギ
・刑事事件　など

主な相談先

・法テラス ⇒180ページ参照
・各地の弁護士会の法律相談センター ⇒182ページ参照
・自治体の法律相談所 ⇒187ページ参照
・医療事故に関する相談機関 ⇒99ページ表参照
・警察 ⇒158ページ参照

解決手続き

・示談（和解） ⇒192ページ参照
・民事訴訟（損害賠償の請求） ⇒206ページ参照
・告訴（刑事事件） ⇒146ページ参照

※左記の専門家に相談して、対応策は考えてください。

▶コメント　医療事故はわかりにくいものです。疑問に思ったら上記で相談を。

8

不動産のトラブル

・不動産購入（欠陥住宅など）
・借地・借家（立退きなど）など

主な相談先

・法テラス ⇒180ページ参照
・各地の弁護士会の法律相談センター ⇒182ページ参照
・自治体の法律相談所 ⇒187ページ参照
・不動産に関する ADR 機関 ⇒81ページ表参照
・法務局 ⇒80ページ参照

解決手続き

・民事調停 ⇒200ページ参照
・民事訴訟 ⇒206ページ参照
・ADR 機関による仲裁・裁定 ⇒194ページ参照
・筆界特定（法務局） ⇒80ページ下欄参照

※法務局は登記関連。

▶コメント　売買や欠陥住宅、登記のトラブルなど多岐にわたります。

9

離婚のトラブル

・離婚事由の有無
・財産分与
・慰謝料
・子の親権　など

主な相談先

・法テラス ⇒180ページ参照
・各地の弁護士会の法律相談センター ⇒182ページ参照
・自治体の法律相談所 ⇒187ページ参照
・家庭裁判所の家事事件手続相談 ⇒118ページ参照

解決手続き

・家事調停 ⇒202ページ参照
・家事審判 ⇒202ページ参照
・人事訴訟 ⇒207ページ参照

※DV（ドメスティック・バイオレンス）関連⇒150ページ参照

▶コメント　離婚できるかどうか、子の養育、財産分与などの問題があります。

10

相続のトラブル

- 相続人かどうか
- 遺産分割の紛争
- 遺言のトラブル
- 配偶者に居住権

主な相談先

- 法テラス　⇒180ページ参照
- 各地の弁護士会の法律相談センター　⇒182ページ参照
- 自治体の法律相談所　⇒187ページ参照
- 家庭裁判所の家事相談（手続き）⇒118ページ参照
- 公証役場　⇒220ページ参照

解決手続き

- 民事調停　⇒200ページ参照
- 民事訴訟　⇒206ページ参照
- ADR機関による仲裁・裁定　⇒194ページ参照

※公正証書遺言は公証役場で作成する。

▶コメント　相続人、相続分、遺産分割、遺言のトラブルなどがあります。

11

子ども・老人関連のトラブル

- 虐待防止法による規制
- 児童虐待の通報制度　など

主な相談先

- 法テラス　⇒180ページ参照
- 弁護士会の法律相談センター　⇒182ページ参照
- 自治体の法律相談所　⇒187ページ参照
- 児童相談所・虐待防止センター⇒95ページ表参照
- 高齢者虐待防止センター　⇒95ページ表参照

解決手続き

- 民事調停（扶養）　⇒200ページ参照
- 民事訴訟（扶養）　⇒206ページ参照
- 通告（虐待）　⇒108ページ下欄参照

※殺人や傷害事件の場合は刑事事件(158ページ参照)となる。

▶コメント　子どもや老人の虐待、扶養、生活保護などの問題があります。

12

仕事・職場のトラブル

- 労働契約、労働基準法違反
- 解雇撤回
- セクハラ　など

主な相談先

- 法テラス　⇒180ページ参照
- 弁護士会の法律相談センター　⇒182ページ参照
- 自治体の法律相談所　⇒187ページ参照
- 各地の総合労働相談コーナー　⇒140ページ参照
- 各種の労働相談機関　⇒141ページ表参照

解決手続き

- 示談（和解）〈賃金など〉　⇒192ページ参照
- 労働審判　⇒204ページ参照
- 民事訴訟　⇒206ページ参照
- ADR機関による仲裁・裁定　⇒194ページ参照
- 通報（労働基準監督署）　⇒140ページ参照

▶コメント　リストラ(解雇)、残業・休出、セクハラなどの問題があります。

13

知的財産権のトラブル

・特許権の侵害
・実用新案権侵害
・商標権の侵害
・著作権の侵害

主な相談先

・法テラス ⇒180ページ参照
・弁護士会の法律相談センター ⇒182ページ参照
・自治体の法律相談所 ⇒187ページ参照
・弁理士会の相談所 ⇒232ページ参照
・特許庁（特許などの登録） ⇒142ページ参照

解決手続き

・民事調停 ⇒200ページ参照
・民事訴訟 ⇒206ページ参照
・ADR 機関による仲裁・裁定 ⇒194ページ参照

※特許などの工業所有権は特許庁で登録、著作権については文化庁（143ページ参照）

▶コメント　特許・実用新案・意匠・商標・著作権の侵害などがあります。

14

インターネット・携帯電話のトラブル

・サイバー犯罪
・アダルトサイト
・ネットオークション詐欺　など

主な相談先

・法テラス ⇒180ページ参照
・弁護士会の法律相談センター ⇒182ページ参照
・都道府県警察本部サイバー犯罪対策窓口⇒96ページ参照
・インターネット安全・安心相談 ⇒96ページ参照
・消費生活相談センター ⇒68ページ参照

解決手続き

・警察への告訴・告発・通報 ⇒146ページ参照
・民事訴訟 ⇒206ページ参照

※子どものいじめについては「24 時間子供 SOS ダイヤル（文部科学省）」がある

▶コメント　被害をくい止める対策を立てることが急務

15

刑事関連のトラブル

・刑法による処罰
・各種の法令違反による処罰
・少年犯　など

主な相談先

・警察 ⇒158ページ参照
・児童相談所（少年事件） ⇒156ページ参照
・当番弁護士 ⇒152・158ページ参照
・犯罪被害被者ホットライン ⇒158ページ参照

解決手続き

・告訴・告発 ⇒146ページ参照
・刑事裁判 ⇒145ページ参照
・少年審判 ⇒156ページ参照
・再審請求（えん罪事件） ⇒154ページ参照

※刑事事件の裁判では、被告人には私選か国選の弁護士がつく。

▶コメント　殺人や傷害など刑法所定の犯罪の他に特別法による刑罰もあります。

第1部

トラブルが起きたとき どうすればよいか

♣トラブルが起きたとき、人はどうしたものかと悩むものです。その結果、多くの人はできれば穏便に解決したいと思い、結局は泣き寝入りとなってしまう場合もあるようです。こうしたことがないよう、正当な権利は堂々と主張し、自分の権利は守ってください。そのためには、ある程度の法律の知識は必要となりますが、これは法律相談などを通じて得ることもできます。

【内容】誰に相談するか／相手との交渉／法的手段をとる／専門家に相談・頼む／相手から訴えられたときの対策／家族や職場でもトラブルは起きる・など

六法全書

◆各種のトラブルにはそれぞれの対処法がある

■トラブルが起きたとき

今日、民事トラブルは増加の傾向にあります。いくら問題を起こさないように心がけていても、いつ、どこでトラブルに巻き込まれるかもしれない時代であることを、まず認識しておく必要があります。法律上の事件は大別すると、民事事件と刑事事件があります。

民事事件ではトラブルが起きたとき、通常の人は何とかうまく解決できないものかと悩むものです。とりわけ身内や隣近所とのトラブルでは、争いとなった後のことを考えると、できれば穏やかに解決したいと願うものでしょう。一方、交通事故などの場合は、そのほとんどは加害者は他人ですから、争いとなった後のことをそんなに気にする必要もありません。このように、トラブルでは、その紛争に応じた解決法があり、法的な解決手段をどうするかも考慮する必要があります。

なお、刑事事件は、刑事裁判において手続きが進行し、弁護士が選任（私選・国選）されますので、被疑者あるいは被告人当人には、私選の弁護人を依頼する以外はこれといった対策があるわけではありません。

■相手を訴える場合

お金を貸し返済期日が来たのに返済してくれない、土地の一部を不法に他の人が占有している、などの場合、自己の権利の実現や権利の保護を図る必要があります。

こうした場合、自分の権利を主張しないと、やがては時効となり、権利を主張することができなくなります。いわば泣き寝入りです。契約違反や権利の侵害などでは権利を主張しないと、結局は保護されなくなるのです。

まず、相手に対して請求や抗議をします。その請求や抗議を受け入れて、相手が対処してくれればよいのですが、そうでない場合には、法的手段が必要となります。

法的手段には、民事調停、訴訟を中心に、トラブルにより、他の手段（貸金の返済を求める場合などの支払督促の申立など）もありますので、どの手段を選択するかの検討も必要となります。

〔各種のトラブルと対処法〕

民事事件

民事事件とは、債権回収や契約トラブルなど私人間の事件です。

【対処法】
双方の話し合い（示談）で解決できればベターだが、話し合いがつかない場合は裁判手続（民事調停や訴訟などの方法）をとることになる。早めに専門家に相談すること。

家事事件

家事事件とは、離婚や相続紛争など、家庭内の事件で家庭裁判所が扱うものを言います。

【対処法】
家庭裁判所へ家事調停や審判の申立てをする。離婚や子の認知などの人事に関するトラブルは調停を経て人事訴訟ができるが、これは家庭裁判所が行なう。

行政事件

行政事件とは、国や地方公共団体などの処分行為をめぐって起きる事件です。

【対処法】
行政事件は、通常、監督行政庁に対して不服審査の制度がある。不服審査に対して審査があり、その結果に不服な場合は，訴訟をすることになる。ただ、行政事件の訴訟は素人にはむつかしく、弁護士に頼んだほうがよい。

刑事事件

刑事事件とは、犯罪者として捜査を受け、又は起訴された事件を言います。

【対処法】
刑事事件は国家が加害者（被告人）を裁くものであり、被害者が裁くものではない。被害者は告訴により警察に対して捜査を促すことができる。
※刑事事件でも、少年事件は、ほとんどを家庭裁判所が取り扱う。

■訴えられる場合もある

トラブルに巻き込まれるのは、何も自分が訴える場合とは限りません。相手から訴えられる場合もあります。こうした場合、相手の言い分を聞いて、早急に対処することが必要です。「金を返せ」と請求されたのに、「自分は借りていないのだから返済義務はない」、として訴訟になっても裁判所に出頭せずにいると、勝訴の判決を得た相手が強制執行をしてこないとも限りません。法治国家では、法的手続きが支配しており、提訴された訴訟に応じないと敗訴となります。自分の主張は、相手や裁判官に分かるようにしなければなりません。

また、相手の言い分がもっともだという場合もあるでしょう。一方的に相手が言いがかりをつけてきていると思うのではなく、相手の言い分にも耳を傾けることです。

■相手がいない法律問題もある

法律問題は、相手がいる場合だけとは限りません。借金整理における自己破産や氏名の変更をしたいなどの場合は、相手を訴えるのではなく、裁判所に許可してもらう手続きが必要です。この場合、法律で定められた要件に該当するかどうかの検討が必要になります。

1 トラブルが起きた さあ、どうしよう…

ポイント

トラブルが起きたら、冷静に対処し、どう解決すればよいかを考えることが大切です。また、法律でどうなっているかの検討も必要です。

トラブル解決の心得

日本の教育では、トラブルが起きたときの心得や解決法について、詳しく教えてくれることはありません。したがって、通常、問題が生じてからの対応となります。

こうしたことから、トラブルの当事者のどちらかが泣き寝入りとなったり、当事者の双方が感情的になり、いたずらに紛争がエスカレートするということもあります。

日本の法律は、六法を中心に多岐に分かれています。トラブルが起きたので、六法全書を購入し、開いたもののまったく分からなかったという、笑うに笑えぬ話があります。

しかし、今日では、紛争を解決するための多くの書物も出され、また、法律に関する相談機関も多く存在していますので、まずは、そうした本を読んだり、法律相談所で相談されることをお勧めします（次項参照）。

権利の主張と証拠

トラブルを解決するには、自分に権利があること（または義務がないこと）を、まず主張しなければなりません。「お金を貸して返済期限がきているのだから、早急に返済してくれ」、などです。こうした主張の内容に問題があれば、「そんな金は借りた覚えがない」などと相手も反論してくるでしょう。

こうして、トラブルの問題点が明らかになり、つぎは証拠の問題となります。金銭貸借の場合、証拠は通常、借用書、契約書ということになります。ただし、契約は口頭でも生

メモ

法律の前では、権力のある人もない人も平等です。したがって、泣き寝入りは無用です。

じますので、立ち会った人がいればその人を証人とし、契約があったことの事実を証明できる場合もあるでしょう。また、領収書や振込書も有力な証拠となります。

泣き寝入りは無用！

約束違反や権利の侵害があった場合には、泣き寝入りは無用です。法律は最低限の常識と言われるとおり、国民の全員が守らなくてはならないルールだからです。こうしたルールを守らない人を放置しておくとしたら、それこそが大きな問題です。法律違反者に対しては、厳しく対処してください。

ただし、法律がどのように定めているかは、十分検討する必要があります。また、法律は、通常、全般的な状況を想定して策定されていますので、個々のトラブルでその内容が同種と思える事件でも、法律上の要件が異なる場合には、必ずしも同様の判断になるとは限りません。例えば、交通事故の死亡事故での損害賠償では、被害者の年収により現実には損害賠償の額が異なります。こうした点も考慮して、検討が必要です。

●この条文を理解できますか？

民法　第一章　通則
第一条①私権は、公共の福祉に適合しなければならない。
②権利の行使及び義務の履行は、信義に従い誠実に行わなければならない。
③権利の濫用は、これを許さない。
第二条　この法律は、個人の尊厳と両性の本質的平等とを旨として、解釈しなければならない。
第二章　人
第一節　権利能力
第三条①私権の享有は、出生に始まる。
②外国人は、法令又は条約の規定により禁止される場合を除き、私権を享有する。
第二節　意思能力
第三条の二　法律行為の当事者が意思表示をした時に意思能力を有しなかったときは、その法律行為は、無効とする。
第三節　行為能力
第四条　年齢十八歳をもって、成年とする。
第五条①未成年者が法律行為をするには、その法定代理人の同意を得なければならない。ただし、単に権利を得、又は義務を免れる法律行為については、この限りではない。
（民法の冒頭のみ）

●六法全書

法律は六法全書を見れば分かると思っている人がいますが、まず、素人が六法全書を見て問題を解決することは困難です（上記本文の条文規定を参照）。

その理由は、①法文で使用されている用語は、通常、素人にはなかなか理解できないものもあること、②個々の紛争に当てはめて解決するには、法文上の解釈が必要なこと、③条文が紛争形態別に掲載されていないこと、などがあげられます。

ただし、法律は常識とそれほど異なりませんので、とりあえずは常識を手がかりに検討するとよいでしょう。

❷ まずは、誰かに相談することが大切です

法律相談所などの活用

トラブルが起きた場合、誰かに相談することをお勧めします。というのは、紛争当事者は、えてして自分に都合のよい判断をしがちで、客観的な判断をしてくれる第三者の意見が必要だからです。また、通常の人の場合には、法律知識が不足している場合も多いでしょう。相談は、身内の人にするのもよいのですが、弁護士などの専門家の意見を聴くことが重要です。

最近では、法律相談の機関も多くあります（第3部参照）ので、そうした相談所を利用するとよいでしょう。

ただし、事件の訴訟等を依頼するのと異なり、決まった時間の範囲で弁護士等の専門家は答えることになりますので、一般的な事例についての回答となり、複雑な事件や訴訟をしてみなければ分からないような事件については、必ずしも断定的な結論とはならない場合も多くあります。

法律相談所の利用の仕方

法律相談所は弁護士会の相談センターや都道府県の法律相談所など、数多くあります（詳しくは第3部参照）。まず、この中で、どの相談所にするかを決めなければなりません。

法律には、民事弁護士、刑事弁護士などの区別はありませんが、ある種の事件を多く扱いその分野に強い弁護士がいます。そして、そうした弁護士は、弁護士会のそれぞれの委員会等に所属している場合が多いのです。例え

ポイント

自分で何とか解決しようと努力することは大切ですが、法の力を借りなければ解決しない問題もあります。誰かに相談することは、決して恥ではありません。

メモ

借金地獄に陥った場合の借金整理などでは、適切な相談先にいきつければ、問題はほぼ解決したようなもの、と言われています。

ば、離婚問題などで言えば、東京三弁護士会には家庭法律相談センター（新宿）があり、ここでは離婚問題に強い弁護士が相談を受けてくれます。

これは一例ですが、法律相談では、事前に相談する内容は弁護士には分かりませんので、その種の事件を多く担当しているかによってその知識には多少の差があるのです。

自分の事件に照らして、どこに相談すればよいかを決めることです（詳細は第3部、177ページ以下参照）。

クレジット・サラ金問題法律相談カード

受付NO.　　　　　　　　（相談者記入欄）

申込日	年　月　日	生年月日	大正・昭和・平成　年　月　日
ふりがな			
相談者（借入のある方）	男・女（　才）	職業 勤務先名	
現住所	〒□□□-□□□□	TEL 携帯電話	
連絡先	〒□□□-□□□□（代理相談の場合は来訪者の住所氏名）	TEL	
	□代理相談	□職場 □実家 □親類 □知人 □その他（　）	

この法律相談を何で知りましたか（○で囲んで下さい）	1．電話帳　2．ハローダイヤル　3．弁護士会・電話相談　4．新聞　5．テレビ、ラジオ　6．パンフレット　7．駅・電車の広告　8．区・市役所　9．消費者センター（　）10．国民生活センター　11．裁判所　12．警察署　13．知人・家族の紹介　14．弁護士の紹介　15．日本クレジットカウンセリング協会　16．インターネット・ホームページ　17．法テラス　18．書籍　19．その他（　）
収入	月額（手取り）　円
生活保護	□受けていない　□受けている（生活扶助、教育扶助、医療扶助、住宅扶助）
資産	土地の有・無　建物の有・無　家賃を除く毎月の生活費　円
	家賃　円　預金　円　毎月の返済額　円
	クレジットで購入した物品を所持していますか　有・無
	自動車を所有していますか　有・無
	生命保険に加入していますか　有・無

家族構成	氏名	続柄	年令	同居の有無	職業	収入		
						月収	賞与	年収合計
				同居・別居				
				同居・別居				
				同居・別居				
				同居・別居				
				同居・別居				

債務の概要（合計金額　約　万円）			＜下記に内訳をご記入ください＞
消費者金融からの借金	件	約	円
クレジット・銀行ローンからの借金	件	約	円
商工ローンなど事業上の借金	件	約	円
短期・高利業者からの借金	件	約	円
勤務先・知人等の借金	件	約	円

現在一番困っていること・特に希望することを記入下さい

過去の債務整理について　該当をチェック下さい　□弁護士・司法書士に依頼したことがある（相談場所　）　□破産をしたことがある　□現在任意整理中

法律相談での注意点

法律相談で、相談者が注意することは、自分に都合のいいことだけではなく、都合の悪いことも含めてすべてを話して相談することです。また、だらだらと話すのではなく、事前に要点を整理して、必要があれば資料も持参して相談することが重要です。

また、相談内容の答えは、メモをしておくと以後の相手との交渉で役に立ちます。

なお、弁護士会の法律相談センターには、法律相談カード（上記書式参照）があり、相談前にこの書類に記載することになっています。

相談費用は、無料と有料があり、都道府県の法律相談所は無料、弁護士会の法律相談は有料（通常、30分5000円〈消費税別〉）となっています。

電話等で詳細については確認してください。

●示談屋・整理屋

紛争に介入して利益を得る示談屋や整理屋がいます。交通事故の解決や借金整理でこの示談屋や整理屋の存在が問題となりましたが、こうした示談屋や整理屋の行為は違法です。

それは弁護士法で、弁護士以外の者が訴訟や法律事務等を取り扱い利益を得ることを禁止しているからです（72条）。

なお、消費者金融などでは、悪質業者と提携した弁護士が問題になっています。非弁護士からの周旋を受けることや名義を貸すことも弁護士法で禁止されています（27条）。

③ トラブルが生じたらとにかく相手と交渉してみる

ポイント

交渉は感情的にならず、自分の主張を明確にし、また、相手の主張にも耳を傾けるようにしましょう。民事紛争の場合は、トラブルの内容にもよりますが、ある程度の妥協も仕方がありません。

相手との交渉

トラブルが起きた場合、一般的には、相手と交渉して権利の実現を図ることになります。交渉がまとまらない場合、訴訟等の法的手続きとなりますが、家事事件（離婚など）では、調停前置主義がとられており、いきなり訴訟を起こすことはできません。

交渉では、どういう権利に基づいて、どうして欲しい（請求の趣旨）かを明確にします。これは訴訟の場合も同様です。

交渉は冷静に行うことです。大声で怒鳴ったりして文句を言った方が元気がよく、相手も圧倒されますが、こうした行為は反感をかい、また、不用意に言ったことが、後に問題となることもあります。

交渉では圧力も必要

交渉といっても戦いですから、いい返事をもらうためには圧力も必要です。こちらからの圧力だけでなく、相手方から圧力がかかる場合もあります。

通常かける圧力は、交渉がまとまらなければ、訴訟を起こすというものです。訴訟を起こされると、事件の内容が公にされますので、不名誉な場合には示談で解決することになるでしょう。

また、刑事事件がらみの損害賠償事件の場合には、刑事事件として警察へ告訴をするぞ、と圧力をかけることもできます。もっとも交通事故の場合などでは、損害賠償の示談の有無が刑事事件の判断に大きく関わりますので、

メモ

交渉がまとまれば示談書を作成します。いいかげんな口約束の示談は、後でもっと大きなトラブルの元になります。

示談を加害者が急ぐことになります。

他にも、仕事上の取引先からの圧力などもありますが、こうした方法は余程の場合以外はお勧めできません。

なお、交渉の途中でつい興奮して暴力を振るうことや腹立ちまぎれに悪口を言い触らすなどは厳に謹んでください。刑法の暴行、傷害罪や名誉棄損、侮辱罪に触れることになり、交渉どころではなくなります。

交渉がまとまれば…

全面的にこちらの主張を相手が認めれば、トラブルはほぼ解決です。ほぼ解決と言ったのは、相手が約束したことを、実行しないことも考えられるからです。こうした場合のために、文書（できれば公正証書、222ページ参照）にしておくとよいでしょう。金銭の約束の場合、強制執行の認諾約款のある公正証書にしておけば、その公正証書により強制執行（212ページ参照）ができます。

また、交渉では相手方にも主張があり、それに一理ある場合もあります。こうした場合、お互いが歩みより、示談することがあります。示談するか、訴訟を起こすかは迷うところですが、訴訟を起こして時間や費用をかけるよりも、示談で解決する場合が有利なときもあります。結局は、本人が決めることですが、この場合も、一度は専門家に相談してみるとよいでしょう。

なお、貸金返済の借主との交渉では、相手に返済能力がない場合には、返済期限が来ているからすぐに全額を返済しろ、と言っても交渉はまとまりませんし、もし、まとまったとしてもその約束は守られないでしょう。貸金の返済では、ない者からはとれないのです。事情を聞いて支払いの延期、分割払いなどの案を出すことも重要です。

また、交通事故の損害賠償の示談交渉では、通常、損害保険会社の事故担当の人が交渉相手となります。相手はプロですので、一度は専門家に相談することが重要です。

●交渉人をたてる

示談交渉でも、交渉人に弁護士を依頼することができます。弁護士以外の人が報酬を得て交渉人となった場合は、原則として弁護士法違反となります。

したがって、身内や友人に頼んで交渉人に無報酬でなってもらうことは可能です。それなりの地位や法律知識がある人の場合には、うまくいく場合もあります。

しかし、自分が納得のいく解決を望むならば、交渉の全部を任せるというのではなく、同席してもらう程度に留めておくのがよいでしょう。

悪質商法などは、まず相談することから

悪質商法の横行

悪質商法には、「アポイントメントセールス」「アンケート商法」「キャッチセールス」「デート商法」「ホームパーティ商法」など、さまざまなものがありますが、最近、多発しているのは、振り込め詐欺や架空請求（インターネットがらみもある）などでしょう。

国民生活センターの資料によれば、全国の消費生活センターに寄せられた架空請求の相談件数は、２０１６年度には８万３４９５件にも達し、その後も増加傾向にあり、２０１８年度は21万６０５８件となっています。

振り込め詐欺や架空請求は悪質商法というより、法律的には刑法の詐欺罪（恐喝罪）で、犯罪です。警察庁の発表によれば、令和３年中の振り込め詐欺（オレオレ詐欺、架空請求詐欺、還付金詐欺など。「特殊詐欺」という）事件は、認知件数１万４４６１件、被害総額２７８億１０００万円になっています。

お金を請求する電話やハガキがきたとき

電話やハガキの内容を信じて、お金を払ってはいけません。まず、その内容が真実かどうかの確認が必要です。例えば、孫からおばあちゃんに「交通事故をおこしたので、すぐに示談金〇〇万円を振り込んで欲しい」という電話があった場合には、こちらから孫に再度、電話して確認してください。多くの場合、こうして確認することによって、振り込め詐欺の被害者となることは回避できます。

また、身に覚えのない請求をされる場合も

ポイント

悪質商法では、不用意に相手に連絡しないこと。まずは、相手が言っていることが事実かどうかを確認をし、消費生活センターなどで相談することです。

メモ

悪質商法の手口は、どんどん進化していますので、日頃のニュースなどによる情報の収集も必要です。自分に何の落ち度がなくても、禍は先方からやってきます。対応が必要な場合もあります。

ありますｃインターネットのアダルトサイトの料金の請求や借りた覚えのない金銭の請求などです。こうした場合、相手には電話等で直接コンタクトはとらずに、消費生活センターや警察で相談してください。相手に連絡しても、相手は「払え」「返せ」の一辺倒で、話しにもなにもならないからです。それどころか、電話番号が知れて、その後も執拗に催促を受けることにもなりかねません。

悪質商法の情報を知る

振り込め詐欺や架空請求などでは、ターゲットとなる人は1人ではありません。したがって、消費生活センターなどには、同様の相談や問い合わせが殺到しているはずです。そうした意味でも、消費生活センターなどに相談することは重要です。

なお、身に覚えのある請求でも、時効になったはずの過去の借金の請求、違法サイトの高額請求などの悪質商法もあり、おかしいと思ったら、すぐに相談してください。

こんな事件・トラブルにご注意！

①　振り込め詐欺のトラブル

「交通事故にあい至急相手に払うお金が必要」、「サラ金の借金がありすぐに返済しないと殺される」などと、電話で孫などを装い、お金を銀行口座に振り込ませる、事件が多発しました。

●こうした行為は詐欺罪（刑法246条、刑罰は10年以下の懲役）に該当しますので警察に被害届を出してください。

●こうした行為は、詐欺罪となるだけでなく、「金を払わないと、孫がどうなるかわからない」などと脅せば、恐喝罪となります。慌てて振り込まずに、冷静になり、本人と連絡をとることが重要です。

②　架空請求のトラブル

借りていないお金の返済の請求が来た、インターネットで使用していない有料サイトからの請求が来たなど、債務もないのに請求をされるケースです。

●架空請求は、消費者の錯覚を利用するもので、被害が続出しています。上記事例の他にも偽の債権回収会社から督促状が来た、金融機関から債権譲渡を受けたとして返済を迫られた、中には、公的機関類似の名称で督促状が来たなどの例もあり、その手口は数多く、新たな手口が常に生まれているというのが実状です。

●こうした架空請求は、もちろん支払う必要はありませんし、人をだます行為ですから詐欺罪に該当します。また、だまされて支払った金額は、返還の請求ができます。しかし、だまされた後では、相手を突き止めることが困難な場合が多く、返還請求ができないのが実状のようです。

●架空請求があった場合には、もよりの警察あるいは消費生活センターなどに相談してください。また、相手の言われるままに振り込んで実際に被害にあった場合には、警察に被害届を出してください。

●押し貸しのトラブル

〔事件〕契約もしていないのに一方的にお金を銀行口座などに振り込み、高利の利息を付けて返済を請求するというものです。消費者金融などからの借入れ前歴があり、そこから口座番号が知られ、その口座に振り込まれるケースが多いようです。

押し貸しは、金銭貸借契約が成立しておらず利息を支払う必要はなく、また振り込まれた金額は不法原因給付として返還の義務はないと考えられます。

〔解決法〕こうした悪質業者は簡単に引き下がりませんので、至急、警察や消費生活センターなどで相談されることをお勧めします。

5 交渉がまとまらない場合は争うかどうかを決める

泣き寝入りはするな…

話し合いによる交渉がまとまらない場合には、泣き寝入りするか、他の手段をとるかしかないのですが、どの時点で交渉を打ち切るかが、まず問題となります。相手に誠意がない場合には、いくら交渉してもラチがあきませんので、すぐにでも他の方法に切り換えた方がよいでしょう。

誠意はあるが妥協点が見つからない場合には、ずるずると交渉が長引くのは時間のロスや精神的負担から得策ではなく、専門家の判断を双方が仰ぐくらいの気持ちで調停や訴訟、ＡＤＲ機関（裁判外紛争解決手続機関、第3部194ページ以下参照）の仲裁などの手段を考えた方がよいでしょう。

他の手段を検討

交渉がうまくまとまらない場合には、裁判所を通した法的手段に訴えることになります。裁判所での解決には、調停、訴訟などがあり、事件の種類によって申立先を決めることになります（第2部45ページ以下参照）。

交渉がまとまらない場合、ＡＤＲ（裁判外紛争解決手続）機関を活用する方法もあります。ＡＤＲは、ある種の紛争についての専門的な機関が多く、相談の他にもあっせん・仲裁を行っているところもあり、費用や時間もそんなにかかりません。

ただし、あっせん・仲裁の場合、いったん仲裁裁定がなされると、その仲裁裁定に判決と同じ効力が発生して、訴訟等の法的手段が

ポイント

交渉がまとまらない場合には、法的手段となりますが、その解決は、トラブルの形態により、いくつかの方法がありますので、どれを選択するかを決めることになります。

メモ

度重なる嫌がらせの訴訟で、慰謝料の請求が認められたケースもあります。

とれなくなりますので、注意が必要です。

⊠争うかどうかのポイント

争うとなれば費用や時間もかかります。必ず勝訴するとは限りません。また、事件によっては本人での訴訟は難しく、弁護士に依頼しなければならない場合もあるでしょう。この場合、弁護士費用もかかります。

訴訟には、訴訟経済があると言われます。勝訴して、相手から得る代価（損害賠償など）から弁護士費用や訴訟費用、自分の労力を差し引いた額が、訴訟をした額に見合うかということです。

〔100万円の貸金（通常の訴訟）〕

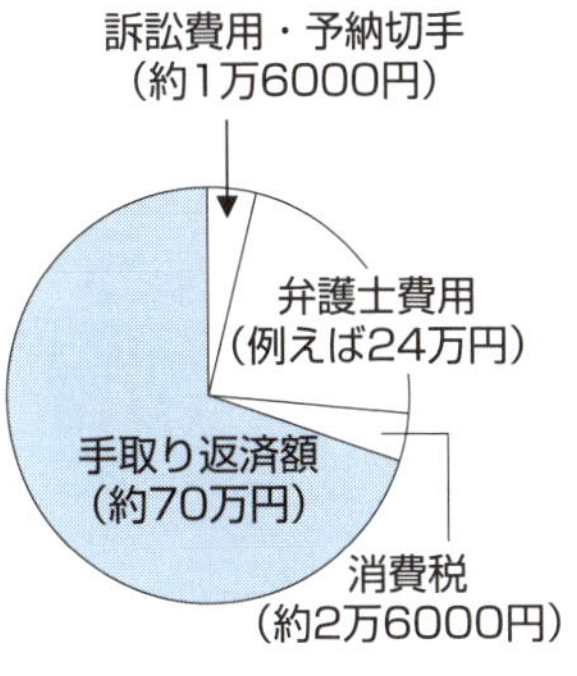

訴訟費用・予納切手（約1万6000円）
弁護士費用（例えば24万円）
手取り返済額（約70万円）
消費税（約2万6000円）

※弁護士費用は弁護士により異なる。

通常、１００万円程度の訴訟で弁護士を頼んだ場合には、経費がかかりすぎて訴訟経済上は元はとれないとされています。

こうした場合は、訴訟ではなく他の解決法を模索した方が有利ということになります。なお、訴訟の価額が60万円以下で金銭請求の場合は、素人でも比較的容易に訴訟ができる少額訴訟の制度（208ページ参照）があります。

ただし、トラブルによっては金銭に代えられないものもあります。こうした紛争の場合の解決までの期間は通常は長くかかり、その間の訴訟に耐えられるだけの、経済力があるかどうかが問題となってきます。経済力がない場合には、他の手段を模索することになります。

最近では、ＡＤＲも含めて裁判外の紛争解決手段が増えています。トラブル解決に関する信頼性については、未知数の機関もあるようですが、活用を検討されてはいかがでしょうか。

●訴訟の損得勘定

100万円の貸金返還訴訟の場合、訴訟費用は1万円、予納切手が6000円かかります。これに弁護士を頼む場合、旧弁護士報酬規程（現在は廃止）によれば、着手金が8万円（8％）、成功報酬金16万円（16％）程度が必要となります。

費用は、25万6000円に消費税がかかります。その結果、貸主が得る金額は約70万円となります。

なお、勝訴しても相手が支払わない場合、強制執行の手続きが必要で、その費用もかかります。

法的手段をとるに当たっては問題点を整理する

トラブルの問題点

離婚などの家庭内の問題や境界争いなどの隣近所の問題の場合、つい相手に対する怒りから、トラブルの本質よりも、相手に対する感情的な反発が強くなりがちです。そして、トラブル解決では、なんとか勝って相手に打撃を与えたいという気持ちが強くなります。

しかし、トラブルとなった問題の本質を見落とすと、紛争はエスカレートするばかりで、問題解決はますます難しくなります。

こうした場合、何を相手に要求しているのかを、もう一度、冷静に整理する必要があります。

問題点を整理する

トラブルの問題点を整理することは、複雑な紛争の場合、そんなに簡単なことではありません。自分の主張のみが正しいことを前提にすれば、事は簡単ですが、ほとんどのトラブルの場合には相手にも主張があるからです。

例えば、お金の貸し借りを例にとれば、まず、本当に貸したかどうかという問題があります。自分は貸したはずなのに、相手は借りていないと言うかもしれません。訴訟になれば、貸金の返還請求をする側が、確かに貸したということを契約書などで立証しなければなりません。約束したことが立証されても、相手はそのお金を、あるとき払いの催促なしで借りたというかもしれません。はたまた、実はもらったのだ、と主張するかもしれません。

ポイント

法的手段では、証拠がモノをいいます。証拠品の収集・整理や証人を探すなど、準備を怠りなくします。

また、裁判所に対する申立書などの手続きも必要です。

メモ

裁判所から申立書などを取り寄せ、記載内容も検討しておきましょう。

このように、問題点を整理することは、相手の主張と自分の主張との違いを明確にすることでもあるのです。

また、一見問題がないように思われるケースでも、問題が生じる場合があります。例えば交通事故です。加害者が被害者に対して損害賠償をすることは誰もが知っていますが、現実の金額の算定となると簡単にはいきません。というのは、交通事故では、どちらかが一方的に悪いというのではなく、双方の過失（落ち度）による事故の発生がほとんどで、双方の過失割合に応じて損害の負担をすることになるからです（過失相殺といいます）。

このように、解決に至るプロセスでは、整理しなければならない問題点は、実に多くあります。

〔証拠と証拠資料〕

※証拠には人証と物証とがある。

⑴人証
①証人⇨証言
②鑑定人⇨鑑定
③当事者本人⇨供述

⑵物証
①文書⇨文書内容
②検証物⇨検証結果

〔注〕録音・録画テープも証拠となるが、違法性の度合いが高く、人格権の侵害にあたるような違法収集の場合には、例外的に証拠として否定される場合もある。

問題点の整理と証拠

自分の主張と相手の主張の違いを整理することは、自分の主張が正しいことの裏付けをとることでもあります。この裏付けは、証拠（契約書など）があれば一番よいのですが、そうでない場合は、自分が記憶している事実関係をメモにしておくとよいでしょう。訴訟などになった場合に必ず役に立ちます。

なお、民事事件では、争われている事実の存否を明確にする材料が必要であり、これには書証（契約書などの文書）、証人、鑑定人の鑑定、当事者の供述、物などがあります。

したがって、争う覚悟をしたら、こうした証拠資料についての収集も行っておく必要があります。

●証拠の収集と立証

民事裁判では、通常、立証責任は原告（訴えた人）にあります。

したがって、例えば、貸金の返還請求であれば、原告が確かに貸したこと、浮気を原因とする離婚であれば配偶者が浮気をしていることの立証をしなければなりません。

貸金についての契約書や浮気の現場の写真があればことは簡単ですが、トラブルとなるケースではこうした証拠がない場合が多く、証拠集めに苦労します。

もっとも、相手が認めれば、証拠の問題は生じませんが…。

7 法律上、トラブルがどうなるかも調べる

法律ではどうなっているかを調べる

当事者間のトラブルが法律上、どうなっているか調べることも重要です。いたずらに主張しても相手は認めてくれませんので、法律上の根拠が必要となります。また、本人が間違いないと思っていることでも、それが法律上は保護されている権利でない場合もあるからです。

例えば、ペットの犬が殺されたとします。私は子ども同様に可愛がっていた、と主張し、人の死と同額の損害賠償の請求をしても、物が壊された場合の損害賠償額しか認めてもらえないことが多く、法律上は、ペットは物でしかないのです。また、ペットの死で悲しいことの慰謝料は最近になり認められるケースも出てきましたが、実例は、まだ少ないようです。

なお、各トラブルの問題点や法律上どうなるかについての概略は、第２部（45ページ以下参照）に掲載しますので、該当の項目を参照してください。

法律相談所の活用

弁護士に依頼する場合はともかくとして、本人で争う場合は、法律上の根拠が必要です。しかし、法律でどうなっているのかは、なかなか素人では分かりにくいものです。例えば、交通事故の損害賠償請求では、法律上の根拠として民法７０９条の不法行為等の規定があることを知っている人は少ないでしょう。したがって、争う場合には、もう一度、専門家に相談することをお勧めします。

ポイント

ただ、自分が主張するだけでは、言い分はなかなか通りません。法律で自分のトラブルはどの規定に基づく権利なのか、根拠条文を調べましょう。

メモ

訴訟などの手続きについては、裁判所の窓口で教えてくれます。インターネットで手続きや書式が掲載されているものもあります。

ただし、この場合の相談は、トラブルが生じた場合の相談とは異なり、突っ込んだ相談が必要となります。資料を準備して、聞きたいことのメモも用意し、問題点に絞って相談する必要があります。

調停、ADR機関の活用

民事調停はお互いが裁判所（調停委員会）において話し合い、互いが紛争について譲歩して問題を解決するというものです。したがって、訴訟と違い、調停委員が問題点の指摘や法律上どうなっているかなどのことも教えてくれますので、本人でも比較的やりやすい方法です。

民事調停は、最近では増加しており、裁判所の意見を聴くという意味では、もっと活用してよいと思います。なお、離婚や相続などの人事事件（106ページ以下参照）では、必ず調停を経なければ訴訟はできない（調停前置主義）ことになっています。

また、ADR（裁判外紛争処理）機関も紛争解決のための相談やあっせん・仲裁を専門家がしてくれますので、訴訟テクニックといったものは不要で安心ですが、業界が設立している機関も多く、疑問に思う場合は、裁判所を通じた解決法を検討するのがよいでしょう。

このように、紛争解決の相談先や手段は多くありますが、トラブルが高額の場合には、やはり正規に弁護士に依頼するのがよいでしょう。訴訟では、原則として、裁判官は積極的に意見を述べることはありませんので、主張・立証について訴訟テクニックが必要とされるからです。つまり、主張しなければ、裁判所はそのことについての判断はしないのです。また、事件によっては素人では書類等の作成が困難なものもあります。

もちろん、民事訴訟は弁護士などの代理人なしに、本人でも行うことができますが、通常、簡易裁判所の事件（訴訟価額が140万円以下）は、本人ができる訴訟の目安とされているようです。

●法律上の根拠

民事関係の法律は、日常生活のあらゆる場合のトラブルに対応できるようになっています。

したがって、自分のトラブルがどの法令のどの条文に該当するかを知る必要があります。

例えば、貸金の返済請求では、履行遅滞（412条）が、交通事故の場合には不法行為責任（709条）、離婚の場合には離婚原因の有無（770条）などが問題となります。

訴訟等の法的手段をとることになれば、必ず、こうした適用条文についての検討が必要となります。

必要があれば弁護士などの専門家に相談・頼む

ポイント

法律相談では、一般的な回答が多く、事件によっては満足な回答が得られない場合も多いでしょう。相談を手がかりに、自分で調べることが必要な場合もあります。

法律の専門家

法律関係の専門家には、弁護士、司法書士、行政書士などがあります。また、特別の分野の専門家としては、税務関係等の公認会計士、税理士、特許関係の弁理士、不動産評価関係の不動産鑑定士、土地家屋調査士、社会保険関係の社会保険労務士、などがあります。

こうした専門家の中で、訴訟を業務とすることができるのは弁護士と、司法書士（簡易裁判所の事件のみ）です。行政書士は権利義務又は事実証明に関する書類を書くことはできますが、訴訟を行うことはできません。

したがって、訴訟についての相談や依頼は通常、弁護士にすることになりますが、訴訟で不動産の鑑定が必要な場合には、不動産鑑定士に依頼するなど、他の専門家が関与する場合が少なくありません。

弁護士への相談

弁護士への相談・依頼は、身内や知り合いがいればその弁護士に頼むのがベターです。というのは、自分の事件の代理人をするのですから、気心が知れた、信頼のおける弁護士が一番だからです。

こうした人がいない場合には、相談所をまず利用し、これはと思う人に相談、依頼するのがよいでしょう。

ただし、弁護士といっても考え方や人生観などさまざまな人がいますので、選択に当たっては、信頼ができるかどうか、どれだけ親身になってくれるかなどを選択の基準とすれば

メモ

難しい事件では、その場で弁護士が判断できない問題もあります。それは、訴訟になって判決がどうなるかわからない紛争もあるからです。

よいでしょう。

また、費用については、事前に聞いておくようにしてください。一応の基準はありますが、弁護士によって相談料等は異なるからです。なお、弁護士報酬規程は、平成16年4月1日に廃止され、各弁護士が定めることになりましたので、必ず、事前に話し合ってください。

〔弁護士への相談〕

①あらかじめ連絡し、予約をとる。

↓

②事前に相談する内容を整理する。

↓

③資料があれば用意する。

↓

④相談項目をメモにしておくとよい。

↓

⑤相談料を確認する。

↓

⑥限られた時間なので、相談は要領よくする。

↓

⑦忘れないよう、弁護士の答えをメモすることも必要。

弁護士への相談での注意点

まず、弁護士には、トラブルに関して何も包み隠さず話すことです。自分に都合の悪いことは、なかなか話しづらいものですが、これでは、訴訟に勝つことは困難となります。

また、自分の意見を言うのはかまいませんが、法律ではこうなっていると弁護士が説明しても、自分の主張が正しいと言って主張を変えず、挙げ句の果てには、それは法律がおかしいなどと言う人もいます。こうした態度は問題です。

弁護士は法律に照らしてどうなるかを判断しているのであり、相談者の主張だけを聞いているのではないのです。

なお、相談では、その弁護士が信頼に値するかどうかを判断してください。いくら腕のいい弁護士でも、信頼できなければ、相談やその後の訴訟ではうまくいかない場合が多いからです。

●弁護士の活用

弁護士は法律問題が生じた場合に依頼するものと考えている人が大半でしょう。そして、そういう人は自分にはトラブルなど無縁だと考えています。

しかし、トラブルは自分が引き起こすだけでなく、向こうからやってくることもあるのです。

今日の日本は訴訟社会に入りつつあるような状況です。法律紛争が起きる前の予防策あるいは起きた直後の早期対策のために、弁護士のホームローヤーとしての活用をお勧めします。

9 どういう法的な方法で解決するかを考える

ポイント
通常は、穏やかに解決したい場合には調停、白黒明確にしたい場合には訴訟ということになります。ただし、人事事件（離婚など家庭の問題）の場合には家事調停をしなければなりません。

紛争の解決方法

紛争の解決法は、いままでに多少は触れましたが、さまざまな方法が用意されています。これについては第2部（45ページ以下）で詳細に解説しますが、その概要を次ページに掲載しましたので参考にしてください。

どういう解決法を選ぶかは、トラブルの種類、どうしたいか、法が用意している解決制度などによって異なります。

例えば、貸金の返還請求を例にとれば、その方法には支払督促の申立、民事調停、訴訟の方法があります。なにがなんでも全額の返済を得たい場合には、調停の選択はなく、支払督促か訴訟による方法となります。

さらに、支払督促では異議が出されると訴訟となりますので、相手から異議が出ることが予想される場合には、いきなり訴訟をした方がよい、ということになります。

また、離婚などでは、調停前置主義が置かれていて、いきなり訴訟をすることはできませんので、必然的にまずは調停の申立てをすることになります。

紛争の解決法で考慮すること

トラブルである以上、自分に主張があるのと同様に相手方にも主張があります。日本の訴訟制度もこうした点を考慮して、訴訟中の和解を認めています（この場合はいったん訴訟を起こさなければなりません）。つまり、訴訟（口頭弁論）の流れをみながら、裁判上の和解をすることも可能なのです（多くの民事

メモ 民事事件では、訴訟中の和解も多く行われています。

裁判では、裁判官による和解勧告があります）。

裁判中の和解は、白黒をはっきりさせる判決よりも、お互いが痛み分けであることから、トラブル解決後の感情的な対立を和らげられるという利点があります。

トラブルの解決に当たっては、柔軟な姿勢も必要です。ただし、どうしても離婚をしたい、などの場合にはこうした和解はなく、離婚条件だけが問題となります。二者択一の問題の場合は妥協はできません。

紛争の解決で注意すること

紛争解決法によっては、将来に問題を残す場合があります。調停や訴訟中の和解で解決した場合に、どうしても判決で白黒つけるべきだった、と思う場合などです。判決が確定したり、調停や訴訟中の和解で解決すると、原則として訴訟のやり直しはできませんので、打つ手はなくなります。解決法を選択する前に、十分注意すべきだったのです。

ただし、法律には事情変更の原則というのがあります。例えば、離婚に伴う養育費の額が決まっていたが、その後、会社を解雇されたなどの理由がある場合には、養育費の減額請求の調停の申立ができます。同様に養育費の増額請求ができる場合もあります。

また、ＡＤＲ機関による仲裁の場合、仲裁だからといって気軽に応じると大変なことになります。仲裁における裁定は、仲裁法により判決と同様の効力を生じて強制執行ができるようになりますし、裁定の内容に不服があるとして、訴訟を起こすことは原則としてできません。

〔紛争の一般的的な解決法〕

①**調停**――裁判所を通しての話し合いによる解決法。通常の民事調停は簡易裁判所、離婚などの家事事件の場合は家事調停で、家庭裁判所に申し立てる。
②**訴訟**――裁判所の判決で白黒をつける方法。訴訟の価額が140万円以下は簡易裁判所、140万円超の場合は、地方裁判所に申し立てる。判決に不服の場合、控訴できる。
③**その他**――訴え提起前の和解、支払督促、非訟事件手続、破産手続開始の申立てなどがある。

●仲裁法とは

仲裁制度とは、当事者が合意によって紛争解決手続（ＡＤＲ）機関を選定し、その仲裁機関が審査して判断をくだすと、当事者双方がこの判断に拘束されるというものです。

つまり、仲裁裁定の合意がある場合には、原則、訴訟などの他の法的手続きをとることはできず、仲裁判断は判決と同じ効力を有し、強制執行ができます。

仲裁法に対しては、反対意見も多く、消費者契約や個別労働紛争では仲裁合意を解除できるとしたり、無効とする付則が設けられています。

10 高額の訴訟などでは弁護士に依頼する

ポイント

弁護士に頼むと費用がかかり、損と思う人もいますが、訴訟に負ければ、大損をする、その辺を考えてください。また、本人で争えば、時間もかかります。

メモ

弁護士に相談をしながら、訴訟をするというのも一つの方法です。弁護士が応じてくれればの話ですが…。

弁護士への依頼

弁護士への依頼は、医者と異なり受任義務があるわけではなく、話合いでの依頼です。通常、委任契約書（代理権限の委任）を作成することにより行います。この委任契約書には、事件の表示、受任の範囲、報酬金額または算定方法、支払時期、その他の特約事項が記載されます。この契約書は弁護士側で用意しますので、話合いで合意したとおりの内容であれば、署名押印をすればよいでしょう。

なお、契約書を作らない場合には、依頼者からの申出があったときには、受任弁護士は弁護士報酬等の額、その算出方法、支払時期に関する事項を記載した弁護士報酬説明書を渡さなければならないとされています。

法テラスによる弁護費用等の立替え

日本司法支援センター（愛称「法テラス」）では、訴訟などで弁護士を頼む必要があるのに、経済的余裕のない人のためにその費用を立て替え、弁護士を紹介する制度があります。これも受任義務はありません。受ける受けないは話合いの上です。

法律扶助の基準は、扶助を要する者であること、勝訴の見込みがあること、法律扶助の趣旨に適すること、となっています。このうち扶助を要する者とは、①生活保護受給者、②訴訟のための出費によって生活を脅かされるおそれのある生活困難者、および①②に準じる者、とされています。

日本司法支援センターは、全国50個所に地方事務所が設置されていて、生活困難者に対して無料で法律相談にも応じていますので、窓口で相談するとよいでしょう。ただし、法律扶助を受けるには前記についての審査があり、必ず受けられるとは限りません。また、扶助を受けた依頼者は、後日、立替費用を原則として返還しなければなりません。自己破産などの債務整理や交通事故の訴訟などで多く利用されています。

◆訴訟委任状のサンプル

訴　訟　委　任　状

令和○○年○○月○○日

住　所　〒○○○―○○○○

東京都△△区□□○丁目○○番○号

委任者　甲　山　一　郎　㊞

私は，次の弁護士を訴訟代理人と定め，下記の事件に関する各事項を委任します。

弁護士　甲　野　太　郎

○○弁護士会所属

住　所　〒○○○－○○○○

東京都○○区××○丁目○番○号□ビル

甲野法律事務所

電　話　03－○○○○－○○○○

ＦＡＸ　03－○○○○－○○○○

記

第１　事件

１　相手方

被告　○　○　○　○

２　裁判所

○○地方裁判所

３　事件の表示

○○○○請求事件

第２　委任事項

１　原告がする一切の行為を代理する権限

２　反訴の提起

３　訴えの取下げ，和解，請求の放棄もしくは承諾または訴訟参加もしくは訴訟引受による脱退

４　控訴，上告若しくは上告受理の申立てまたはこれらの取下げ

５　手形訴訟，小切手訴訟又は少額訴訟の終結判決に対する異議の取下げ又はその取下げについての同意

６　復代理人の選任

なお、依頼した弁護士をすぐに代える人がいますが、こうした態度も問題です。信頼して依頼した以上、結果を待つという態度も重要です。訴訟等の途中で弁護士を変えたりすると、せっかく準備した対策が崩れることにもなりかねません。

国選弁護人とは

刑事裁判で、自費で弁護士を頼めない場合には、国選弁護人という制度があります。刑事裁判では、被告人には弁護士をかならず付ける必要があり、被告人が自ら依頼することができないときには、国（具体的には裁判所）が弁護士を付けてくれます。

ただし、国選弁護人は被告人が依頼するのではなく、実務上は裁判所から法テラスに依頼があって選任されます。被告人が直接弁護士と交渉し決定するものではありませんので、誰が選任されるかは分かりません。なお、費用は国選弁護料として国から支給され、被告人の負担は原則としてありません。

●法律扶助の弁護士費用立替制度

消費者金融関係の扶助事件を例にとれば、扶助の手続きは以下のようになります。

①扶助の申込みを行うと、まず、法律相談が行われます。その際、扶助の条件に該当するかも判断されます。扶助を受けるためには、一定額以下の収入（資力基準）で、自己破産申立ての場合には免責の見込みがあることです。

②弁護士に依頼する着手金等を日本司法支援センターが立て替え、弁護士の紹介がなされます。

③立替費用は返済義務があります。

相手から訴えられたときの対策

ポイント

まず、訴状をよく読み、どういう理由で、何を要求しているのかを検討します。そして、その主張が法律に照らして権利があるのかも調べます。

交渉の後に訴訟となった場合

相手から訴えられる場合は、通常は事前に交渉があり、話し合いが付かない場合には、貸金の場合を例にとれば、「○年○月○日までに返済が無い場合には、法的手段を講じる」などといった、最後通牒とも言える内容証明郵便が送られてきます。

そして、訴訟の申立てがあったことを知らせる裁判所からの呼出状が裁判所から訴状とともに来ます。この場合、訴状が届いても、事前に交渉があったためにトラブルの内容は分かっていますが、もう一度、訴状の内容を読んで、対応することになります。

相手の請求が理不尽だと思っても、訴訟の拒否はできません。出頭しなければ敗訴になります。法律判断は微妙なものがありますので、一度は正規の法律家である弁護士に相談してください。また、訴訟の価額が大きい、あるいは絶対にその請求は認められないという場合、弁護士に頼むべきでしょう。

世の中には事件屋だとか勝手な名称をつけた世話役みたいな人がいますが、どれも正規の存在ではありません。

いきなり訴訟の場合

しかし、訴訟は前触れがあるとは限りません。いきなり訴状が裁判所より届く場合もあります。こうした場合、その訴状の内容をよく読み、相手の要求する事実関係をまず調べてください。借金の返済請求などの場合には、心当たりがあるでしょう。しかし、借りた覚

メモ

訴状が届いたのに相手の主張はデタラメとばかり放っておくと、通常、敗訴となり、相手の主張が認められることになります。

えがないのに、あるいは身内の人の保証人になっているなどとして訴えられることもないとは言えません。

　訴えられた側は通常、大変なことになったと冷静ではいられませんが、訴えられた金額にもよりますが、早急に弁護士に相談し対処法を検討したほうが無難です。

◆答弁書のサンプル

令和○○年（ワ）第○○○○号　保証債務請求事件
原　告　　甲　　山　　一　　郎
被　告　　乙　　川　　次　　郎

答　弁　書

令和○○年○○月○○日

○○地方裁判所民事第○部○係

〒○○○－○○○○　　東京都○○区△△○丁目○番○号□ビル
乙島法律事務所（送達場所）
訴訟代理人弁護士　　乙　　島　　三　　郎　㊞
電　話　03－○○○○－○○○○
ＦＡＸ　03－○○○○－○○○○

第１　請求の趣旨に対する答弁
　１　原告の請求を棄却する。
　２　訴訟費用は原告の負担とする。
第２　請求の原因に対する認否
　１　請求の原因１及び３の事実は不知。ただし，積極的に争う趣旨ではない。
　２　請求原因２の事実は認める。ただし，被告は，後述のとおり，一部弁済の抗弁を主張する。

―１―

訴えられたときの注意点

　訴えられたとき、その訴状をよく読むことです。訴状には、誰が、どういう理由（趣旨）で、どういう請求をしているかが、記載されています。また、答弁書（上書式参照）というのが同封されていて、訴状に記載された内容について争うのかどうかを決めなければなりません。

　この答弁書は、訴訟で重要な働きをしますので、取りあえず適当に書いておこう、などではすまされません。答弁書で敗訴が決まる場合もあるのです。

　こうした実務上の問題では、訴訟テクニックも必要ですので、答弁書を裁判所に出す前に弁護士に相談して書く内容を検討してください。

　また、怒って興奮して相手に電話するなどの行為も慎むことです。訴えられた以上は、自分の主張は裁判所の法廷で堂々とすることです。

●答弁書
　答弁書は、訴えられた人（被告）が訴えた人（原告）に、どのような反論（言い分・主張）があるかを裁判所に明らかにする書面です。

　したがって、訴状をよく検討してどの部分は認め、どの部分は争うかを明確にしなければなりません。また反論については、証拠資料がある場合は、付属書類として添付します。

　通常、答弁書は裁判所が指定した期日までに裁判所に出す正本と原告に渡す分を提出しますが、どうしても間に合わないときは、裁判所に連絡し、第1回口頭弁論期日に提出してもかまいません。

保証人や家族がトラブルに巻き込まれたら

ポイント
まず、法的に責任が生じているかどうかを検討します。保証人になっていなければ、通常、家族の者には責任は生じません。

メモ
家族の者への架空請求など、悪質商法には気をつけましょう。

保証人となっている場合

トラブルは当事者だけの問題ではない場合があります。例えば、保証人です。保証人には、金銭貸借の保証人や労働契約上の身元保証人などがありますが、保証した人にトラブルが生じれば無関係ではいられません。

保証契約は、保証人と保証した人との契約ではなく、保証人と保証の約束をした相手との契約です。その契約の内容に則して義務が生じますので、まず、契約がどうなっているかの確認が必要です。

ただし、契約どおりの義務を必ず負うかといえば、そうではない場合もあります。法律上は、無効な契約であれば、責任を負うことはありませんし、取消しができる場合もあります。契約の内容を確認してどうするかを検討してください。

なお、保証人は、自分が支払ったお金は、債務者（借主など）に求償（支払ったお金の請求）ができます。

トラブルが起きたときの家族の対応

トラブルが起きたとき、身内の者が心配するのは当然ですが、それだけでなく、家族がトラブルに巻き込まれ当事者となることもあります。消費者金融からの督促が保証人になっていた家族の者に来たり、借金が日常家事債務に当たるとして請求された場合などです。子どもの事故で親に損害賠償の請求が来ることもあります。

この場合、どのような根拠で請求するのか、その根拠と証拠を相手方に確認する必要があります。文書での回答を求めましょう。続いて事実関係を当人に確認してください。最近は「振り込め詐欺」に見られるように、架空の請求もあるからです。また、借金の請求などは、借主本人以外には、原則として保証人になっていなければ、請求することは禁止されています。

こうした場合、トラブルを起こした本人だけでなく、関係のある人も含めて、問題の解決に当たる必要があります。

解決のために関係者が集まり相談する必要があります。多くの人が集まれば、いい知恵も出ます。そして、必要があれば、問題解決のため弁護士に相談することです。

〔保証人と求償権〕

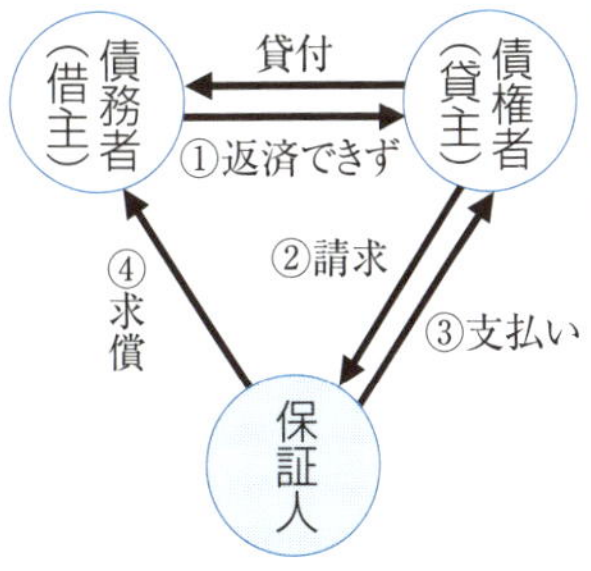

※保証人には、通常の保証人と連帯保証人があります。連帯保証の場合、債権者は主たる債務者（借主）の資力にかかわらず、直ちに連帯保証人に請求して強制執行ができます。

▶求償権――他人のために財産上の不利益を受けた者が、その他人に対してもつ返還請求権のことで、保証人が債務者に代わって借金を支払った場合は、保証人は債務者に対して求償権がある。

会社が紛争に巻き込まれることもある

日本人の多くはサラリーマンです。したがって、トラブルが生じれば、会社を巻き込むことも少なくありません。

借金を例にとれば、退職金の前借りによる返済、あるいは返済がないことを理由とする給料の差押え、また場合によっては違法ですが、会社に貸主が債権の取立てに来る場合だってあるでしょう。

会社はサラリーマンにとって生活のための収入を得る大切な場所です。トラブルとなり、会社にも影響が及びそうな場合には、事前に上司に話しておくのもよいでしょう。

なお、会社がトラブルの当事者となる場合もあります。会社の問題とすれば、リストラによる解雇（128・140ページ参照）、欠陥商品で訴えられた（132・88ページ参照）などの問題もあります。

●家族からの貸金の取立て

家族からの貸金の取立ては貸金業法によって禁止されており、これに違反した場合、懲役あるいは罰金、または両方の刑罰が併科されます。

しかし、借金をした子を可哀相に思い、借金返済の肩代わりを自主的にすることは自由です。借金肩代わりをするのであれば、交渉で減額し、借金の全額を整理することを検討してください。高金利の借金が一部でも残ると、再び借金地獄に陥るケースが多いのです。

弁護士に依頼して任意整理の方法をとれば、通常は大幅に借金は減額となります。

13 ビジネスや職場に関するトラブルが起きたら

ポイント
問題が起きたら、早急に対処し、解決することに尽きます。また、以後、同様の問題が起きないように社内態勢を見直すことです。

ビジネス（仕事）のトラブル

ビジネスをめぐるトラブルは実に多岐に及びます。仕事は通常は契約に始まり、契約内容を無事に履行することによって終了します。こうした一連の流れの中で、トラブルで多いのはなんといっても代金の支払いをめぐる問題でしょう。また、契約の内容をめぐる問題（例えば、納品が期限に間に合わない）や欠陥商品などの問題も生じます。

ビジネス上のこうしたトラブルは、早急に解決する必要があります。ビジネスにとっては、問題を抱えたまま仕事を続けることは、企業の信用にもかかわる重大事だからです。今日、不祥事を起こした会社が、倒産あるいは倒産の危機に直面している主原因は、問題の解決を早期にできなかった点にあります。

情報が乱れ飛ぶ今日、事件を隠蔽することは不可能だと思ってください。問題が起きたら直ぐに解決策を打ち出すことが重要です。

ビジネスと経営者の責任

ビジネスは儲ければいいと考えている経営者もいるかも知れませんが、何をやってもいいというものではありません。法規制があるのです。

ビジネスの法律の中心は、何といっても商法・会社法・民法です。経営者となればこうした法律に熟知している必要があります。そうでなければ、法律違反であることを知らずにビジネスを行ったり、トラブルが生じても何が問題なのか把握できないからです。

メモ 会社法では、大会社について、内部統制システム（取締役の職務執行が、法令・定款に適合するか等、会社の業務の適正を確保するための態勢）の構築の基本方針の決定を義務付けています。

こうした基本法の他にも、特別法が多数存在します。例えば、今、問題になっている貸金業者の場合には、貸金業法あるいは金利の上限を定めた利息制限法、刑罰金利を定めた出資法などがあります。こうした規制が業種によって存在し、いわばビジネス上のルールが定められているのです。経営者は、ルール違反にならないためにも、こうした業法にも熟知しなければなりません。

また、ルール違反の経営者は、特別背任罪や横領罪・詐欺罪などに問われることにもなります。各業種を規制する特別法には罰則がある場合が多く、罪に問われるケースもあります。さらに、株主代表訴訟により、経営者が損害賠償責任の追及を受けることもあります。

職場のトラブル

多数の人が仕事をする職場においても、いろいろなトラブルが発生します。通常のサラリーマンは、入社にはじまり、平社員、主任、係長、課長、部長、場合によっては取締役といったコースが用意されていますので、各段階に応じて権限と責任および収入も異なることになります。これは人事の問題ですが、ここに差別待遇などの問題が発生します。

また、解雇の問題もあります。同じ解雇でも倒産、業績不振による解雇、業務上問題がある社員の解雇などがあります。解雇では、その解雇が正当か不当かが問題とされます。

職場のトラブルは、問題解決が長引けば、社員の士気が下がるという側面があります。一方、止むを得ない措置と考えている経営者も多いのです。そこで、重要なのは、労働基準法を中心とした法律の規定と裁判所での判例がどうなっているかを知り公正な目を持つことです。

経済環境がめまぐるしい変化をする中で、企業も社員も利益という側面から翻弄されがちです。それに伴い、労働関連法はしばしば改正されていますので注意が必要です。

●公益通報者保護法

この法律は、公益通報（いわゆる内部告発）をしたことを理由とする通報者の解雇の無効、公益通報に関し事業者および行政機関がとるべき措置を定めることにより、公益通報者の保護を図るというものです。

公益通報の対象は、刑法など政令で定める480法令に規定する違反行為（まさに生じようとしている場合も含む）です。

また、公益通報者は、①解雇無効（派遣労働者含む）、②降格、減給、派遣労働者の交代を求めること等、不利益な取扱いを禁止しています。

平成18年4月1日から施行されています。

◆知っておきたい民法改正の主な項目

☆民法改正が相次いでいますが、主要な改正について解説します。

1 相続法の改正（令和2年4月1日施行）

約40年ぶりに改正された相続法の目玉は、配偶者居住権を創設したことです。

配偶者居住権は、配偶者が相続人と同じ建物に居住していた場合に、終身または一定期間、無償で住み続けることができる権利です。建物についての権利を、「配偶者居住権」と「負担付居住権」に分け、遺産分割の際に配偶者が前者を、他の相続人が後者を相続するようにしたものです。

配偶者居住権は、売買や賃貸借などができない制限付き権利ですから、評価額は低くなり、配偶者は他の相続財産をより多く取得できるようになり、生活の安定を図れます。

この他、無償で被相続人の介護や看病に貢献した相続人でない親族に金銭請求権が認められるようになりました。

2 夫婦間の自宅贈与（令和元年7月1日施行）

これまでは婚姻期間20年以上の夫婦間で、自宅を贈与した場合には、原則としてその財産は遺産の前渡し（特別受益）として取り扱われていました。すなわち、相続時における特別受益の財産は、遺産分割の際には相続財産に持ち戻して計算していました。

平成30年7月の民法改正で、婚姻期間20年以上の夫婦間の贈与は、特別受益として扱われなくなりました。これは遺産分割の際に相続財産に持ち戻さなくてよくなったため残された配偶者は、改正前よりも多くの遺産を手に入れることができるようになりました。

3 消滅時効制度（令和2年4月1日施行）

改正前の民法では、一般の債権については、権利を行使できる時から10年で消滅時効が完成すると定める一方、よく知られている飲み屋のツケは1年で、商品の納品の売買代金請求権は2年で時効が完成するという短期消滅時効を定めました。この他、3年で時効（医師の費用、建築工事の費用など）、5年で時効（商売上の貸し金、税金など）があります。

今回の改正で、債権の消滅時効は権利を行使できるようになった時から10年、これを知った時から5年で権利は消滅すると統一されることになりました。

4 損害賠償と時効（令和2年4月1日施行）

これまでは不法行為による損害賠償請求権は、3年で時効消滅するとなっていました。今回の民法改正により、不法行為による損害が、生命・身体の侵害による損害賠償請求権（財産権等の侵害を除く）については、損害および加害者を知った時から5年（不法行為の時から20年）権利を行使しないと時効により権利は消滅することになりました。これは債務不履行に基づく場合も同様です。

しかし、自動車事故の場合の保険金請求権は、自賠責保険も任意保険も3年を過ぎると時効により消滅しますので注意してください。

5 18歳で成人になる（令和4年4月1日施行）

約140年ぶりに成人年齢が20歳から18歳に引き下げられることになりました。

民法で定められている成人は、単独で契約を締結できるようになること、親の親権に服することがなくなるという意味を持ちます。

また、これまで女性の婚姻適齢は、16歳となっていましたが、今回の改正で男性と同じく18歳となりました。

法務省は、「…積極的な社会参加を促し社会を活力あるものにする」との意義から成人年齢を引き下げたとしています。

6 保証・保証人（令和2年4月1日施行）

保証のうちでも気をつけなければならないのは、一定の極度額まで継続的に保証する「根保証」です。保証人にと頼まれたら根保証かどうか要確認です。根保証の場合、極度額の定めがないと契約は無効です。

法人や個人事業主が事業用の融資を受けるための保証人になる場合は、公証人による保証意思の確認を得なければならなくなりました。ただし、法人の理事、取締役、執行役については不要です。

また、主債務者が保証人に依頼する場合には、財産や債務の状況等を保証人の求めにより提供する必要があります。また、主債務者が期限の利益を喪失した場合はその時から2か月以内に保証人に通知が必要があります。

第2部

紛争のケース別トラブルはこう解決する

♣トラブルが起きたとき、解決策を模索することになります。これは交渉による示談から始まり、最後の手段である訴訟・強制執行まで、相手の対応に応じて、手段を強化していくことになります。
トラブルによっては、特別な解決法がある場合もあります。

【内容】民事一般事件・家事事件・会社・労働問題のトラブル・刑事・少年事件・行政・年金・福祉のトラブルと解決法／各種の相談先と紛争解決機関

◆各種のトラブルにはそれぞれの解決法がある

■民事事件の解決法

トラブルの解決法は最終的には訴訟で、どの解決法も同じだと考えている人も多いかもしれません。しかし、実際は、その事件特有の解決法が多く存在するのです。

例えば、貸金の請求はもちろん、訴訟を起こすこともできますが、民事調停もあれば、支払督促の申立、場合によっては同じ訴訟のうちの少額訴訟（訴訟の価額が60万円以下）を選択することができます。少額訴訟は判決が早く、原則として1回の審理で判決が出されます。

このようにいくつかの解決手段が用意されていますので、適宜、解決法を選ばなければなりません。

■刑事事件と刑事裁判

刑事事件には調停などはありません。これは、犯罪については被害者が裁くのではなく、国家が法律に基づいて裁くからです。裁判所に起訴するのは検察官(検事)で、刑事裁判で裁かれる人は被告人と呼ばれます。

刑事裁判では、被告人のために弁護士の選任が必要ですので、被告人側は弁護士に頼むことができます。そして、この弁護士が被告人の弁護人となり、裁判が行われることになります。なお、頼む費用がない場合は国選弁護人が裁判所で選任されます。

また、刑事がらみの事件では、刑事責任、民事責任の両方が問題となります。例えば、交通事故の死亡事件の加害者は、通常、業務上過失致死という刑事裁判と損害賠償という民事責任による請求を受けることになります。

■少年事件と保護処分

未成年者が起こした少年事件は家庭裁判所が審判を行い保護処分を決定します。ただし、14歳以上の未成年者の場合、検察官に送致（逆送）されて、刑事裁判にかけられ、刑事処分がなされることがあります。

■行政事件と保護処分

官公庁が行った処分などに対して不服のときは、その行政庁に対して不服審査の申立てや行政訴訟事件を起こすことができます。

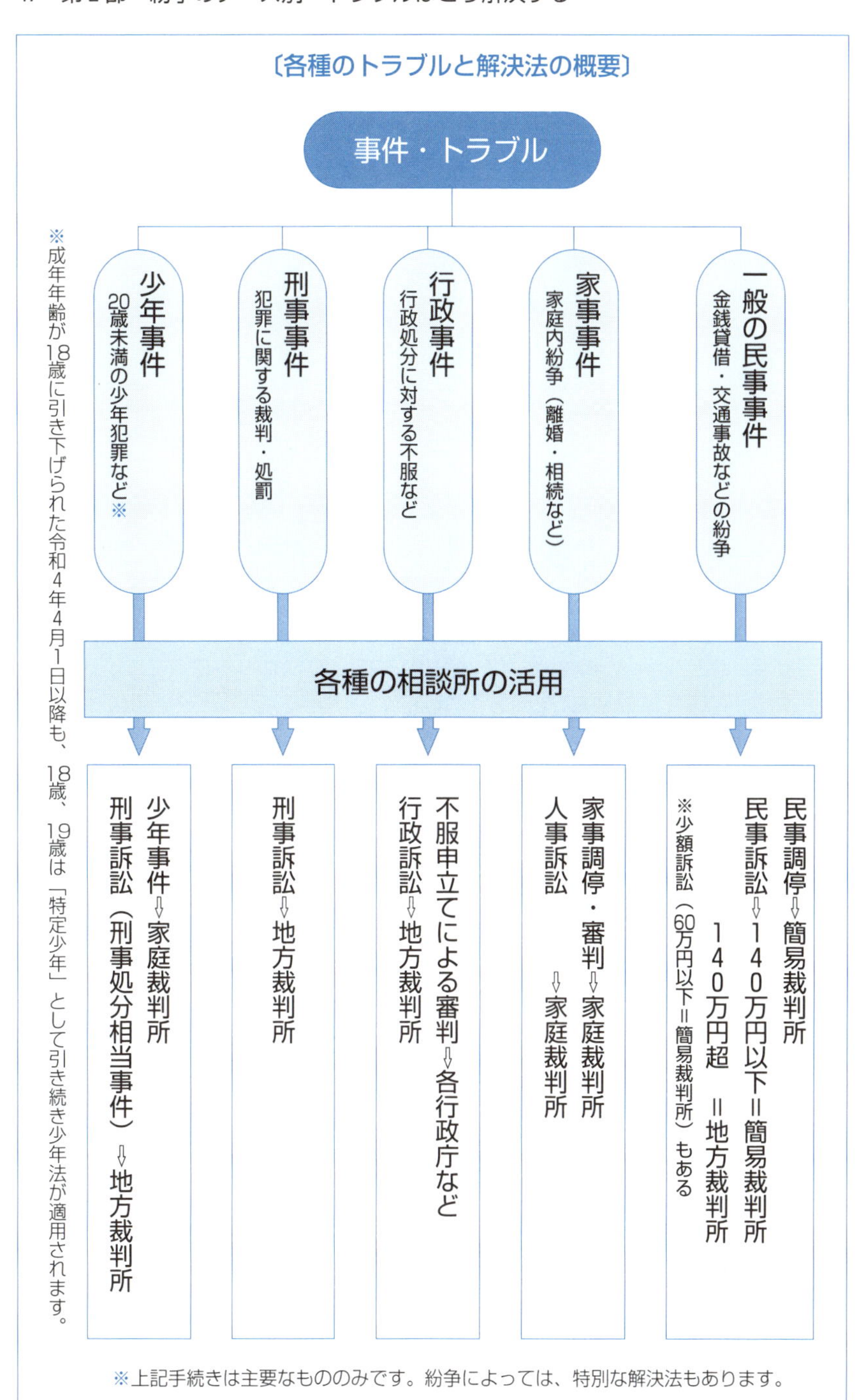
〔各種のトラブルと解決法の概要〕
事件・トラブル
一般の民事事件
金銭貸借・交通事故などの紛争
家事事件
家庭内紛争（離婚・相続など）
行政事件
行政処分に対する不服など
刑事事件
犯罪に関する裁判・処罰
少年事件
20歳未満の少年犯罪など※
※成年年齢が18歳に引き下げられた令和4年4月1日以降も、18歳、19歳は「特定少年」として引き続き少年法が適用されます。
各種の相談所の活用
民事調停⇩簡易裁判所
民事訴訟⇩140万円以下＝簡易裁判所
140万円超　＝地方裁判所
※少額訴訟（60万円以下＝簡易裁判所）もある
家事調停・審判⇩家庭裁判所
人事訴訟　⇩家庭裁判所
不服申立てによる審判⇩各行政庁など
行政訴訟⇩地方裁判所
刑事訴訟⇩地方裁判所
少年事件⇩家庭裁判所
刑事訴訟（刑事処分相当事件）⇩地方裁判所
※上記手続きは主要なもののみです。紛争によっては、特別な解決法もあります。

第1章 民事事件一般の解決法

——泣き寝入りは無用です

●民事事件の種類

　民事事件には多くのものがありますが、トラブルで多いものをあげれば、貸金の返還請求、交通事故などの事故による損害賠償の請求、債務不履行による損害賠償請求、借金整理のための破産手続き開始の申立てなどがあります。

　以下では、紛争を下記の類型に分類して解説します。

①債権回収のトラブル
②借金返済ができなくなったとき
③土地家屋のトラブル
④事故と損害賠償のトラブル
⑤消費者問題のトラブル
⑥人権に関するトラブル

　こうした実際のトラブルでは、法律に、例えば、「交通事故法」という法律はありませんので、民法の規定（不法行為）などにより、相手に対して損害賠償の請求をすることになります。

　なお、民事事件であってもそれと同時に刑事事件でもある場合があります。例えば、交通事故ですが、過失運転致死罪という刑事事件でもある場合があります。こうした場合、刑事事件の中で、民事事件（損害賠償請求）も解決できる場合があります。

●民事紛争の一般的な解決法

　民事トラブルの基本的な解決法には、示談、調停、訴訟があります。示談は交渉によって話し合いがついた場合で、調停は裁判所の調停委員会での話し合いの合意による解決法で、訴訟は法廷で双方の主張を戦わせての裁判官の判決による解決法です。

　通常は、まず、相手と交渉をしてみて、そ

◆示談とは

　民事トラブルの大半は示談で解決しています。示談とは、紛争の当事者が話し合い、双方が譲歩することによって問題を解決する手段とされています。

　示談で注意することは、一度示談が成立すると、原則としてやり直しはできないことです。

　また、示談の内容は文書にしておくと、後に示談の内容が問題になったときに、証拠となります。

れがだめな場合に、調停なり訴訟なりの解決手段をとることになりますが、離婚などの家事事件や地代・家賃の値上げの場合には、いきなり訴訟を行うことはできず、必ず調停を経なければなりません（調停前置主義）。

以上は、一般的な解決法ですが、トラブルによっては特有の解決法がある場合があります。例えば、借地で借地人が建物の増改築をする場合で、地主が承諾しないときには地主の承諾に代わる許可を裁判所に申し立てることができます。

特別の手続きは他にもありますが、これについては次項以下の本文の中で解説します。

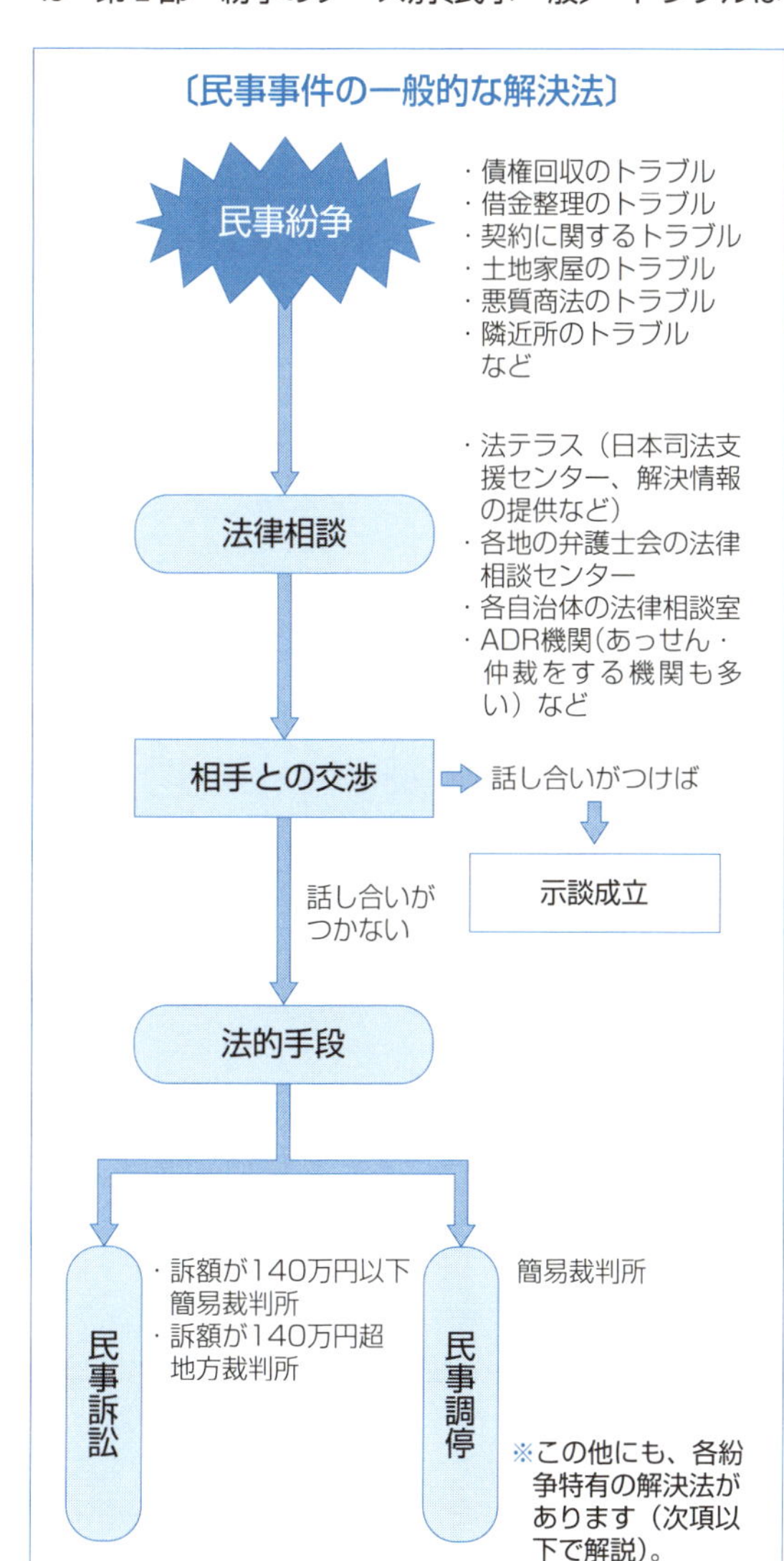

◆民事紛争の解決での注意点

トラブルが発生した場合、冷静に対応することが重要です。

自分が正しいと思っても、法律に照らして見ると、相手方の主張が正しいこともあります。

また、事故などでは、双方に責任がある場合もあります。

法律相談所などを通して、法律でどうなっているか冷静に判断することも重要です。

また、トラブルが起きても文句を言わない人もいます。ことの大小にもよりますが、重要なことであれば、泣き寝入りはよくありません。正しい権利は堂々と主張すべきです。

1 貸金の返済がなされず困ったとき

貸金の回収と対策

貸金を相手が返してくれない場合には、相手に対する貸金の返還請求および遅延損害金の請求になります。民法の債務不履行のうち履行遅滞が請求をするための根拠法律となります。

借主が期日に返済しないときには、とにかく相手と会って催促し、返済できない理由を問いただすことです。返済できない理由には、①返済期日が来ていることを忘れていた、②返済するつもりがない、③返済する気持ちがなくなった、④返済するつもりはあるがお金がないので返済できない、などがあります。

このうち①は、通常はすぐに返してくれるでしょうが、催促がないことをいいことに、返済しない借主がいますので、返済期日には必ず請求することです。

②は貸金の回収の問題もありますが、刑事の詐欺罪の問題でもあります。返すつもりがないのに、お金を借りることは、詐欺罪に該当します。しかし、初めから返すつもりはなかったなどと言う人は少なく、後に返す気をなくした場合は、詐欺罪にはなりません。詐欺罪の立証は困難な場合が多いでしょう。

③の返済する気持ちがなくなったという場合は、複雑です。交渉してもラチがあかない場合には、民事調停あるいは訴訟の手続きをとります。そして、調停調書あるいは判決を得て、それでも返済しないときには、相手の財産に対して強制執行をすることになります。

ポイント

民事事件で一番多いのが、この貸金の回収事件です。貸金業者などは債権（貸金）の管理がなされていますが、友人などへの個人間の貸付では、ズルイ相手はお金があるにもかかわらず返済しない場合があります。

催告をし、それでも返済しない場合には訴訟を起こして、給料の差押え等を行えばよいでしょう。

メモ

貸金の回収は、相手に資産がなければ回収は困難だということを頭に入れておいてください。無い者からはとれず、したがって、法的手段を講じても、費用倒れになることがあります。

こうした場合、相手の資産調査も欠かせません。

④の場合は、本当に返済する能力がないのかが問題です。もし、ほんとうに返済するお金がない場合には、調停や訴訟により調停調書や判決があったとしても、相手の財産に対する強制執行は空振りに終わりますから処置なしです。将来少しずつでも、返済してもらうよう、話し合いで解決するのがよいでしょう。

返済の催告と交渉

お金を貸した相手が返済期日がきたのに返済しない場合は、まず、金銭貸借の契約を確認してください。貸金の額、返済期日、利息、遅延賠償などです。そして、交渉に臨みます。交渉では通常、あと１週間待ってくれ、などと借主は懇願します。こうした場合には、その願いを聞き入れるかどうかの判断をすることになりますが書面をとるべきです。絶えず相手の書面をとるのが債権回収のコツです。確実に１週間後に返すつもりであれば、他の法的手段を使って回収するよりも費用もかからず時間も早くてすみますので了解することもよいのですが、ただそれが苦し紛れの口実で、実は１週間後の返済のメドはまったくない場合、ズルズルと返済が延びるだけです。

このように交渉してもラチがあかなかったり、会ってくれないなどの場合には、いきなり訴訟などの手段をとることもできますが、通常は催告状を出します。これは内容証明郵便（220ページ参照）で出すのがよいでしょう。催告状はいつまでに、いくら支払え、というように簡潔な内容とし、最後通告的な内容とするのがよいでしょう。催告状を出すだけで解決することもあります（催告は６か月間だけですが、時効の完成を猶予する）。

法的手段による交渉

こうした交渉や催告にも係わらず、返済がない場合には、法的手段をとることになります。その方法は、①担保権の実行（213ページ参照）、②支払督促（198ページ参照）、③民事調停（200ページ参照）、④訴訟（訴額が60万円以下は少額訴訟も可、206・208ページ参照）などです。

解決法

①返済の催告。必要あれば法律相談をする⇨（56ページ参照）
②法的手段をとる。
・担保が提供されていれば担保権の実行⇨（213ページ参照）
・相手に対して借金があり相殺適状にあれば、それと相殺する。
・支払督促の申立て⇨（198ページ参照）
・民事調停の申立て⇨（200ページ参照）
・民事訴訟の提起⇨（206ページ参照）※少額訴訟もある（208ページ参照）。
・強制執行⇨それでも支払わない場合⇨（212ページ参照）

◆お金のトラブル2

2 売買代金を支払ってもらえずに困ったとき

売買代金の回収

売買代金のトラブルも多い事項の1つです。金融機関などの企業には、債権回収の担当者がいて、債権の管理・回収に当たっていますが、中小企業や個人事業ではこうした担当者はいず、困った問題となります。

債権回収法については多くの書物も出され、また、法律に関する相談機関（一般相談）もありますので、まずは、そうした本を読んだり、相談所で相談されることをお勧めします（56ページ参照）。

売買代金のトラブル

売買代金のトラブルも、金銭貸借と同様に、お金がないから支払わないのか、それとも他に何か理由があって支払わないのか、その原因を知る必要があります。

お金があるのに単に支払わないのであれば、前項の貸金と同様に法的手段によって債権回収は比較的簡単にできます。しかし、その他の理由の場合は、回収が困難です。

まず、相手にお金がない場合には、破産（後述）されても困りますので、通常は話し合いによる解決となります。話し合いでは、現実的な回収法として分割返済案や保証人や担保を提供してもらうなどの方法を検討するとよいでしょう。

また、納入した商品に欠陥があって相手が支払わないなどの問題があります。この場合には、欠陥がない商品を再納入することはもとより、そのことで相手に損害が発生した場

ポイント

売掛金の回収は素早くすることが必要です。トラブルが長引けば長引くほど回収は困難になり、また、取り引き先との関係もうまくいかなくなります。

先の満額のお金より、少なくても今のお金、こうした考えも重要です。

メモ

法律に違反するような取立は厳に慎むことです。脅迫や詐欺、暴行・傷害などで逮捕されれば、債権回収どころではなくなります。

合には、その損失分は差し引いて請求することになります。ただし、その損失の額については、交渉で決まらないときには、法的手段をとることになります。

売掛金のトラブルの注意点

1回限りの売掛金のトラブルの解決は、自己の主張と相手の主張を調整すれば、さして問題は残りません。しかし、継続的な取り引きの場合には、以後の取り引きもかさみ、できれば円満に解決したいものです。個人の感情抜きにお互いがビジネスライクに交渉することです。そうすれば、トラブルが生じたときの解決の先例ともなります。したがって、今後のこともありますので、よく話し合い、円満に解決することが大切です。

また、企業間の取り引きでは手形が用いられることもあります。売掛金の支払いが手形でなされている場合、手形の支払日に支払いがなされないと不渡りとなります。この不渡りを阻止するために手形のジャンプ（支払日の書換え）の要請が振出人よりなされることがありますが、相手の資産の内容を知るよいチャンスですので、その理由をよく聞いてください。話の内容によっては取り引きを中止したほうがよい場合もあります。

なお、手形が不渡りになっても、その手形の振出原因となった債権は消滅するわけではありませんが、振出先の企業が破産すれば、一般債権者としての配当を受けられるだけで、売掛金のほとんどが回収できないと思った方がよいでしょう。

その返済を受けられなかった部分については、税務上、損金に計上できますが、事前にどういった書類が必要かは、税務署に相談しておくことです。

売掛金の回収の問題は、実は債権の管理の問題でもあるのです。問題が生じてからの対応は困難な場合も多く、取引先や顧客の資産の状況を日頃から把握しておくことこそ重要なのです。

解決法
①支払いの催告。回収法がわからなければ相談をする⇨（56ページ参照）
②法的手段をとる。
・相手に対して借金があり相殺適状にあれば、それと相殺する。
・支払督促の申立⇨（198ページ参照）
・民事調停の申立⇨（200ページ参照）
・民事訴訟の提起⇨（206ページ参照）※少額訴訟もある（208ページ参照）。
・強制執行⇨それでも支払わない場合に行う。（212ページ参照）

3 借金やクレジットの返済で困ったとき

借金の返済が困難

借金返済が困難な場合、その借金の整理をする必要があります。この方法には、貸主との交渉での任意整理（通常、弁護士事務所が行う）、裁判所に申し立ててする調停（特定調停）、民事再生（個人再生）、自己破産の方法があります。

債務整理の交渉あるいは法的手続きは債権者（貸主）との対応の問題もありますので、関係機関（弁護士会、ＡＤＲ機関など）で一度は法律相談を受けるとよいでしょう。なお、夜逃げや蒸発で借金から逃れようとする人がいますが、本質的な解決にはなりません。

借金の整理法

裁判所を利用した借金の整理法には、その困窮の状況に応じて次の3つがあります。

①調停・特定調停　調停には通常の調停により裁判所を通じて話し合う場合（債務調整事件）と、民事調停の特例として支払不能に陥るおそれがある場合に話し合う特定調停があり、いずれも簡易裁判所に申し立てて行います。

特定調停は債務者の借金があまり多くない場合の借金整理法です。

②民事再生　民事再生は経済的に窮境にある債務者の経済的再生を図るための制度です。法人も個人も活用できますが、個人の場合の再生手続きには、(a)小規模個人再生、(b)給与所得者等の再生、(c)住宅資金貸付債権に関する特則が設けられています。申立先は地方裁判所です。

ポイント

借金整理はなかなか本人だけでの解決は困難です。とにかく、誰かに相談してください。借金整理は必ずできますので、自殺などは考えないことです。

メモ

貸金業者の借金の取立には、多くの規制があります。深夜の取立、貼り紙や大声を出すなどの行為です。こうした取立は保証人に対しても禁止されています。

なお、平成16年の破産法の改正で、①破産と免責手続きの一本化が認められ、②破産者の手元に残る財産の拡大（99万円）などの改正が行われています。

③自己破産　自己破産は借金整理の最後の手段と言われ、地方裁判所に破産手続き開始の申立てをします。その後、破産手続き開始の決定がなされ、免責（借金の免除）許可の決定が出されることで、再起を図るというものです。

借金整理での注意点

借金整理で気をつけなければならないことは、借金の整理は全部一度にするということです。借金整理をしない部分が残ると、そこから再び借金地獄に陥ることが少なくありません。借金整理の相談で、事情があって一部の借金を隠す人がいますが、得策でなく、相談などでは借金の全部について話し、どうするかを検討すべきです。

借金整理に当たっては家族の協力も不可欠ですので、事前に相談するようにしましょう。保証人についても、借金整理をすれば、その人にも当然影響がありますので、事前に話しておくことです。また、財産を隠したり、自己破産などでの審尋に当たっては嘘をつかないことです。場合によっては、詐欺破産罪に問われることがあります。

なお、返済が滞ると貸した側（消費者金融など）の取立が厳しくなることも予想されます。こうした場合、泣き寝入りはせずに、法律違反の取立があれば、監督官庁への苦情の申立てや、殴られたなどの刑法等に触れる行為がなされた場合には、告訴するなどの対抗策をとることも重要です。

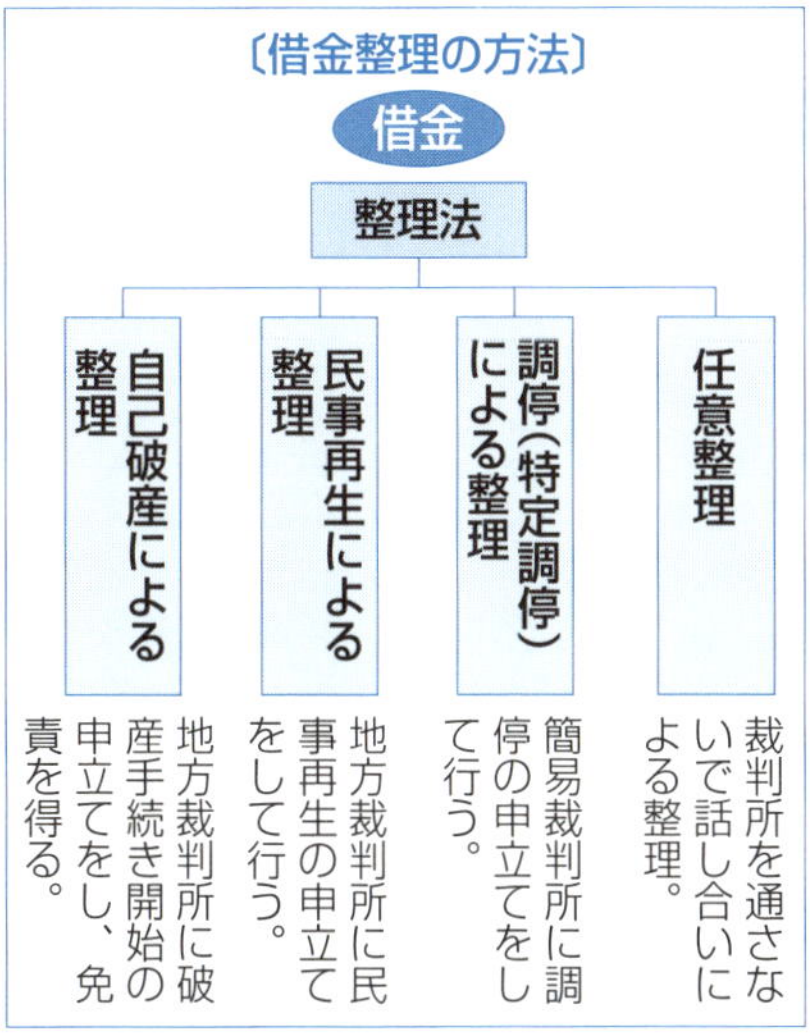

〔借金整理の方法〕

借金

整理法

整理法	
任意整理	裁判所を通さないで話し合いによる整理。
調停（特定調停）による整理	簡易裁判所に調停の申立てをして行う。
民事再生による整理	地方裁判所に民事再生の申立てをして行う。
自己破産による整理	地方裁判所に破産手続き開始の申立てをし、免責を得る。

解決法

①自分の借金の状態を把握する。
②弁護士・司法書士などに相談をする。⇨（58ページ参照）
③貸主との交渉あるいは法的手段をとる。
・任意整理⇨話し合って借金の減額や分割払いにしてもらいたい場合
・調停（特定調停）⇨裁判所を通して話し合いで借金整理をする場合（216ページ参照、以下同）
・民事再生⇨一定の収入があり経済的破綻のおそれがある場合
・自己破産⇨支払不能の場合
※最後の手段は自己破産。借金の状態に応じてどの方法を選ぶか判断する。

相談＆解決

◆お金のトラブル④

お金のトラブルの相談先と紛争解決機関

ポイント
弁護士会の法律相談などを通じて、まず、知識を得ることが大切です。

債権回収のトラブル

お金の貸し借りについてのトラブルには、大別すると、貸した側が相手に返済や支払いを求めてトラブルとなるもの（債権回収）と、借りた人が返済できなくなり何らかの借金整理をしたいなどの場合に分かれます。ここでは、前者の債権回収などのトラブルについて解説し、後者の債務整理などの機関については次項で解説します。

借金の返済のトラブルは、その契約に関して問題などが生じて返済がされないもの、もう一つは借主（債務者）が返済金の都合がつかず、返済が滞る場合があります。前者の例には、返済する約束にはなっているが、返済日が明確でなかったり、取引で納入した商品に問題があり代金が支払われない場合などがあります。また、後者の例としては、失業などで収入がなくなり、債務者が支払えなくなった場合などが考えられます。

また、お金の問題に関しては、貯蓄や保険・投資などのトラブルもあります。

弁護士会の法律相談所などを活用

借金の返済が滞った場合、債権者は回収のために手を打つことになりますが、債権回収についての専門の相談機関はありませんが、通常の法律相談機関が多く利用されています。弁護士への相談や訴訟などでも、最も多いのが債権回収の事件です。

メモ
債権回収では「資産が無いものからは取れない」ことは覚悟しておいてください。

会社や個人で顧問弁護士がいる場合はともかくとして、知人や友人に弁護士がいない場合には、弁護士会の法律相談センター（182ページ参照）や自治体の法律相談所（187ページ参照）を利用するとよいでしょう。

訴訟をせずに、なんとか示談にしたり民事調停の申立てをするのも方法です。また、その過程において、内容証明郵便による催告をしたり、支払猶予や減額をしたりする場合などで示談した内容を公正証書にする場合には、こうした知識についても相談が必要です。

なお、債権回収では取立屋の存在などが問題となりますが、債権回収などの法律問題に関与して報酬を得ることは弁護士法に違反する行為ですので、相談や依頼は専門家である弁護士に依頼するようにしてください。

債権回収のトラブル相談先および紛争解決機関

〔法律相談〕
- 各地の弁護士会の法律相談センター（182ページ参照）
- 弁護士会の紛争解決センター（184ページ参照）
- 都道府県の無料法律相談所（187ページ参照）

〔貯蓄・保険・投資などの相談〕
- 全国銀行協会相談室　0570-017109
- 銀行とりひき相談所（全国50か所）　（大阪）☎06-6942-1612　（福岡）☎092-715-0331
- 全国しんきん相談所　☎03-3517-5825
- しんくみ苦情等相談所　☎03-3567-2456
- 生命保険相談所　☎03-3286-2648
- そんぽADRセンター　0570-022808
- 信託相談所　0120-817335
- 日本クレジット協会 消費者相談室　☎03-5645-3361
- 日本産業協会　相談室　☎03-3256-3344
- 証券・金融商品あっせん相談センター　0120-64-5005

〔手続きについての相談〕
- 民事調停の手続き⇨簡易裁判所の受付担当（200ページ参照）
- 内容証明郵便⇨もよりの郵便局（220ページ参照）
- 公正証書⇨公証（人）役場（222ページ参照）

●**借金と詐欺**

借金は返済するつもりがあって借りた場合には、詐欺罪に問われることはありません。

そのために、借金の詐欺では、借りるときに返すつもりがあったのかどうかが問題となりますが、これは内心の問題であり、返すつもりはあった、と言われればなかなか警察も立証は困難でしょう。

ただし、同じ手口で数人から借金している場合には、最初から騙すつもりだった、との推定がなされることがあるでしょう。

借金整理の方法

借金の返済ができないときの方法としては、貸主（債権者）と話し合い任意整理（私的整理）をする方法、民事調停（特定調停）による方法、民事再生法に基づく再生（個人・法人）、自己破産の方法があり（詳細は本章③54ページ参照）、借主の困窮度により決まります。

弁護士会や自治体の相談所

弁護士会や自治体の相談所では、借金整理の相談に応じています。弁護士会の相談センターについては182ページ、自治体の相談については187ページを参照してください。ただし、示談の交渉などをしてくれるものではありません。

自己破産などの手続きを頼みたい場合には、別途、依頼することになります。また、借金に関する専門相談所（消費者破産など）が東京の四谷、錦糸町などにあります（次ページ表参照）。なお、司法書士会で借金整理の相談に応じているところもあります。

(財)日本クレジットカウンセリング協会

複数のクレジット会社に債務があり、返済が困難な状況に陥っている多重債務者に対して、その社会的、経済的な立ち直りを支援するための相談機関として「財団法人日本クレジットカウンセリング協会」があります。

業務内容は、①多重債務者の更生・救済のためのカウンセリング業務、②多重債務者発生防止のための啓発業務を主としています。カウンセリングは無料で、秘密は厳守されます。

カウンセリングを受けるには、①クレジットの利用者であること、②本人に自発的な債務返済の意思があること、③本人の収入などから債務がおおむね3年以内に返済可能であること、④債務が個人的なものであること（個人事業者が営業で負った債務、法人の債務は含まない）、⑤本人がカウンセリング協会に来所できること、の5つが条件です。

日本貸金業協会

ポイント

借金整理では、とにかく、どの相談機関でもよいですから、相談してください。とくに破産状態にあれば、弁護士会等の法的手続きができる相談所を選ぶとよいでしょう。

借金整理等に関する相談（30分）は、原則として無料です。

メモ

借金整理をする場合には、借金が膨らむ前に対応することが大切です。

日本貸金業協会は、貸金業法により設立された認可法人です。日本貸金業協会本部や各地の支部では、借主（債務者等）からの相談・苦情の処理に当たっています。協会に苦情・相談があると、相手方の貸金業者に対して、同協会から苦情の解決に協力するよう要請がなされます。

こうした要請にもかかわらず、非協力的な場合や、トラブルが複雑な場合等のときには、苦情処理委員会に当事者双方を呼び出して、双方から事情を聴取した上で、双方に対し仲裁案が示されます。ただし、破産手続き等をしてくれることはありません。

裁判所の窓口

債務整理の方法としては、自己破産（地方裁判所）、特定調停（簡易裁判所）、個人再生（地方裁判所）があり、裁判所に申立用紙等が用意されています。

手続上のことで、分からないことがあれば、受付窓口で聞くと教えてくれます。

〔借金整理の相談先と紛争解決機関〕

〔解決情報提供・民事扶助〕

- 日本司法支援センター（法テラス）
  コールセンター　☎0570-078374

〔法律相談・仲裁〕

- 各地の弁護士会の法律相談センター
  - 東京＝四谷法律相談センター（弁護士会）　☎03-5312-2818
  - 東京＝錦糸町法律相談センター（弁護士会）　☎03-5625-7336
  - 東京＝八王子法律相談センター（弁護士会）　☎042-645-4540

  ※この他にも相談所はあります。
- 各地の司法書士会
- 都道府県の無料法律相談所
- 東京都貸金被害相談　☎03-5320-4775

〔消費者金融からの借金〕

- 日本貸金業協会（苦情も含む）　☎0570-051-051

〔クレジット債務がらみの借金〕

- （公財）日本クレジットカウンセリング協会　☎0570-031640
- （一社）日本クレジット協会消費者相談室　☎03-5645-3361

〔手続きについての相談〕

- 民事調停（特定調停）➡簡易裁判所の受付担当

〔消費者金融に対する相談・苦情申立先〕

- 金融庁　☎0570-016811
- 各地の財務局（財務部）
- 都道府県の貸金業担当係

●消費者金融関係の苦情申立て

借金の取立が貸金業法に違反するなどの場合には、監督官庁である金融庁あるいは都道府県貸金業担当係（名称は各都道府県により異なる）に苦情の申立てをするとよいでしょう。

警察に貸金業法違反で被害届を出したり、告訴するという方法もあります。

さらに、弁護士に依頼したり、破産等の手続きを裁判所にすれば、通知後、取立が行われれば貸金業法違反となることから、通常、取立は止みます。

売買など契約の問題で困ったとき

契約とは何か

契約と言えば会社間の取引や金額の高いものの購入（例えば不動産）と思われる人も多いかもしれませんが、実はスーパーでの買物も契約です。その場で物の購入と支払いが行われるので、瞬時に契約は成立し、契約は履行され、ほとんどの場合問題となりません。

ただし、購入した商品に欠陥があったなどの場合は、契約の不完全履行として債務不履行の問題が生じます（後述）。

契約のトラブル

契約のトラブルには、契約が成立しているかなどの問題がまずあります。

これには、契約における公序良俗違反、錯誤・詐欺・強迫による契約、クーリング・オフがあります。

①未成年者・制限能力者の契約　未成年者のする契約は法定代理人の同意が必要で、同意のない契約は取り消すことができます。ただし、これには例外があり、(a)権利を得る、または義務を免れる行為、(b)小遣い銭などの自由財産の処分、(c)営業を許可された者の営業に関する行為の場合には、法定代理人の同意は必要ありません。未成年者が詐術を用いて契約した場合、取消しはできません。

②公序良俗違反　公序良俗は、公の秩序・善良の風俗を言い、法律は社会秩序を維持する手段であるので、公序良俗違反は無効となります。また、公の秩序に関する事項を定めた

ポイント

契約は口頭でも成立しますが、トラブルとなった場合には、契約でどうなっていたかの確認が大変です。メモや証人がいれば、交渉の材料となります。

メモ

争いになれば相手は自分に都合のよいことだけを主張してきます。こうした場合に、証拠として契約書がモノをいうのです。

ただし、契約書は複雑なことが多く、意外な条項が入っていたりします。欠陥もあります

規定を強行規定と言い、強行規定違反の行為は無効とされます。例えば、賭博による借金は無効です。

③錯誤による契約　錯誤とは、表意者に認識の誤りがあり、真意と異なることに気付かないでした意思表示のことを言います。法律行為の要素（内容中重要な部分）に錯誤がある場合には、その法律行為は取り消されます。例えば、米ドルと香港ドルを同じだと誤信し、購入の約束をした場合などです。

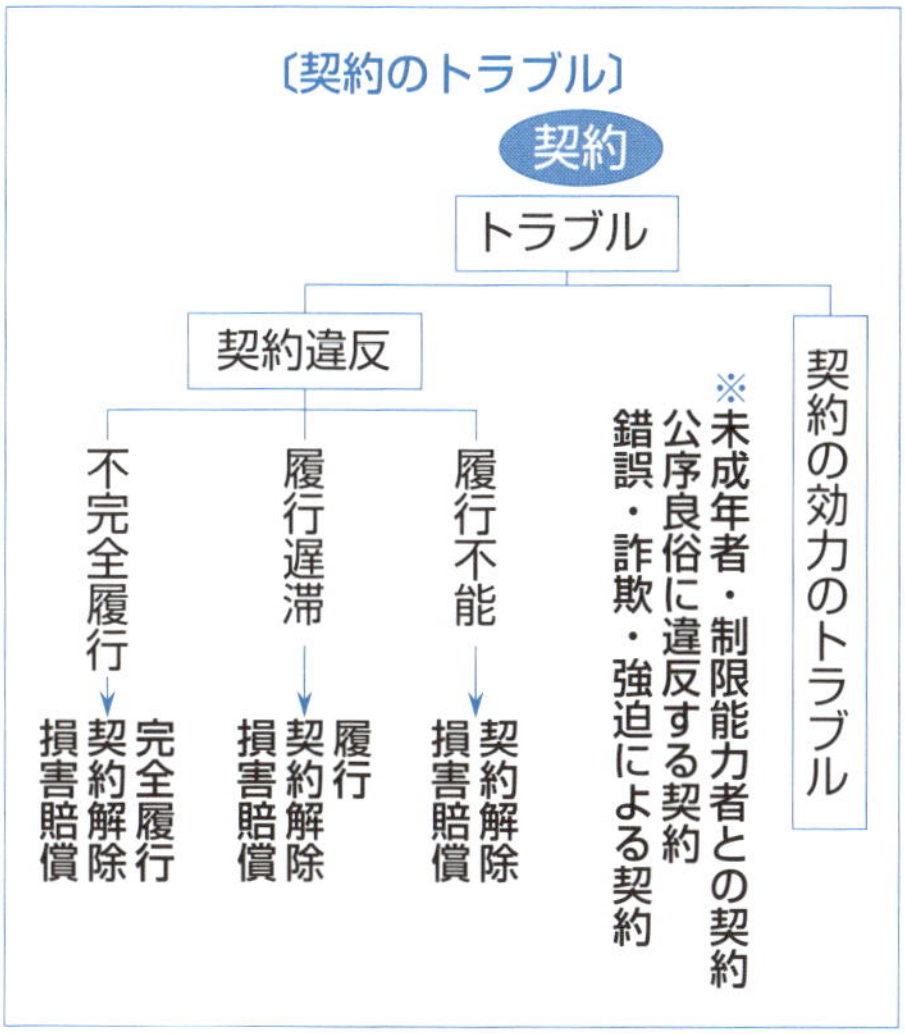

④詐欺による契約　詐欺とは、故意に事実を偽って、人を錯誤に陥れる行為です。この場合、表意者は錯誤による意思表示を取り消すことができます。

この他にも、クーリング・オフ、債務不履行による契約解除の問題があります。クーリング・オフとは、英語ではcooling offと書き、冷静になって考える期間のことを言い、この期間はいつでも一方的に契約申込みの撤回または契約の解除ができます。クーリング・オフができる場合については各法令に定めがあり、特定商取引法の訪問販売については、適用除外商品等を除き契約日を含めて8日間はクーリング・オフができます（176ページ参照）。

債務不履行には履行不能、履行遅滞、不完全履行の場合があります。履行不能、履行遅滞、不完全履行では、契約解除、損害賠償が問題となります。

〔契約のトラブル〕

- 契約
  - トラブル
    - 契約違反
      - 履行不能→契約解除／損害賠償
      - 履行遅滞→履行／契約解除／損害賠償
      - 不完全履行→完全履行／契約解除／損害賠償
    - 契約の効力のトラブル
      - ※未成年者・制限能力者との契約
      - 公序良俗に違反する契約
      - 錯誤・詐欺・強迫による契約

解決法

①契約の中身を契約書などで検討する。
②必要があれば弁護士・ADR機関などに相談をする⇨（68ページ参照）。
③相手と話し合いをする。
④法的手段をとる。
- 示談交渉⇨話し合って解決する（192ページ参照）
- 民事調停⇨簡易裁判所を通して話し合いで解決する（200ページ参照）
- 民事訴訟⇨判決で白黒つける（206ページ参照）。少額訴訟もある（208ページ参照）。

※訴え提起前の和解（196ページ参照）。話し合いがついた場合に和解調書の作成のために活用できる。

◆契約・悪質商法・投資のトラブル②

悪質商法の被害で困ったとき

悪質商法とは

悪質商法は法律用語ではなく、その定義も明確でありませんが、各種の法令に触れる商法、あるいは法令に触れるかどうか不明確なものを言うようです。

したがって、悪質商法の場合、法律でどうなっているかの解明が重要です。多くの場合、刑事上は詐欺、脅迫が問題となり、民事上は、契約の無効・取消しによる損害の回復が問題となります。

悪質商法の被害にあった場合には、まず、消費者関係の相談所で相談するとよいでしょう。ここには被害にあった他の人の相談も多くよせられていますので、悪質商法および業者の認定が可能だからです。

各種の悪質商法

悪質商法には、マルチ商法、ネズミ講、キャッチセールス、デート商法、SF（催眠）商法、内職商法などさまざまなものがあります。

悪質商法の特徴は、儲かる、錯覚を利用するなど、詐欺的な手口が多いことです。旨い話をうっかり信じ込んでしまうと、損をすることになります。

悪質商法は、架空請求、押し貸し、違法サイト利用の適否や高額請求などがあり、最近は新手のものが次々と登場しています。スマホやインターネット利用の悪質商法など、今日の経済社会の盲点をついた商法が横行しています。今後も、こうした新手の犯罪的商法は増加するものと思われます。

ポイント

悪質商法だと思ったら、すぐにクーリング・オフをすることです。また、早急に国民生活センターや消費生活センターで相談することです。

メモ　特殊詐欺・架空請求

見に覚えのない金銭請求のハガキがいきなりきます。差出人や住所はもっともらしいもので、文面は、「すぐに連絡しないと訴訟となり、放っておくと敗訴し、あなたの財産は強制執行されます」。あわてて電話すると、弁護士と名乗る男が、「訴訟の取下料として、○月○日までに10万円を支払え」などと言います。

こうしたハガキやメールなどは無視しましょう。

悪質商法への対処法

悪質商法の餌食とならないためには、旨い話はそうそうにない、と肝に銘じておくことです。また、勧誘員はプロで言葉巧みに売り込みますので、きっぱりと断ることです。

また、悪質商法で品物の購入などの契約をしてしまうことがあります。この場合には、まず、クーリング・オフ（申込みの撤回または契約解除）ができるかどうかを検討してください。特定商取引法では、訪問販売や電話勧誘販売などについて一定の期間（原則8日間）であれば、無条件で契約の撤回ができ、

〔クーリング・オフの期間〕

訪問販売 電話勧誘販売	契約書面の交付から8日間
割賦販売 クレジット販売	クーリング・オフの告知から8日間
マルチ商法	契約書面の交付から20日間
預託等取引	契約書面の交付から14日間
宅地建物取引	クーリング・オフの告知から8日間

商品を返送して、代金の全額返済を求めることができます。ただし、①自動車販売、②化粧品・履物などの消耗品、③電気・ガス・熱の供給などのサービス、葬儀、④三〇〇〇円未満の現金取引、などには適用されません。

この他、クレジット契約や宅地建物取引、海外商品先物取引などについてもクーリング・オフの適用があります（176ページ参照）。

クーリング・オフの期間を過ぎた場合には、消費者契約法が定める①誤認させる契約方法、②困惑させる契約方法でなかったかどうかを検討してください。この場合、契約の取消しができ、すでにお金を払っていれば、相手方は返還義務を負います。また、民法上の詐欺や強迫に該当する場合も取消しができます。

なお、平成20年6月21日に、「振り込め詐欺等救済法」が施行され、被害者がお金を振り込んだ銀行に通報することにより、一定の手続きを経て、犯人の口座にお金があれば配当（被害者が複数なら分配）してもらえます。

解決法

①危ないと思ったらクーリング・オフをする⇨（176ページ参照）
②悪質商法の被害にあったらすぐに相談する⇨（68ページ参照）
③交渉あるいは交渉に応じる。
④法的手段をとる。
・詐欺や脅迫による被害届や告訴⇨（146ページ参照）
・民事調停⇨（200ページ参照）
・民事訴訟⇨（206ページ参照）
※被害額が少ない場合も多く、また、悪質業者の所在が不明な場合も多く、被害の回復は困難。

訪問販売のトラブルで困ったとき

ポイント

訪問販売で購入し、後で買ったことを後悔したなら、契約後8日間（契約日含む）以内なら、クーリング・オフにより無条件の申込みの撤回あるいは契約解除ができます。

訪問販売とは何か

訪問販売とは、文字通り、家を訪問して物を販売することを言います。訪問販売に関しては、特定商取引法などで規制が行われています。

この特定商取引法（2条）で定める訪問販売とは、「販売業者又は役務の提供の事業を営む者が営業所、代理店その他の主務省令で定める場所以外の場所において、売買契約の申込みを受け、若しくは売買契約を締結して行う商品若しくは特定権利の販売又は役務を有償で提供する契約の申込みを受け、若しくは役務提供契約を締結して行う役務の提供」としています。

また、営業所等において契約する場合でも、営業所等以外において呼び止めて営業所等に同行（いわゆるキャッチセールスなど）させた者、その他政令で定める方法により誘引（目的を告げずに電話等で営業所等に呼び出された場合など）した者との契約等の場合にも、訪問販売となります（特定商取引法2条）。なお、消費者契約法（63ページ参照）の適用もあります。

訪問販売のトラブル

訪問販売のトラブルには、

①訪問販売者が怖くて、早く帰ってもらうために買ってしまった

②すごまれて、仕方なく買ってしまった

③口車に乗せられて、つい買ってしまった

④その時は欲しいと思ったが、あとで考える

メモ　特定商取引法（旧訪問販売法）には、訪問販売についての規定の他に、通信販売、電話勧誘販売、連鎖販売取引、特定継続的役務提供、業務提供誘引販売取引についての規定があります。

と買わなければよかったと後悔したなどがあります。

こうした場合、クーリング・オフ（契約申込みの撤回）や無効・取消しの主張ができます。

左表では、クーリング・オフ、契約の取消し、契約の無効について解説しましたので参照してください。

〔クーリング・オフ・取消し・無効〕

①クーリング・オフ

訪問販売においては、契約締結後8日間（契約締結日含む）はクーリング・オフができ、無条件で契約申込みの撤回ができます。クーリング・オフとは、平たく言えば、頭を冷やして考える期間のことです。なお、特定商取引法および割賦販売法が改正され、クーリング・オフは原則として、全商品・役務に適用されます（平成21年12月1日施行）。

②契約の取消し

契約の取消しを主張できる場合があります。消費者契約法（個人が事業者と契約する場合）は、不実告知の場合、断定的判断の提供による場合、不退去・監禁（退去妨害）の場合は、契約の取消しができるとしています。これは、特定商取引法の指定商品でなくても構いません。ただし、追認可能時（誤認や困惑に気づいた時）から1年間、または契約締結時から5年間のいずれか短い期間内に行使しなければなりません。

なお、民法では、未成年者・制限能力者の法律行為（契約など）や詐欺・強迫による意思表示については取消しができるとしています。

③契約の無効

契約が無効となる場合があります。消費者契約法は、

⑴債務不履行あるいは不法行為に基づいて、事業者が負担する責任の全部を免除する条項（8条）

⑵過大な違約金条項（9条）

⑶消費者にとって信義則に反して一方的に不利益な契約条項、また、民法は、公序良俗違反の行為（90条）、などによる契約を無効としています。

悪質業者と対抗法

悪質業者の場合で、クーリング・オフ等に応じない場合には、最寄りの消費生活センターに相談するとよいでしょう。多くの場合、職員が電話をすれば解決するようです。

とにかく泣き寝入りとならないように、相談することから始めてください。

解決法

①訪問販売のトラブルでは、まず、クーリング・オフできるかどうかを検討する。

②つぎに、契約の取消しや無効の主張ができないかを検討する。

③相手が悪質な場合には、消費生活センターなどで相談する。

〔訪問販売に関する法律の検討〕

・特定商取引法⇨クーリング・オフなど

・消費者契約法⇨契約の無効・取消し

・民法⇨契約の無効・取消し

金融・投資に関するトラブルで困ったとき

ポイント

金融や投資については、トラブルも増加しています。特にカードのスキミングや悪質投資商法には気をつけましょう。

◎金融関係のトラブル

金融関係のトラブルとしては、まず、金融機関が破綻した場合があります。

金融機関が破綻した場合、加盟している預金保険機構が破綻した金融機関に代わって預金者に、直接、預金の払戻しをしてくれます（ペイオフ制度）。

ただし、預金の全額とはいかない場合もあります。払戻しをしてくれるのは、外貨預金を除く預貯金などで、元本１０００万円とその利息分（当座預金などの決済用預金は全額が保護される）です。預金の内容と保護については、次ページに表にしましたので、参照してください。

なお、生命保険会社が破綻した場合には、保険契約は他の保険会社に引き継がれ、積立金（将来の保険金の支払いに備えた責任準備金）については、生命保険契約者保護機構により90％までが補償されます。

また、銀行等のキャッシュカードの盗難やスキミングによる預金の引出しが問題となりました。そのため、預金者保護法（略称）が制定されました。

預金者保護法の概要は、偽造や盗難にあったキャッシュカードがＡＴＭで不正に使用され、預貯金の引出し、借入れが行われた場合、金融機関が原則としてその被害の全額を補償するというものです。ただし、故意・重過失・過失の場合は補償されなかったり、減額されたりします。

メモ　トラブルが多かったことから、預金者保護法、金融商品販売法（令和3年11月から、金融サービス提供法と法題が変更になった）、金融商品取引法が制定されました。

〔預金の種類と保護の内容〕

預金等の種類	保護範囲
決済用預金（当座預金・利息の付かない決済用普通預金）	全額保護（恒久措置）
一般預金等（利息のつく普通預金・定期預金・定期積立・元本補てんのある金銭信託（ビッグなど）等）	合算して、元本1,000万円までとその利息等の保護
外貨預金・元本補てんのない金銭信託（ヒットなど）、金融債（保護預かり専用商品以外のもの）等	保護対象外

投資のトラブル

投資をめぐるトラブルは、今日、増加の傾向にあるようです。投資絡みの事件としては、豊田商事事件（金のペーパー商法）が著名ですが、その他にも多くあります。

今日、金融投資ブームであり、各金融機関等より、多くの金融商品が販売されています。金融商品はリスクも多く、預貯金と違って元本割れをすることもあります。また、利回りが良いと言って勧誘し、投資したお金を着服してしまう者もいます。

投資に当たっては、その業者の信用を調べることが重要です。国民生活センターなどのホームページには、被害の状況や内容などが掲載されていますので、こうした情報を利用するのもよいでしょう。

また、金融商品販売に関するトラブルが多いことから、金融商品販売法（前ページ下段メモ参照）が制定されました。この法律はリスクにかかわる重要事項について業者に説明を義務づけており、この義務に違反したために損害が発生した場合は業者に損害賠償義務を負わせています。ただし、義務違反の立証責任は消費者側（投資した人）にあります。

なお、証券や先物取引でも同様の問題があります。こうした証券や先物取引では、業界団体の苦情処理機関がありますので、まずはそこで相談をするとよいでしょう。それでも問題が解決しない場合、弁護士に相談するなどして早急に善後策を講じてください。

解決法
①銀行等カードの盗難・偽造については、損害が補償される。
②業界の相談所に苦情・相談をする。
　⑴銀行取引に関する相談所　銀行とりひき相談所／全国しんきん相談所／しんくみ苦情相談所／全国ＪＡバンク相談所／全国労働金庫
　⑵その他の相談所　証券取引⇨証券・金融商品あっせん相談センター／信託⇨信託相談所／投資信託⇨投資信託協会
③話合いがつかなければ調停や訴訟を起こす（200・206ページ参照）

相談&解決

消費生活のトラブルの相談先と紛争解決機関

消費者問題と相談先

消費者問題と言っても、なにが消費者問題なのか理解できない人もいると思います。国語辞典によれば「消費」とは「(金・物・労力などを)使ってなくすこと」とされていて、物を買う行為などは消費に該当し、また役務やサービスの提供を受けることも消費にあたります。消費生活のトラブルは多岐にわたり、悪質商法、欠陥商品などがあります。

消費生活のトラブルが生じた場合、弁護士会や都道府県の相談所の利用もできますが、以下の相談所を利用するとよいでしょう。

消費者ホットライン（消費者庁）

消費生活で問題が起きた場合の最初の一歩を手助けする相談先です。どこに相談すればよいかわからないときに利用してください。

国民生活センター

国民生活センターは、国民生活に関する情報の提供や調査研究を行う独立行政法人です。

国民生活センターの業務の一つに相談業務があります。「お昼の消費生活相談（平日午前11時～午後1時）」、土日祝日の他に、消費者ホットラインや最寄りの消費生活センターに電話がつながらない場合に国民生活センターが相談を受け付ける「休日相談・平日バックアップ相談」があります。

なお、各地の消費生活センターでは解決が困難な相談の処理方法などをアドバイスする

ポイント

悪質商法の相談は、国民生活センターや消費生活センターなどで早急に相談をすることです。

メモ

訪問販売などで購入したとき指定商品については、購入後8日以内(購入日含む)クーリング・オフ（無条件の契約解除）ができます。

なお、法改正により、指定商品制度は廃止され、原則として全商品（および役務）がクーリング・オフの対象となりました。ただし、事業所での契約、自動車の購入など、適用にならない場合があります。

のも国民生活センターの役割です。

都道府県の消費生活相談窓口

消費生活センターは、消費生活に関する相談、苦情の処理などの業務を行う目的で都道府県、市区町村などに設置されています。その名称は様々ですが、全国に853箇所です(令和2年)。センターは消費者の苦情を受けて相手方企業との仲介、あっせんを行います。時には相手方の企業の担当者を呼び出して、解決のために尽力してくれます。

自治体ではセンター以外の窓口でも相談を受け付けてくれるので利用してください。

都道府県の苦情処理委員会

都道府県には苦情処理委員会があります。この苦情処理委員会は学識経験者等で構成されていて、消費生活相談センターでの仲介・あっせんが困難な場合にその紛争を付託することがあります。ここでは、当事者双方の主張を聞いて、あっせん、勧告、仲裁などの解決内容が示されます。

消費生活のトラブルの相談先と紛争解決機関

〔法律相談等〕
- 消費者ホットライン　☎188
- 各地の弁護士会の法律相談センター
- 都道府県等の自治体の無料法律相談所

〔専門機関〕
- 国民生活センターお昼の消費生活相談　☎03-3446-0999
- 都道府県の消費生活センター
- 経済産業省消費者相談室　☎03-3501-4657
- (公社)全国消費生活相談員協会（週末電話相談）東京　☎03-5614-0189
- (一財)日本消費者協会消費者相談室　☎03-5282-5319
- (公社)NACS ウイークエンド・テレホン　東京　☎03-6450-6631
- (一社)日本クレジット協会消費者相談室　☎03-5645-3361
- (公社)日本訪問販売協会（訪問販売ホットライン）　0120-513-506
- (公社)日本通信販売協会（通販110番）　☎03-5651-1122
- (一財)日本産業協会⇨特定商取引法の申出制度の相談　☎03-3256-3344
- (一社)自動車公正取引協議会消費者相談室　☎03-5511-2115
- (公社)JARO（日本広告審査機構）➡表示についての意見・相談　東京　☎03-3541-2811

●消費者契約法

消費者契約法は、困惑させる方法で勧誘した場合の契約の取消しについて定めています。①不実の告知（重要事項についてうその説明があった）、②断定的判断の提供（将来得られる利益が不確実なのに確実であるかのように言う）、③不利益事実の不告知（有利な点だけを告知して不利益な事実を告げなかった）の場合には、誤認させる勧誘方法として、契約をした場合には契約の取消しができます。

また、⑴訪問販売で不退去（帰って欲しいと言ったのに帰らない）、⑵事業所での退去妨害・監禁（帰りたいといっても返してくれない）の場合にも、困惑させる勧誘方法として契約の取消しができます。

横行する悪質商法と相談先

悪質商法についての手口（62ページ参照）はさまざまで、取締りの強化にも関わらず、「振り込め詐欺」などは現在も続いていて、その手口は巧妙化しています。

こうした悪質商法の対抗策としては、おかしいと思ったらすぐに、消費生活センターなどで被害にあう前に相談するのが最良の方法です。被害にあってからでも必ず相談あるいは被害届を出しておくことが重要です。というのは、被害届もしないでおくと、被害者が二次被害にあうケースが少なくないからです。

また、最近は借りた覚えがないのに、借金を返せといった、強引な架空請求もあります。こうした請求では、事前に専門家に相談することが重要で、一度お金を払ってしまうと、後でそのお金を取り戻そうとしてもほとんど返ってきません。当初の対応こそが重要なのです。

詐欺（振り込め詐欺）などの相談先

悪質商法は多岐にわたりますが、そのほとんどが消費生活に関連するものであり、まずは、国民生活センターや都道府県の消費生活センターで相談してください。

悪質商法の場合、その人だけを相手にするものではありませんから、他からの相談もあるはずなので、適切な対処法を教えてもらうことができますし、ケースによっては相手と交渉をしてくれます。

ただし、国民生活センターや消費生活センターには警察のような捜査権や犯人を逮捕する権限はありませんので、被害にあった場合などでの限界はありますが、最近では警察との連携がとられているようです。

悪質商法と警察での相談

悪質商法は、その程度に応じて、犯罪を構成するものが少なくありません。

例えば、振り込め詐欺の場合には、詐欺罪

ポイント

悪質商法の相談は、おかしいと思ったらすぐにすることが大切です。できれば、お金を渡す前にまずは家族に連絡してください。

こうした事前の確認行為をすることが、損害を未然に防ぎ、あなた自身を守ることにもなります。

メモ

さまざまな悪質商法があなたを狙っています。うまい話しにとびつかない賢い消費者になることも大切です。

となる要件は「人を欺いて財物を交付させた者は、十年以下の懲役に処する」（刑法二四六条）ですので、騙してお金を振り込ませた段階で詐欺罪となるのです。

こうしたケースは犯罪ですので、警察に相談するようにしてください。悪質商法で犯罪を構成するものとしては、前記の詐欺罪の他に脅迫罪、恐喝罪、強要罪、暴行罪、傷害罪などがありますが、最近では警察との連携がとられています。

〔悪質商法・詐欺事件の相談先と解決機関〕

〔悪質商法の相談先〕
- 都道府県の消費生活センター
- 国民生活センターお昼の消費生活相談 ☎03-3446-0999
- 経済産業省消費者相談室 ☎03-3501-4657
- 最寄りの警察(犯罪がらみと思われるとき)・110番通報

〔振り込め詐欺などの詐欺事件の相談先〕
- 最寄りの警察
- 振込先の銀行

悪質商法で問題なのは、被害の回復が難しいということです。

例えば、悪質商法の相手に対して契約を解除してお金の返還を求めても、何だかんだと理由にならないことを言って返済せず、裁判手続きをとって勝訴しても相手の口座にすでにお金がないなどで、泣き寝入りとなることが多いのです。

そこで、振り込め詐欺のように、金融機関の口座を利用している場合には、その金融機関にもすぐに相談してください。相談を受けた金融機関は、犯罪利用預金口座等である疑いがある場合には、取引停止等の措置を適切に講じることができるとする法律が施行されています（振り込め詐欺救済法⇩下欄を参照のこと）。この法律がどこまで実効性があるものとなるかどうかは、金融機関や捜査機関の運用にかかっていると言えるでしょう。

なお、最近では振込みではなく現金での要求が増えています。

●振り込め詐欺救済法

「振り込め詐欺救済法」は、正式には「犯罪利用預金口座等に係る資金による被害回復分配金の支払等に関する法律」という長い名称の法律です。

この法律は、詐欺その他の人の財産を侵害する罪の犯罪行為で、財産を得る方法として振込が利用された場合に、その口座を停止して、被害者に対して被害回復分配金の支払手続きを定めたものです。

簡単に言えば、金融機関により、犯罪の疑いがある口座については利用停止の措置等がとられ、その口座にある金額を被害者に被害額に応じて支払うというものです。

8 土地家屋の問題で困ったとき

土地家屋のトラブル

土地家屋の問題には、さまざまなものがあります。よくあるトラブルには、①売買のトラブル、②建物に関するトラブル、③境界のトラブルなどがあります。不動産は高価な財産です。トラブルになったら、慎重かつ迅速に対応してください。

なお、借地・借家問題については次項以下を参照してください。

さまざまな不動産トラブル

①売買のトラブル

不動産の契約は通常、売買契約→物件の引渡し・代金の支払い→登記の移転といった過程をたどります。大金が動きますのでその準備も必要で、その日に契約し、登記を終わるというわけにはいきません。そこで、さまざまな問題が生じてきます。

まず、売主と称する人に本当に権利があるか、売主が本当に本人かどうかが問題です。売主が本当の権利者でない場合、例え登記を終えても権利を取得することはできません。

また、二重売買のトラブルもあります。売主が二重に売買した場合、先に登記をした者が権利を取得します。

さらに、契約の解除の問題もあります。不動産の場合、契約のときに手付を買主が売主に対して支払うのが通常ですが、相手が履行に着手するまでは買主は手付を放棄することにより、また、売主は手付の金額の2倍を支払う（手付倍返し）ことにより、契約を解除

ポイント

土地家屋のトラブルは、金額に換算すれば高額なこと、また、生活の場や糧であることから、深刻な問題です。

解決に当たっては、十分、専門家の意見を聞くことです。

メモ

不動産を狙う詐欺も横行しています。特に一人暮らしの老人などが狙われますので、不動産関連の書類や実印の保管などには注意が必要です。

することができます。

②建物のトラブル

建物の建設では、都市計画法や建築基準法による規制があります。こうした規制に違反すると、隣近所からの苦情の原因ともなり、建物の取壊しを命じられることもあります。

また、住宅を購入して入居した後に、建物に欠陥（瑕疵）が見つかることもあります。この場合、修補や契約解除、損害賠償の請求ができます。この瑕疵担保責任の追及は民法上は瑕疵があることを知ったときから１年以内です。しかし宅建業法では物件を引き渡した時から２年以上の特約をつけることができるとされ、実際の契約では２年となっているのがほとんどです。ただし、欠陥住宅の問題が相次いだことから、「住宅の品質確保の促進等に関する法律」が制定されて、住宅の構造上の主要な部分の欠陥については物件の引渡しから10年間保証するものとされました。

③その他のトラブル

隣との境界や下水槽などのトラブルがあります。通常、境界については、境界を示す石が埋められている場合が多いので、この境界石をさがすとよいでしょう。境界を示すものがなく、話合いでも解決しない場合は、境界確定の訴訟によります（80ページ下欄も参照）。

登記のトラブルもあります。購入したのに登記の移転に応じない、などの場合です。また不動産の場合は、借金の担保として抵当権が設定される場合があります。こうした場合、借金の返済を終えたのに、抵当権を抜いてくれないなどの問題もあります。

不動産トラブルの注意点

バブルの崩壊で価値は減少したとはいえ、不動産が重要な財産であることに変わりはありません。したがって、不動産のトラブルは自分で解決しようと思うのではなく、専門家に相談するほうがよでしょう。欠陥住宅などでは専門のＡＤＲ（裁判外紛争解決手続）機関もありますので検討してください。

解決法

①法律上どうなっているかを検討する。
②必要があれば弁護士・ADR 機関などで相談する⇨（81ページ参照）。
③相手と交渉をする。
④法的手段をとる。
・民事調停⇨簡易裁判所を通して話し合いで解決する（200ページ参照）
・民事訴訟⇨判決で白黒つける（206ページ参照）
※少額訴訟という方法もある（208ページ参照）。
※訴え提起前の和解（196ページ参照）。話し合いがついた場合に和解調書の作成のために活用できる。

9 住宅ローンの返済で困ったとき

ポイント
借金整理に関する相談所は多くあります。借金苦がひどくなる前にともかく相談をすることが大切です。

住宅ローン破産

令和２年度の自然人の自己破産申立件数は７万１６７８件で、前年よりは減少しています。しかし、収入が増えないことから住宅ローンがらみの借金苦の人はまだまだ多いようです。無理をして高値で不動産を購入し、高額の住宅ローンを組んでいる人で会社の倒産やリストラにより失業の憂き目にあった人などにとっては深刻な問題です。

こうした住宅ローンの返済が困難になり、借金についての法的処理が必要となった場合には、前項で述べた借金整理と同様の方法で債務の整理をすることになりますが、住宅金融支援機構（平成19年３月以前は住宅金融公庫）や銀行などの借入先に相談するのも方法です。住宅ローンの返済が困難な人に対処するために、支払延期などの措置があります。

住宅金融支援機構での相談

住宅金融支援機構では、月々の返済で困っている場合、返済方法を変更してくれます。現在の月々の返済が困難な状況にある人は、相談するのもよいでしょう。

ちなみに、返済方法の変更メニューには、①不況で返済が大変な場合の返済期間の延長（最長15年間）、②据置期間設定（最長３年）、③一定期間返済額を減らして支払う方法、④ボーナス分の返済が負担になっている場合のボーナス返済額の変更、などがあります。

自営業者の場合も、事業不振による倒産・廃業、連鎖倒産受注減による倒産減収などの

メモ
借金苦の解決には、任意整理、特定調停、民事再生、自己破産の方法があります。弁護士だけでなく司法書士も手続きができる場合があります。

場合に、同特例が適用されます。

なお、民事再生法により、住宅を手離さずに再生する方法もあります。

銀行とりひき相談所

銀行からの住宅ローンの借入れで、返済が困難な人に対しては、借入先の銀行で相談に乗ってくれます。しかし、取引先の銀行での相談はなかなかやりにくいものです。こうした場合には、銀行のとりひき相談所を利用するのもよいでしょう。

銀行とりひき相談所は全国に50箇所あり、銀行に関するさまざまな相談・意見・苦情を受け付けています。また、各種のトラブルがなかなか解決しない場合、弁護士会紛争解決センター（東京・大阪・名古屋）の利用が可能です。

なお、全国銀行協会相談室および大阪の銀行とりひき相談所では、銀行ローンの返済で困っている人のために、カウンセリングサービス（無料）が実施されています。

住宅ローン返済が困難な人の相談先および紛争解決機関

〔相談〕

- 住宅金融支援機構（旧住宅金融公庫）
  （コールセンター）0120-0860-16
- 全国銀行協会相談室　0570-017109
- 銀行とりひき相談所
  （札幌）　☎011-271-7078
  （名古屋）　☎052-218-6150
  （大阪）　☎06-6942-1612
  （広島）　☎082-246-7361
  （福岡）　☎092-715-0331
  ※この他にも相談所はあります

〔借金整理〕

- 法テラス（日本司法支援センター）
  コールセンター　☎0570-078374
- 各地の弁護士会の法律相談センター
  - 東京＝四谷法律相談センター
    ☎03-5312-2818
  - 東京＝錦糸町法律相談センター
    ☎03-5625-7336
  - 東京＝八王子法律相談センター
    ☎042-645-4540
- 都道府県の無料法律相談所

●住宅ローンがある場合の借金整理

苦労して手に入れた住宅を手放すのは、多くの人にとっては身を切る思いでしょう。自己破産すれば、住宅は処分・換価されて債権者に配当されることになります。

こうした人は、民事再生手続の住宅ローン特約条項という方法を検討するとよいでしょう。ただし、これは住宅ローンについては返済総額の減額はなく（他の借金は減額される場合が多い）、返済の期間の延期・延長等により再生を図るというものです。

10 借地のトラブルで困ったとき

ポイント

借地の問題は生活の基礎である衣食住の1つであることから、いったんトラブルともなれば深刻な問題となります。

こうしたことから、法は民法の規定（地上権、賃借権など）の他に、特別法として借地上の建物の所有や建物の賃貸を目的とする契約に関する借地借家法が制定されています。

メモ 平成4年8月1日より、従来の借地法、借家法、建物保護法が一体化された借地借家法が施行されました。この新法で期間の満了で契約が終了する定期借地権が導入されました。

借地のトラブル

借地のトラブルは契約から契約の終了までその段階を追って説明すれば、①契約のトラブル、②契約違反のトラブル、③更新のトラブル、④明渡しのトラブルなどがあります。

①契約のトラブル　通常の借地権の設定のほか、定期借地権などがありますが、定期借地権（契約期間の満了により契約は終了し、更新はない）の契約方法については、やり方が法定されており、これに違反するとトラブルが生じます。

②契約違反のトラブル　契約で定められた約束に違反した場合ですが、これには賃料の滞納、地主の承諾のない建て替え、地主の承諾のない譲渡・転貸などがあります。賃料の滞納は契約解除の原因となりますが、1回程度の滞納では地主と借地人との信頼関係が破壊されたとは言えないとして契約解除はできないというのが判例です。実務上は支払いが滞った場合には相当の期間を定めて支払うように催告をし、それでも支払わず、支払わないことが明確になったときには契約解除が可能となります。また、賃料が不相当となった場合には賃料の増減額請求ができます。

増改築禁止の特約がある場合や、平成4年8月1日以降に締結された契約では、更新後、地主の承諾なしに残存期間を超えて存続する建物を増改築すると契約を解除される場合があります。ただし、地主の承諾に代わる許可の裁判を地方裁判所に申し立てて、許可が出れば、問題はありません。なお、裁判所は必要があると認めるときには、それまでの借地条件を変更したり、借地人に承諾料の支払いを求めることもできます。

借地権譲渡（借地上の建物を売る）・転貸（借地権を貸し、借りた人が建物を所有する）の場合は、地主の承諾が必要で、承諾なしに行うと契約解除の理由となります。この場合も裁判所に地主の承諾に代わる許可の裁判を申し立てて許可を得れば問題ありません。

③契約期限の到来・更新のトラブル　借地では、契約期限が来て、契約を続行するか、終了（立ち退き）かのトラブルが多く発生しています。法律上は、立ち退いてもらうためには地主側に正当事由が必要とされ、地主側にその土地を必要とする理由、借地人側のその土地を必要とする理由を総合的に判断して正当事由の有無が判断されます。

また、更新料の問題もあります。更新料は借地契約の更新に当たり、借地人から地主に支払われるお金のことですが、当初の契約で更新料について定めがない場合には、借地人に更新料の支払義務はなく、定めがある場合は支払義務があり、契約違反として借地契約の解除原因となる場合もあるとされています。

なお、定期借地権の場合には、期間の満了により契約は終了し、更新はありません。

④契約の終了に関するトラブル　地主と借地人の合意あるいは地主の側に正当事由がある場合は、契約は終了します（契約違反による解除もある）。この場合、借地人には建物買取請求権があり、地主は建物を時価で買い取らなければなりません。

なお、定期借地権の場合は、一般定期借地権と存続期間30年以上50年未満の事業用定期借地権では、買い取らないとする旨の特約があれば地主は買い取らなくてよく、建物譲渡特約付定期借地権では建物は契約により譲渡され、期間10年以上30年未満の事業用借地権では、建物買取請求権はありません。

解決法

①問題点を明らかにし、必要あれば法律相談をする⇨（80ページ参照）
②相手と交渉あるいは交渉に応じる。
③法的手段をとる。
・支払督促⇨地代など金銭の督促の場合（198ページ参照）
・民事調停⇨裁判所を通しての話し合い（200ページ参照）
※地代については調停前置主義がとられ、調停を経なければ訴訟はできない。
・民事訴訟⇨裁判所で白黒をはっきりさせる（206ページ参照）
・借地非訟事件手続き⇨借地の譲渡・転貸、建物の増改築（214ページ参照）

◆土地・建物のトラブル④

借家のトラブルで困ったとき

借家のトラブルと法律

借家と言えば一軒家を借りることを想像される人もいるでしょうが、法律上の借家は、アパート・マンション・間借りなどの貸借を含みます。借家については、民法（賃貸借）の規定とは別に借地借家法で規定されています。

借家のトラブルは、契約から明渡しまで多くの問題がありますが、おおまかに言えば、①契約のトラブル、②入居中のトラブル、③更新のトラブル、④立ち退きのトラブルに分けることができます。

定期借家権の場合は、書面によるだけでなく、事前の書面交付・説明が必要です。これがないと普通の借家権として扱われます。

借家のトラブルの具体的な内容

①の**契約のトラブル**では、実際に入居してみると契約時に思っていたことと異なる場合があり問題が生じていました。こうしたことから、仲介業者に対しては宅地建物取引士による重要事項説明が義務づけられました。

②の**入居中のトラブル**には、まず、賃料の滞納の問題があります。賃料の滞納は契約違反に当たり、契約解除の理由になりますが、1～2回の滞納では家主と借家人の信頼関係が破壊されたと言えず、契約の解除はできないというのが判例です。また、火事を起こしたという場合、借家人は借りたときの状態で建物（一室）を返す義務を負っていますので、損害賠償をしなければなりません。

③の**更新の問題**には、更新料の支払い、更

メモ

平成4年8月より、**定期借家権の制度**が導入されました。この契約をすれば、法定更新はなく、契約期間の満了により契約は終了します。

メモ

「敷金」「原状回復」の明確化

平成29年の民法改正で、「敷金」については「賃料債務等を担保する目的で賃借人が賃貸人に交付する金銭」と定義しました。

また、賃貸借終了時の「原状回復義務」については、通常損耗（賃借物の通常の使用収益によって生じた損耗）や経年変化による損耗について賃借人は責任を負わないとしました（令和2年4月1日施行）。

新拒絶の問題があります。更新料の支払いは、当初の契約で支払うことになっていれば支払義務があり、そうでない場合は支払う必要はありません。更新料の特約は消費者契約法に反し無効とする高裁判決もありますが、最高裁（平成23年7月15日判決）は、「賃料、更新される期間などに照らし高額に過ぎるなどの事情がない限りは有効」としています。

また、更新が家主により拒絶されることがあります。この場合、家主側に正当事由が必要で、正当事由がないときは拒絶することはできず、更新されます。なお、正当事由の有無の判断は、家主側が立ち退きを必要とする事情、借家人側が更新を必要とする事情を総合的に判断してなされます。

④の**立ち退く場合のトラブル**としては、敷金の返還のトラブルが多くあります。敷金は賃料の滞納があった場合などの担保として家主に預けたお金のことで、原則として退去時には返還しなければならない性質のものです。

ところが、借家人は借りた一室の原状回復義務があることから、損耗があると、敷金から差し引く場合があるのです。こうしたことから、原状回復をめぐって問題となり、通常の使用による損耗は原状回復義務には当たらないとされています（国土交通省ガイドライン）。

また、リフォームなどで借家人が取り付けた造作（キッチンセットなど）の買取が問題となる場合があります。これは、家主が承諾して取り付けた場合、時価で買取請求の対象となるのが原則ですが、平成4年8月以降の契約では、特約をすれば造作買取請求には応じなくてよいことになりました。

借家のトラブル解決の注意点

今日、借家（特に賃貸マンション）の管理は家主ではなく不動産業者が行っている場合があります。こうした業者はプロであり、法律にも熟知していますが、無理なことを言ってくることもあります。おかしいと思ったら、相談所などで法律相談をすることです。

解決法

①トラブルが法律でどうなっているか検討する。
②必要あれば法律相談をする⇨（80ページ参照）
③交渉あるいは交渉に応じる。
④法的手段をとる。
・支払督促⇨家賃の督促の場合（198ページ参照）
・民事調停⇨裁判所を通しての話し合い（200ページ参照）
※家賃については調停前置主義がとられ、調停を経なければ訴訟はできない。
・民事訴訟⇨裁判所で白黒をはっきりさせる（206ページ参照）

相談&解決

不動産のトラブルの相談先と紛争解決機関

不動産に関するトラブル

不動産は土地や家などを言います。あなたが住んでいる土地家屋も不動産です。

土地には宅地、山林、農地などがあり、売買など所有権に関するトラブルや、借地の立ち退きに関するトラブル、境界に関するトラブルなどがあります。家屋では建築に関するトラブル、欠陥住宅に関するトラブルなどがあります。

住宅のトラブルは、生活の基本をなすものであり、かつ財産的にも重要なことから、トラブルとなると深刻です。問題が生じたら、早急に専門家に相談すべきです。

不動産のトラブルに関する相談先

不動産に関しては各種の専門家がいます。

住宅用土地を購入して建物を建築する場合のことを考えてみましょう。

通常、土地を購入する場合には不動産業者が仲介し、これは宅建士が行います。

また、建物を建築する場合には建築業者に施工を依頼しますが、建築士が設計等を行います。

土地の購入や建物の建築では、登記が必要で、これは土地家屋調査士（表題登記など）や司法書士が担当します。さらにこの過程で、役所に対して建築確認や登記の申請が行われたりしますので、役所の建築課や法務局なども関与します。

こうしたことから、不動産のトラブルはどのようなトラブルかによって相談する相手も

ポイント

不動産のトラブルは、金額も高いことから、早急に弁護士に相談する方がよいでしょう。

メモ

境界をめぐる紛争が訴訟となれば解決までに約2年はかかることから、紛争を迅速に解決（6か月を目処）する「筆界特定制度」が創設（不動産登記法の一部改正）されました。

これは登記官（筆界特定登記官）が、土地の所有者等の申請により、筆界調査委員（各地の法務局長が任命）の意見を踏まえ筆界（土地の一筆と一筆の境）を特定するというものです。法務局に問合せてください。

当事者がこの筆界の特定に不服の場合は、境界確定訴訟が起こせます。

異なります。前記の各専門家の所属する団体では、多くの場合、相談窓口を開いていますので、そこに相談するのもよいし、また、弁護士会や自治体の法律相談所で相談するのもよいでしょう。

調停や訴訟などの争いになれば、こうした専門家の鑑定が必要となる場合も多くあります。

不動産に関する相談所や解決機関は多くあります。左表を参照してください。

〔不動産のトラブルの相談先と紛争解決機関〕

〔法律相談〕

- 各地の弁護士会の法律相談センター
- 都道府県の無料法律相談所
  - (例)東京都不動産取引特別相談室　☎03-5320-5015

〔専門機関等〕（悪質商法などについて）

- 国民生活センターお昼の消費生活相談　☎03-3446-0999
- 各地の消費生活センター

〔家や土地売買・賃貸借等のトラブル相談〕

- 指定住宅紛争処理機関（各地の弁護士会）
- (公社)全国宅地建物取引業協会連合会　☎03-5821-8111
  - 不動産無料相談所（東京都宅地建物取引業協会）　☎03-3264-8000
- 国土交通省または都道府県の宅地建物取引業法所管課
  - 国土交通省　☎03-5253-8111

〔建築に関わるトラブル等の相談〕

- 都道府県の建築課・市区町村役場の建築担当（部課）
- 東京都建築紛争調節調停委員会⇨条例による日照阻害などの中高層建物の建設に伴うトラブル　☎03-5388-3377
- 都道府県の建設工事紛争審査会⇨請負工事に関する紛争
  - 中央建設工事紛争審査会　（国土交通省）☎03-5253-8111
- (公財)住宅リフォーム・紛争処理支援センター⇨住宅性能表示制度やその他のすべての住宅に関する相談　☎0570-016-100

〔境界・登記のトラブル〕

- 各地の法務局　登記・筆界確定
- 各地の司法書士会　東京司法書士会総合相談センター⇨登記相談など　（東京・四谷）☎03-3353-9205
- 都道府県の土地家屋調査士会（境界紛争解決センター）
  - 東京土地家屋調査士会境界紛争解決センター　☎03-3295-0022

〔分譲マンション管理の相談〕

- (公財)マンション管理センター（管理規約など）　☎03-3222-1517

※相談事項や和解のあっせん・仲裁まで行われているかどうか、また、費用等については電話等で確認のこと。なお、この他にも相談等機関は多くあります。

●住民運動

住宅の環境の問題では、住民運動がしばしば行われます。

例えば、高層マンションが建つ場合には、日照権を侵害される人が集団でマンション建設に反対する場合などです。

こうしたケースでは、建設の許可をする自治体の問題ともなります。

最終的には集団訴訟となりますが、通常は、建設工事禁止の仮処分や建設工事中止の仮処分の申請がなされます。

⑫ 交通事故などの損害賠償のトラブルで困ったとき

ポイント
故意や過失によって権利を侵害され、そのために損害が発生した場合には、加害者に対して損害賠償の請求ができます。

事故と加害者の責任

事故と名のつくものを上げれば、交通事故、学校事故、医療事故などがあります。事故は、国語辞典によれば「普段とは違った悪い出来事」などとなっていますが、法律上の用語ではなく、事故が多いにも関わらず、事故に関するそのものズバリの法律はありません。

事故が発生した場合、加害者の責任が問題となります。加害者責任には、例えば、交通事故で言えば、刑事責任（過失運転致死傷罪、危険運転致死傷罪等）、行政罰（運転免許の停止等）、民事責任（損害賠償）があります。

事故と加害者の損害賠償責任

民事上の責任は損害賠償責任ですが、民法の不法行為などの規定が適用されます。民法７０９条は「故意又は過失によって他人の権利又は法律上保護される利益を侵害した者は、これによって生じた損害を賠償する責任を負う」と規定し、故意（わざと）または過失（不注意）で相手にケガさせたりすると、権利（身体権）の侵害として損害賠償責任を負うことになります。

なお、不法行為が成立するためには、①加害者に責任能力がある、②故意または過失がある、③被害者の権利を侵害した、④損害が発生した、⑤加害者の行為と損害の間に相当因果関係がある、ことが必要です。

各種の事故と損害賠償額

損害賠償額は、被害者の権利侵害によって発生した額です。交通事故についての損害賠

メモ
不法行為による損害賠償額の請求の時効は、損害および加害者の両方を知ったときから3年（民法改正により2020年4月1日以降は人身事故につき5年）、自賠責保険金請求の時効は、加害者が損害賠償の履行をした日から3年、被害者請求は、原則として事故の日から3年です。

償額の算定が最も定型化されていますので、以下、交通事故を例に解説します。

損害賠償額として請求できる項目は、

①**積極損害**――治療費や交通費、葬儀費など被害者（側）が直接負担した金額。

②**消極損害**――⑴ケガをして会社を休んだ場合の休業補償、⑵後遺障害が残った場合の逸失利益（事故がなければ将来得られたであろう収入）、⑶死亡事故の場合の逸失利益（死ななければ将来得られたであろう収入）。ただし、逸失利益については将来の収入分の支払いを現在受けるのですから、中間利息の控除（減額）がなされ、また、死亡の逸失利益では生活費の控除もなされます。

③**慰謝料**――慰謝料は精神的な打撃に対する償い金です。交通事故では慰謝料についても、（公財）日弁連交通事故相談センターなどの算定基準が公表されています。資料や最近の判例を基に慰謝料額を出すとよいでしょう。

④**物損**――車の修理費や買換え費用など。

以上①～④について、加害者・被害者の**過失**に応じて、損害を負担することになります。また、**損益相殺**（受領済の自賠責保険金など、事故が原因で一定の利益を受けた場合の減額）が行われます。

損害賠償額請求での注意点

損害賠償の額については、自動車損害賠償保障法（強制保険）の規定はありますが、全体について規定する法律はありません。前に述べた（公財）日弁連交通事故相談センターや同東京支部では、判例等を基に算定基準を作成していますので、これを参考にするとよいでしょう。なお、各保険会社には任意保険の算定基準があります（公表されていない）が、前記基準よりも低くなっています。

示談交渉は、いくらで妥協するかは本人の自由です。一度示談が成立すると後で、やり直しは原則できませんので注意してください。

ただし、後で後遺障害が出たケースで、後遺障害の損害賠償を認めた判例はあります。

解決法

①損害賠償を請求する⇨（86ページ参照）
　※交通事故では、保険会社の示談担当者が交渉に来る。
②必要なら法律相談所等で相談。（例）（公財）日弁連交通事故相談センター・など
③裁判外紛争解決手続（ADR）機関を活用。（例）（公財）交通事故紛争処理センターなど⇨（87ページ参照）
④法的手続きをする。
　民事調停の申立て⇨地方裁判所に申し立てる（200ページ参照）
　民事訴訟の提起⇨訴額が140万円以下は簡易裁判所
　（206ページ参照）　訴額が140万円超は地方裁判所

医療事故のトラブルで困ったとき

医療事故（過誤）とは

医療事故（過誤）とは、医療従事者が行う医療行為で過失があった場合です。この過失とは落度のことで、人為的に回避できたのに、回避できなかった場合を言います。

医療事件の訴訟では、この過失の有無をめぐって争いとなるケースが多くあります。

医療事故を予防する

〔コンタクトの大切さ〕

医療事故には、薬の間違い、点滴の薬剤の間違いなど、極めて単純なミスもあります。こうしたミスは明らかに医療関係者の過失ですが、患者の側が薬の種類が今までと違いおかしいと思ったり、また、点滴の色が違うと気づいたりした場合には、こうした医療過誤を回避できます。とにかく、おかしいと思ったら確認し、事故を予防することです。

〔インフォームド・コンセント〕

インフォームド・コンセントは、日本語では「説明と同意」と訳されます。これは、患者が医師や薬剤師から治療や薬の内容の説明を受けて十分に理解・納得して、自分で治療法や薬の選択をして治療することを言います。今日では、インフォームド・コンセントは患者の権利と安全を守る重要な手続きです。

医療ミスが起きた場合に、インフォームド・コンセントがあったかどうかが、説明義務違反として問題にされるケースもあります。

〔セカンドオピニオン〕

セカンドオピニオンとは、患者が、医師の

ポイント

最も大切なのは、医療過誤を防止することです。不幸にして医療事故に巻き込まれたら、損害賠償の請求ができます。ただし、医療側に過失があったことの立証は素人では困難です。

メモ

◆医療過誤事件
・横浜市立大学附属病院事件（平成11年1月）
↓患者を取り違えて手術
・東京都立広尾病院事件（平成11年2月）↓看護師が間違えて消毒薬を点滴
・青戸病院事件（平成14年11月）↓経験の浅い医師だけの手術で患者が死亡
・埼玉医科大学事件（平成12年10月）↓抗がん剤の過剰投与で患者が死亡

治療方法が最善であるかどうかを確かめるために、別の医師の見解を求めることを言います。セカンドオピニオンでは、検査データやレントゲン写真などの借り出しが必要で、かかりつけの医師に言い出すのはなかなか大変でしょうが、思い切って言ってください。

〔レセプト、カルテの開示〕

レセプトとは、患者ごとに作成された診療報酬明細のことです。このレセプトを見れば、どんな検査を受けて、どんな薬をもらったかが分かります。また、カルテは診療録（記録）のことで、患者の病名や検査、投薬、診療や治療方針などがわかります。

このいずれも今日では開示請求ができます。

医療事故が起きたら

医療事故が起きたら、刑事・民事の両方から責任の追及がなされます。刑事の問題としては、業務上過失致死傷罪に該当するかどうかが問題となります。

業務上過失致死傷罪は、刑法２１１条に規定があり、「業務上（医療行為も該当）必要な注意を怠り、よって人を死傷させた者は、５年以下の懲役若しくは禁錮又は１００万円以下の罰金」に処されます。

また、民事責任は、民法４１５条の債務不履行あるいは民法７０９条の不法行為による損害賠償責任があります。医師等の注意義務違反あるいは過失が問題となります。この立証は専門知識がない素人には困難で、訴訟では弁護士に依頼するのがよいでしょう。

◆「医師にかかる 10 箇条」

（ささえあい医療人権センターＣＯＭＬ）

①伝えたいことはメモして準備
②対話のはじまりはあいさつから
③よりよい関係づくりはあなたにも責任
④自覚症状と病歴はあなたの伝える大切な情報
⑤これからの見通しを聞きましょう
⑥その後の変化も伝える努力を
⑦大事なことはメモを取って確認
⑧納得できないときは何度でも質問を
⑨医療にも不確実なことや限界がある
⑩治療方法を決めるのはあなたです

解決法

①弁護士や医療関連のＡＤＲ機関に相談する。
　ＡＤＲ機関などの相談先⇨ （99ページ参照）
②損害賠償などの交渉をする。
③話しあいがつかなければ、訴訟をするかどうかの検討をする。
④訴訟をすることに決めたら、弁護士に依頼する。

相談&解決

事故の損害賠償請求の相談先と紛争解決機関

交通事故と損害賠償の請求

交通事故の加害者に対する損害賠償の請求は、示談代行付自動車保険の普及に伴い、今日では交渉相手は加害者ではなく、保険会社の示談担当者と言っても過言ではありません。当然、保険会社も営利企業ですので、強制保険をオーバーするなどの場合には、損害賠償額を低く抑えようとする傾向にあります。

被害者が自分で交渉する場合には、専門家に相談するなどして妥当な賠償額を知る必要があります。とにかく、疑問に思うことは、示談相当者にどんどん聞いたり、専門家に相談するようにしましょう。とくに、収入の算定や過失割合などは保険会社の提示と違う場合が少なくありません。被害者としては、納得がいかなければ示談しないことです。

なお、損害保険の請求は加害者請求の場合は支払った日、被害者請求の場合は事故があった日、ただし死亡の場合は死亡日、後遺障害の場合は症状が固定した日から3年で時効にかかってしまいます。治療が長引いたり、話合いがなかなかつかないなどで3年以内に請求できないときは、時効の中断手続き（時効期間をリセットしゼロからスタートさせる手続きのこと。民法改正で令和2年4月からは「時効の更新」という）が必要です。

損害賠償額などに不服の場合の相談先

交通事故の損害賠償額のトラブルは、つぎ

ポイント

素人判断でなく専門家に相談してください。損害賠償額の算定では、逸失利益（生きていたら、あるいは障害がなければ得られたであろう利益）や過失相殺（お互いに過失があるのが通常）などが問題となります。

メモ

損害賠償は(公財)日弁連交通事故相談センターの支払基準と保険会社の基準とは異なります。

の機関に相談するとよいでしょう。

①（公財）日弁連交通事故相談センター　全国に156個所設置され、専門の弁護士が交通事故に関する相談や示談のあっせん（一部の相談所のみ）を無料で行ってくれます。

②（公財）交通事故紛争処理センター　嘱託弁護士が交通事故に関する相談や示談のあっせん、審査裁定を無料でします。損保会社はこの裁定に従う約束となっています。

③都道府県および市の法律相談所　都道府県およびその出先機関、主要都市の市役所では市民サービスの一環として、交通事故相談所が設置されています。

④（公社）日本損害保険協会　同協会ではそんぽADRセンターを設置し、強制保険や任意保険等の相談、示談のあっせん・調停も無料で行います。

⑤自賠責保険・共済紛争処理機構　自賠責保険・共済の支払いに関する紛争処理（調停）を行います（申請費用は無料）。

交通事故の相談先および紛争解決機関

〔法律相談〕
- 各地の弁護士会
- 都道府県の無料法律相談所

〔専門機関等〕
- （公財）日弁連交通事故相談センター　0570-078325
- （公財）交通事故紛争処理センター　東京本部☎03-3346-1756
- 損害保険協会　そんぽ ADR センター（日本損害保険協会）（全国共通・有料）0570-022808
- 各保険会社の相談窓口
- （一財）自賠責保険・共済紛争処理機構　0120-159-700
- JA 共済の交通事故相談（相談受付センター）　0120-258-931

〔被害者援助等〕
- 日本司法支援センター（法テラス）（訴訟費用の立替え等）　コールセンター☎0570-078374
- 各地の自治体（援助制度を持っているところもある）
- （独行）自動車事故対策機構 NASVA（交通遺児等の援助など）　東京主管支所☎03-3621-9941
  交通事故被害者ホットライン　☎0570-000738
- （公財）交通遺児育英会　☎03-3556-0771
- （公財）交通遺児等育成基金　0120-16-3611
- ㈶自動車事故被害者援護財団　☎03-3237-0158

●示談交渉

交通事故の示談交渉には、示談代行付保険が主流となったことから、示談交渉では保険会社の示談担当者が来ます。

こうした人は交通事故の示談のプロですので、被害者が交渉に臨むに当たっては、ある程度の法律知識が必要です。

被害者としては、是非、法律相談所などで、一度は相談されることをお勧めします。

特に、交渉では、逸失利益や過失相殺などが問題となり、賠償額にも大きく影響します。示談額は、いくらでなければならないかは法律では定められておらず、示談する額は自由で、示談が成立すれば、原則として、示談のやり直しはできませんので注意してください。

製造物責任の相談あるいは苦情申立先

製造物責任とは、製品の欠陥が原因でケガや死亡した場合、あるいは火事となって損害（拡大損害）を受けた場合に、その製品を製造したメーカーに損害賠償の請求ができるというものです。

この場合、「製造物責任法（いわゆるＰＬ法）」が施行される以前は、被害者が製造物に欠陥があったことだけでなく、製造業者の落度まで証明しなければならず、その証明は製品購入者にとっては大いに困難でした。

こうしたことから平成６年に製造物責任法が成立し、その製品により被害があったことを立証すればよく、具体的な欠陥の原因まで証明しなくてもよいことになり、被害者救済が大いに進展しました。

この法律を受けて、各業界では、相談・苦情を処理するために製造物責任相談センター（ＰＬセンター、次ページ表参照）が設けられました。

したがって、製造物（家電製品や自動車など）の欠陥による被害（損害）が生じた場合には、このＰＬセンター、あるいは国民生活センターや消費生活センターなどへ相談あるいは苦情の申立てをするとよいでしょう（次ページ表参照）。

家電製品ＰＬセンターの概要

ここで、ＰＬセンターの１つである家電製品ＰＬセンターの概要について説明しておきます。

〔製造物責任のポイント〕

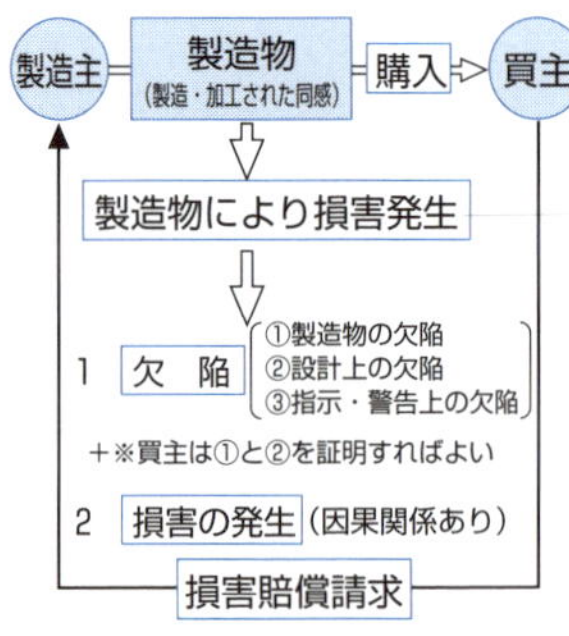

製造主 ＝ 製造物（製造・加工された同感）＝ 購入 ⇨ 買主

⇩

製造物により損害発生

⇩

1 欠　陥 （①製造物の欠陥 ②設計上の欠陥 ③指示・警告上の欠陥）

＋※買主は①と②を証明すればよい

2 損害の発生（因果関係あり）

損害賠償請求 → 製造主

※製造物責任法では、欠陥の存在は被害者側に証明責任があるが、どの部位・部品に原因があったかまでは特定する必要はないとされている。

ポイント

ＰＬセンターでは、解決のための和解あっせん・調停等が行われます。製造物による被害については、被害額が少ない場合も多く、こうした場合に利用するとよいでしょう。

メモ

被害が高額になる場合には、訴訟等の法的解決がよいでしょう。

まず、家電製品PLセンターでは、家電製品の事故についての相談を受け付けています。消費者が電話をすれば、カウンセラーが適切なアドバイスをしてくれます。

こうしたアドバイスをもとに消費者が事業者との交渉を行い、話し合いがつかない場合には、弁護士・カウンセラーによるあっせんがなされます。

さらに、こうしたあっせんにもかかわらず解決しない場合には、申立てをすれば裁定委員会（弁護士・学識経験者、消費者問題有識者、技術者等の専門家で構成）による裁定がなされます。

なお、相談・あっせんについては無料ですが、裁定の申立てをするには1万円の手数料が必要です。

〔製造物責任に関する相談先と紛争解決機関〕

〔法律相談〕

・各地の弁護士会の法律相談センター
・都道府県の無料法律相談所

〔PL センター〕

・家電製品 PL センター	0120-551-110
・自動車製造物責任相談センター	0120-028-222
・ガス石油機器 PL センター	0120-335-500
・住宅リフォーム・紛争処理支援センター	0570-016-100
・住宅部品 PL センター	0570-016-100
・消費生活用製品 PL センター	0120-11-5457
・化学製品 PL 相談センター	0120-886-931
・医薬品 PL センター	0120-876-532
・生活用品 PL センター	0120-090-671
・日本化粧品工業連合会 PL 相談室	0120-352-532
・防災製品 PL センター	0120-553-119
・建材 PL 相談室	☎03-5640-0902
・玩具 PL センター	0120-152-117
・プレジャーボート製品相談室	0120-356-441
・自動車 ADR センター	0120-028-222

●製造物の被害

製造物責任法では、製造物の欠陥によって被害を受けた場合の製造者などが負う責任について定めていますが、消費者にとってより必要なのは、製造物の欠陥をなくすことです。こうした製品による事故では、必ず、国民生活センターや消費生活センターに連絡してください。

また、事故原因となった製品は大切な証拠物ですので、保管しておいてください。

14 人権に関するトラブルで困ったとき

人権とは何か

人権とは、個人が生まれながらにして有する権利のことで、今日では、個人の幸せな生活を保障するための権利を指すとされています。

日本国憲法は、人種・信条・性別・社会的身分・門地などによって差別されないとする法の下の平等、思想および良心の自由、信教の自由、学問の自由、生存権、教育を受ける権利、勤労の権利など、多くの人権を国が守るよう保障しています。

しかし、こうした人権侵害が、現実には多くあります。

各種の人権侵害

①**男女間の人権問題**――男女平等は憲法が保障する権利です。しかし、現実には男女間での人権侵害は存在します。例としては、セクハラ、ドメスティック・バイオレンス（ＤＶ）などがあり、民法や刑法の問題であるとともに社会問題でもあります。男女雇用機会均等法、ＤＶ法が制定されています。

②**子どもの虐待**――子どもの虐待の問題も、人権の問題です。こうした虐待に関する法律には児童虐待防止法があり、改正により防止対策が強化されました（次項参照）。

③**高齢者の人権問題**――高齢化社会が急速に進行していますが、高齢者に対する虐待などの問題も生じています。また、悪質商法などによる高齢者を狙った商法も横行し、社会問題となっています。こうした問題に対応するた

ポイント

人権侵害のトラブルは、侵害の停止と慰謝料（損害賠償）、謝罪広告などが問題となります。

メモ

人権侵害では、侵害行為を停止させることが最も重要です。

なお、インターネットを利用した人権侵害が増加しており、他人の中傷や侮蔑、無責任なうわさや差別的な落書き、個人のプライバシーに関する無断掲載などが流れています。

こうした行為は、インターネットだからといって許されるものではなく、通常の人権侵害と同様に法令に違反すれば、刑事あるいは民事責任を問われることになります。

め、成年後見人制度などが導入されています。

④その他――その他の人権問題として、障害者の人権問題、同和問題、外国人の人権問題、ＨＩＶ感染者等の人権問題、犯罪被害者やその家族の人権問題、性的少数者（ＬＧＢＴＱ）の人権問題などもあります。また、個人情報の流出、マスコミの報道等による名誉毀損やプライバシー侵害もあります。

人権侵害のトラブル解決の注意点

憲法の基本的人権の規定が、私人間にも及ぶかについては、①直接適用される、②民法の一般条項（民法90条、公序良俗規定）を通じて適用される、③人権侵害の内容を具体的・個別的に検討して、憲法の規定の及ぶ範囲を決める、とする諸説があります。

いずれにしろ違法に人権が侵害されれば、侵害行為は排除されるべきであり、損害賠償の請求等ができる場合もあります。

〔憲法の基本的人権の保障〕

憲法
- ◆個人の尊重、生命・自由・幸福追求権 …13条
- ◆法の下の平等 …14条
- ◆公務員の選定罷免権・普通選挙・秘密投票の保障 …15条
- ◆請願権 …16条
- ◆国・公共団体への賠償請求権 17条
- ◆奴隷的拘束・苦役からの自由 18条
- ◆思想および良心の自由 …19条
- ◆信教の自由 …20条
- ◆集会・結社・表現の自由、検閲の禁止、通信の秘密 …21条
- ◆居住・移転・職業選択の自由、外国移住・国籍離脱の自由 …22条
- ◆学問の自由 …23条
- ◆個人の尊厳と両性の平等 …24条
- ◆生存権 …25条
- ◆教育を受ける権利 …26条
- ◆勤労の権利 …27条
- ◆勤労者の団結権・団体交渉権 28条
- ◆財産権の保障 …29条
- ◆法定の手続の保障 …31条
- ◆裁判を受ける権利 …32条
- ◆逮捕に対する保障 …33条
- ◆拘留・拘禁に対する保障 …34条
- ◆住居侵入、捜索、押収に対する保障 …35条
- ◆拷問及び残虐な刑罰の禁止 …36条
- ◆刑事被告人の諸権利の保障 …37条
- ◆不利益な供述の強要禁止、自白の証拠能力 …38条
- ◆刑罰法規の不遡及、二重処罰の禁止 …39条
- ◆刑事補償 …40条

解決法

①人権侵害の相手と交渉する。
②必要があれば、人権相談機関に相談する⇨（99ページ参照）
　・日本弁護士会連合会／各地の法務局・法務局の支部／各都道府県・人権担当／（公社）自由人権協会
③話し合いがつかなければ調停の申立てや訴訟を起こす⇨（200・206ページ参照）慰謝料（損害賠償）請求、謝罪広告など
④名誉毀損罪や侮辱罪に問える場合もある。

◆人権侵害など日常のトラブル②

子どもの虐待やいじめで困ったとき

子どもの虐待のトラブル

幼児の親等による虐待のニュースが相次いでいます。こうした児童虐待に関する法律には、「児童虐待防止法」（児童虐待の防止等に関する法律）があります。

①**児童虐待の定義**　児童虐待とは、18歳未満に対する㋑身体的な暴行、㋺ワイセツ行為、㋩著しい食事制限や長時間の放置、㋥心理的外傷を与える言動

②**通告義務**　教師や医師、弁護士などは虐待の早期発見に努め、発見した場合は速やかに児童相談所等に通告しなければならない。

③**立入り調査・警察官への援助要請**　虐待のおそれがあるときは、児童相談所などが児童の自宅などに立入調査ができる。その際、警察官の援助を要請できる。

④**保護者が指導を受ける義務**　児童虐待により一時保護された児童の保護者は、児童福祉司などの指導（カウンセリング）を受けなければならない。

⑤**面会または通信の制限**　児童相談所長等は、児童虐待を行った保護者に対して、虐待により一時保護などで入所した児童への面会や通信を制限することができる。

なお、法改正で、虐待の可能性がある場合の通告義務などが加えられ（平成16年施行）、強制立入り調査など児童相談所の権限が拡大されました（平成20年）。なお、従来の親権喪失に加えて親権停止（最長2年間）が創設されています（平成24年4月民法改正施行）。

ポイント

虐待やいじめはあってはならないことですが、一向に減る気配はなく、こうした事件を生み出さない環境づくりこそが重要なようです。

メモ

「葬式ごっこ」などのいじめで自殺した中野富士見中のいじめ自殺事件で、裁判所は、遺族に対して、中野区、東京都、および両親の4名に1000万円の慰謝料の支払いを命じた判決があります（東京高等裁判所・平成6年5月20日判決）。ただし、死亡の損害賠償は、自殺についてまで予見可能性があったとは言えないとして、認めませんでした。

子どものいじめのトラブル

「いじめ」という法律用語はなく、いじめの内容によって、法律的には処分することになります。殴るなどの暴行を加えれば暴行罪、その結果、ケガをさせれば傷害罪ですが、これは大人の場合で、未成年者（少年）には直ちに刑法の適用はなく、少年法により保護処分がなされます。多くの場合、「子どものことだから」として反省を求められるだけで処分の手続きがとられない場合が多いようです。

さらに、いじめを苦に自殺した場合、いじめた本人および親権者である親に民事責任を問えるかどうかの問題もあります。この場合、民法の一般的な規定（民法７０９条の不法行為による損害賠償責任）となります。

少年法によれば、満14歳未満は刑事罰に問われることはなく、14歳以上の少年が凶悪犯罪を犯し被害者を死亡させた場合などで、家庭裁判所が刑事処分が必要と判断した場合にだけ、検察官送致（逆送）がなされます。

なお、いじめ防止対策推進法が平成25年に制定されています。

★児童虐待と措置

児童虐待の発見（気づく）
↓ 通告
福祉事務所または児童相談所
児童委員・児童福祉司など虐待の
事実の確認、実態の把握
学校・医療機関等への協力要請
↓
訪問調査など
↓
一時保護 → 在宅での援助
児童相談所の
一時保護所など
↓
施設入所 → 在宅での援助
児童養護施設など

在宅での援助：家族関係の修復のための家庭訪問や通所など

虐待やいじめの解決法

虐待やいじめの問題は、そうした悲劇を生まない環境づくりこそが重要です。

また、事件が起きた場合は、関係者が内々に問題解決をしようとするのではなく、弁護士などに相談するのもよいでしょう。

〔虐待〕
①育児等でノイローゼなどの場合には、カウンセリングを利用する。
②児童虐待を見たら、福祉事務所または児童相談所に通告する。
〔いじめ〕
①まずは、担任・教頭・校長に相談する。
・文部科学省⇨24時間子供SOSダイヤルなど（95ページ参照）
・いじめ問題相談機関
教育委員会／教育センター・教育研究所／家庭教育電話相談／人権相談所／警察本部（少年課）など

相談＆解決

子どもや高齢者問題の相談先と紛争解決機関

⊠子ども老人に関するトラブル

家庭内の問題では、最近、子どもや老人に関する事件が増えています。具体的には、子どもの虐待（92ページ参照）、高齢者人口の増加に伴う老人の虐待（112ページ参照）の増加などです。

こうした状況を背景に、政治の場でも、さまざまな形で法律の整備（相談センター等の窓口の整備など）がなされつつあるのが現状です。

⊠子どもの問題

子どもの問題は多岐にわたります。前記、子どもの虐待だけでなく、学校でのいじめ、非行など親が心配する問題もあります。こうした問題は、家庭内の問題であると同時に、社会問題でもあります。社会が対応しなければ、もはや家庭内での解決は不可能な場合もあるのです。

子どもの問題の相談先は、その問題の種類によって異なり、子どもの問題の総合相談先などはありません。ただし、法テラス（180ページ参照）を利用すれば、適当な相談機関を紹介してくれます。

具体的には、児童虐待については各地の児童相談所、少年の非行については警察、学校でのいじめについては教育委員会等の機関（子ども自身が相談する場合は文部科学省の「24時間いじめ相談ダイヤル」）などがあります。

認知や養子縁組など法律手続きなどについ

ポイント

子どもや老人は、一般的には家庭内でも社会においても、いわば弱者の立場にあり、保護を要する側面が多くあります。

こうした弱い立場の人の救済では、まず、専門家によるしっかりした相談機関を設けることです。

メモ

問題が起きたら、家族だけではなく、当人である子どもや老人が相談することも大切です。

ては、法律の専門家である弁護士に相談するのがよいでしょう。

高齢者の問題

高齢者の問題には、老人の虐待、認知症の場合の成年後見、高齢者福祉、財産をどう承継させるか、老人扶養の問題などがあります。

本格的な高齢化社会の到来はこれからで、この問題はこれからが本番ということになりますが、家族や社会のあり方が問われることになるでしょう。高齢化社会に向けて、より一層の相談所等の充実が望まれます。

高齢化問題の相談先としては、子どもの問題と同じく、総合的なものはありません。ただし、法テラスを利用すれば、適切な相談機関を紹介してくれます。

具体的には、高齢者の虐待については市区町村役場、高齢者福祉などについては制度に応じてその機関（例えば、年金は年金相談センター・日本年金機構・年金事務所など、介護保険は市区町村役場）で相談してください。

また、認知症の場合の成年後見制度の利用、財産をどう承継させるか、扶養でもめた場合などについては、弁護士（弁護士会の法律相談センター）などに相談するとよいでしょう。

子ども・高齢者の問題の相談先と紛争解決機関

〔子どもの問題〕

- 各地の児童相談所・児童虐待防止センター⇨児童虐待
- 最寄りの警察⇨犯罪がらみの場合
- 24時間子供SOSダイヤル ☎0120-0-78310
- 東京都いじめ相談ホットライン ☎0120-53-8288
- 各地の弁護士会の法律相談センター⇨法律問題全般

〔高齢者（老人）の問題〕

- 市区町村役場・高齢者虐待防止センター⇨高齢者の虐待・介護保険など
- 日本年金機構「年金ダイヤル」 0570-05-1165
- 各地の年金事務所
- 各地の弁護士会の法律相談センター⇨法律問題全般
- 各地の司法書士会⇨成年後見の問題など

※全国いのちの電話
社会福祉法人東京いのちの電話 ☎03-3264-4343

●高齢者と悪質商法

高齢者をターゲットとする悪質商法が横行しています。最近問題になったのは、孫などを装って行う「オレオレ詐欺」が有名ですが、この他にも従来からある悪質商法があります。

①ふとん・健康食品のSF商法
②住宅の見本工事商法
③白アリ駆除サービス・消火器の点検商法

こうした商法が横行する理由は、加齢に伴う判断能力の低下、高齢者は昼間も自宅にいることから訪問販売などの被害にあいやすいためとされています。

16 インターネット・携帯電話のトラブルで困ったとき

ポイント

インターネットのトラブルは急増しています。ネットオークションなどの被害では、匿名が多く、現実には被害の回復が困難な場合が多くあります。

IT社会と犯罪の増加

急激なIT社会への変化で、インターネットや携帯電話のトラブルが増加しています。警察庁のまとめによれば、令和3年のサイバー犯罪（情報技術を利用する犯罪）の検挙件数は１万２２７５件（暫定値。前年比24%増）で、他の犯罪は減っているのに対し、平成24年から増加を続けています。なお、犯罪白書（令和3年版）によると、インターネットを利用したサイバー犯罪で多いのは、①児童買春児童ポルノ法違反、②詐欺、③青少年保護育成条例違反、の順です。

インターネット・携帯電話のトラブル

①ネットオークション詐欺　この典型例は、オークションサイトで商品を落札し、お金を振り込んだが品物が送られて来ない場合です。また、落札した商品がインターネット上の物と違う、あるいはキズがあるが相手と連絡ができない、返品に応じてもらえないなどのトラブルが生じています。

詐欺被害の場合、相手の特定が難しく、加害者の開示請求には自己の権利が侵害されたこと等の証明が必要（プロバイダ責任制限法）で、被害回復が困難な場合も少なくありません。

②出会い系・アダルトサイトのトラブル

このトラブルには、アダルトサイト（成年向けポルノなど）を利用して、遅延損害金を含めて高額な料金を請求された例、有料の表示がわかりにくく有料だとは気付かずに利用

メモ

インターネットは便利ですが、その反面、多くの落とし穴があることに注意しましょう。トラブルに巻き込まれないための知識も身につけておきましょう。

した例、などがあります。遅延損害金については年14・6%を超える部分は消費者契約法により無効となり、有料の表示については、画面構成によっては契約の不成立あるいは錯誤による無効などになる場合があります。

③その他のトラブル

インターネット・携帯電話のトラブルは、多岐にわたります。個人情報の流出による迷惑メール・覚えのない請求、薬物に関する情報提供・販売、ネットカジノ・ねずみ講、ネットバンクのトラブルもあります。

「フィッシング」と呼ばれる詐欺も多発しています。これは、大企業などのウェブサイトに見せかけて偽サイトに誘導し、クレジットカード番号などを盗む行為です。怪しいと思ったらリンクはクリックしないことです。

インターネットに関するトラブルは多岐にわたり、増加しています。最近はネットによるいじめやストーカーの被害も発生しています。損害の回復も極めて難しいことから、被害にあわないための事前の予防、被害にあったら早急に相談することです。

〔インターネット・携帯電話のトラブル例〕

事　例	解決法
①ネットオークションで商品を落札したが、お金を振り込んでも送られて来ない	①至急送るように催告する。②相手の居場所を特定する。③警察へ被害届を出す。④裁判で民事上の解決を図る。
②送って来た商品にキズがあり、返品を申し入れたが解約に応じない	①相手の居場所を特定する。②商品（キズ物）の瑕疵担保責任を追及する。
③ネットショッピングで購入したという身に覚えのない契約や商品の代金の請求が来る	①被害届を出す。②法律上は支払義務がないので売主にその旨を説明する。③必要があれば、裁判で債務不存在の確認訴訟をする。
④アダルトサイトを見たら、法外な請求が来て、放っておいたらこれまた法外な遅延損害金が課された	画面構成によっては契約の不成立（錯誤による取消し）を主張できる場合もある。

解決法

①被害にあったと思ったら、まず、相談する（68・99ページ参照）
②相手の住所を特定する。
③被害届を出す。
④法的手段をとる。
・告訴⇨詐欺など（146ページ参照）
※実際にはなかなか受け付けてもらえない場合も多い。
・民事調停⇨（200ページ参照）
・民事訴訟⇨（206ページ参照）
※被害額が少ない場合も多く、また、相手の所在が不明の場合も多く、被害の回復は困難。

相談&解決

日常生活のトラブルの相談先と紛争解決機関

ポイント
いくつかの機関に相談してみる方法もあります。

メモ
権利は主張しなければ保護されません。

事故と損害賠償のトラブル

日常生活では、さまざまな事故・事件が発生します。交通事故、医療事故、学校事故などが典型例ですが、こうした場合、通常は損害賠償が問題となり、一般的には弁護士に相談します。しかし、トラブルのための専門機関がある場合には、その機関に相談することにより、迅速で費用のかからない解決が得られることもあります。

なお、交通事故については86ページを参照してください。

隣近所とのトラブル

隣近所の問題は、騒音や日照侵害などの問題があります。また、悪口を言ったなどの名誉毀損の問題もあります。騒音や日照侵害などの環境の問題については、まず、役所の公害課などに相談するのがよいでしょう。

法律や条例などで、どう規制されているかを知る必要があるからです。また、騒音や日照侵害では具体的な数値の測定も必要となります。

こうした隣近所の問題は、トラブルが解決したにしても、今後も近隣の人とは付き合って行くことになりますから、紛争がこじれて感情的な対立にならないよう心がけることが大切でしょう。

人権侵害のトラブル

人権侵害としては、女性の人権侵害（セクハラ、ドメスティック・バイオレンスなど）や子どもの人権侵害（虐待・いじめ・体罰）、高齢者の人権侵害、障害者の人権侵害などがあります。

こうした人権侵害は、暴行・傷害や名誉毀損などの刑事事件となるばかりでなく、民事事件としての損害賠償（慰謝料）や謝罪の対象となる場合もあります。

基本的人権の尊重は憲法が掲げている保障であり、こうしたことから法務局、地方法務局・支局、弁護士会、都道府県の法律相談所などでは、**人権相談**に応じています。

日常生活の身の回りのトラブルの相談先と紛争解決機関

〔法律相談〕

- 各地の弁護士会の法律相談センター
- 都道府県の無料法律相談所

〔医療事故の相談等〕

- 医療安全支援センター（全国の都道府県380箇所以上）
  （東京都）患者の声相談窓口　☎03-5320-4435
- 医療事故情報センター　☎052-951-1731
- （独行）医薬品医療機器総合機構くすり相談　☎03-3506-9457
  医療機器相談　☎03-3506-9436
- 医薬品PLセンター　フリーダイヤル0120-876-532

〔人権侵害の相談等〕

- 各地の法務局・地方法務局および支局
  東京法務局人権擁護部　人権相談ダイヤル
  ナビダイヤル0570-003-110
- （公財）東京都人権啓発センター　☎03-6722-0082
- 女性の人権ホットライン（法務局）　ナビダイヤル0570-070-810
- 東京都女性相談センター　☎03-5261-3110
- 東京都児童相談センター　☎03-3366-4152
- 子どもの人権110番（法務局）　フリーダイヤル0120-007-110
- 東京ウィメンズプラザ　法律相談　☎03-5467-2455

〔環境問題〕

- 都道府県の公害審査会⇨人的・物的に広がりのある公害（大気汚染など）に関する民事紛争　東京都☎03-5388-3437

〔その他の相談機関〕

- インターネットホットライン連絡協議会⇨インターネットによるプライバシー侵害などの通報相談窓口
  ホームページのメールで相談
- 文化庁長官官房著作権課（登録など）　☎03-5253-4111
- （公社）著作権情報センター著作権電話相談　☎03-5333-0393
- 日本知的財産仲裁センター（東京本部）　☎03-3500-3793

●ホームローヤー

借りた覚えのない借金の請求を迫るなど、日常生活でのトラブルが増加しています。こうした悪質な商法が横行し、法律武装が必要な時代となっているようです。

そこで、身内や知り合いに弁護士がいない場合は、法律相談を通じて知り合いとなった弁護士をホームローヤーとしてはいかがでしょう。何も、顧問料を支払う必要はありません。何かあったら、料金を支払い、相談できる人を確保しておくのです。

第2章 家庭内や身内・戸籍などのトラブルと解決法

●人の一生に関するトラブル

人の一生にはトラブルが多く存在します。このトラブルの中には家庭内や身内のトラブルも多くあります。

人の一生に起きる家庭内あるいは身内のトラブルを、人の一生の時間的経過で追えば、以下のようなものがあります。

①出生に関するトラブル
②結婚・内縁に関するトラブル
③離婚に関するトラブル
④親子に関するトラブル
⑤扶養に関するトラブル
⑥死亡・相続に関するトラブル
⑦戸籍に関するトラブル（前記の①から⑥にも関係する）

具体的なトラブルの内容と解決法については102ページ以下を参照してください。

●家庭・身内のトラブルの解決法

家庭内の事件は家庭裁判所が扱い、家事事件（次ページ図表参照）と言います。家事事件には、家事事件手続法の別表第1事件（審判によるもの）と別表第2事件（審判でも調停でもよいもの）、それに一般事件があります。

人事に関する事件（婚姻の無効・取消し、離婚など）や相続事件で相続回復請求の争いなどは必ず調停を経る必要があり、いきなり訴訟を起こすことはできません。これは、こうした調停前置主義の対象となるトラブルについては、できれば話し合いによる円満な解決が望ましいとする考えによるものです。

審判による決定に不服の場合は高等裁判所に即時抗告ができ、また調停が不成立の場合には、審判あるいは訴訟となります。

家庭裁判所には、「家事事件手続案内」が

◆家庭の事件と法制定・改正

家庭の崩壊が叫ばれて久しいですが、最近では、家族間の暴行・傷害や殺人事件が目立つようになりました。

こうしたことから、ＤＶ（ドメスティック・バイオレンス）法の制定、児童虐待防止法の改正、人事訴訟法の制定（離婚訴訟を地方裁判所から家庭裁判所の管轄とする）、民事執行法の改正（養育費や財産分与などの執行を容易にする）などの施策がなされました。

また、平成18年4月1日より、高齢者虐待防止法があり、家庭内の紛争の相談に応じています。ただし、具体的なトラブルについて、どういう結論となるかなどに答えるものではなく、手続きの仕方などが相談の中心となります。

また、家庭内のトラブルについて、弁護士会や都道府県の法律相談室でも相談に応じています。

●家庭・身内のトラブル解決での注意点

家庭や身内のトラブルはできれば早期に円満に解決したいものです。というのは、長引けば長引くほど、泥沼となるケースが多いからです。

また、感情的なことから、暴力などの刑事事件に発展する危険性もありますので注意が必要です。

さらに家族や関係者を巻き込んだ、別の事件となることもありますので、この点も注意してください。

施行されました。内容は、虐待の定義、被虐待者の保護、要保護者への支援などとなっています。

今後もこうした家庭内のトラブルが続けば、法律の制定、改正が続くものと考えられます。

〔主な家事事件と管轄裁判所〕

※家事事件手続法の別表による

●別表第１事件⇨審判の申立てをする事件

※申立手数料 800 円

- 後見・保佐・補助の各開始・取消し
- 後見人・保佐人・補助人の選任･辞任･解任
- 後見・保佐・補助監督人の選任
- 失踪の宣告・取消し
- 子の氏の変更の許可
- 未成年者の養子縁組の許可
- 死後離縁の許可
- 特別養子縁組・離縁の処分
- 相続の放棄・限定承認の申述
- 相続人がいない場合の相続財産の管理処分
- 遺言の検認・確認・遺言執行者の選任
- 氏・名の変更についての許可　など

●別表第２事件⇨審判申立てでも調停申立てでもよい事件　※申立手数料 1,200 円

- 夫婦の同居・その他の協力扶助
- 子の監護に関するトラブル
- 離婚の場合の財産分与のトラブル
- 親権者の指定または変更
- 扶養に関するトラブル
- 遺産の分割（禁止）に関するトラブル
- 相続の場合の寄与分に関するトラブル
- 祭具等の所有権の承継者の指定に関するトラブル　など

●一般調停事件⇨調停申立てをする事件

※申立手数料 1,200 円

上記の審判の申立てをする事件・審判申立てでも調停申立てでもよい事件を除く一切の家事事件

- 離婚など婚姻中の夫婦間のトラブル
- 婚姻外の男女間のトラブル
- 離婚その他男女関係解消に基づく慰謝料のトラブル
- 親族間のトラブル　など

出生のトラブルで困ったとき

出生に関するトラブル

出生に関するトラブルには、自分の子か否か、出生届に関する問題などがあります。

まず、自分の子か否かのトラブルですが、妻が婚姻中に懐胎した子は夫の子（摘出子）と推定されます。また、婚姻成立の日から200日後、または婚姻の解消（離婚）もしくは取消しの日から300日以内に生まれた子は婚姻中に懐胎した子と推定されます。

この場合、夫が自分の子でないと思う場合には、**嫡出子否認**（自分の子でない）の訴えをすることができます。ただし、この否認の訴えは、夫が子の出生を知ったときから1年以内に提起しなければなりません。この期間が経過した場合はもはや夫は嫡出子否認の申立てをすることはできませんが、前記の嫡出子の推定を受けない子（婚姻成立後200日未満に生まれた子や、婚姻中あるいは離婚後300日以内に生まれた子であっても、夫が海外赴任中で性的交渉がなく夫の子を懐妊する可能性がない場合など）については、**親子関係不存在**の訴えをすることになります。この親子関係の不存在の訴えは、第三者からもでき、いつでもできます。

なお、婚姻前にできた子を認知した後に父と母が婚姻した場合には非嫡出子は嫡出子となり（**婚姻準正**）、父母の婚姻中に父が婚姻前に生まれた父母の子を認知（**認知準正**）した場合には非嫡出子が嫡出子となります。

つぎに出生届は生まれてから14日以内に提

ポイント

出生に関してのトラブルは、夫の子か否か（嫡出子否認・親子関係不存在）と認知ですが、鑑定により、自分の子か否かの判断はほぼ間違いなくできます。

メモ

再婚では、前婚の解消後三〇〇日以内に早産により生まれた子は、前夫の子と推定されます（判例）。ただし、医師の診断書等の証明があれば、再婚の夫との子として出生届は受理されます（法務省通達）。摘出推定については、今後民法改正による見直しが予定されています。

出しなければなりません。この出生の届出を正当な理由なく怠ると５万円以下の科料に処せられます。また、名前は常用漢字、人名用漢字、平仮名、片仮名でなければなりません。

出生に関するトラブルの解決法

嫡出子否認や親子関係不存在確認は家庭裁判所に調停の申立てをします。この調停で、当事者双方に子どもが夫の子でないという合意ができた場合には審判がなされ、合意に相当する審判がなされます。調停が不成立となった場合には、訴訟になります。

また、戸籍については、出生は事実上の問題ですから、戸籍の届出によって出生の効果が生じるものではありません。したがって戸籍と事実が異なっている場合には、家庭裁判所に申し立てて戸籍の記載を変更・訂正することができます。夫の嫡出子否認では、浮気などによる離婚の問題も出てきます。実の親は誰かという問題もあり、実の父親が分かれば認知請求の問題も残ります。

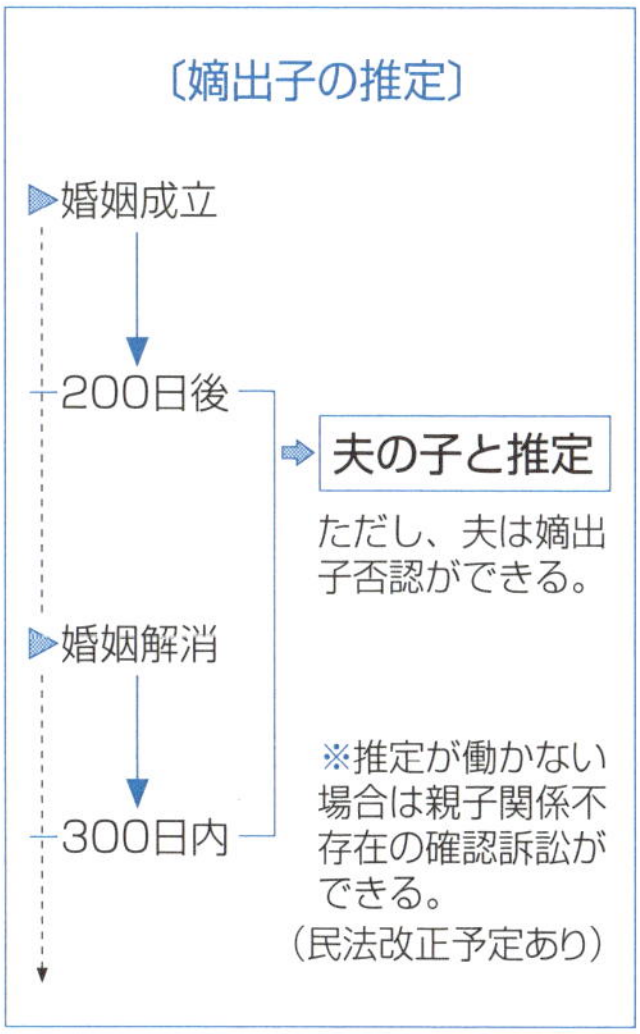

〔嫡出子の推定〕

- ▶婚姻成立
- ↓
- 200日後
- ⇨ 夫の子と推定
- ただし、夫は嫡出子否認ができる。
- ▶婚姻解消
- ↓
- 300日内
- ※推定が働かない場合は親子関係不存在の確認訴訟ができる。
- （民法改正予定あり）

認知に関するトラブルと注意点

認知は、親が婚姻外の子を自分の子として認めることです（子は非嫡出子となる）。

認知には、任意認知と強制認知とがあり、**任意認知**とは父の自発的な認知のことを言い市区町村長に対する届出だけでよく、**強制認知**は裁判所による認知のことで、まず、家庭裁判所に調停申立てをします。

こうした子の出生に関するトラブルは、子のためにも迅速かつ明確に処理しておくことが大切です。そうでないと、相続などで再び問題となることがあります。

解決法

①事実関係を調べる。
②必要があれば、家庭裁判所の家事手続相談室で相談する⇨（118ページ参照）
③家庭裁判所に調停あるいは審判の申立てをする⇨（202ページ参照）
④調停が不調あるいは審判に不服の場合は、訴訟あるいは即時抗告をする⇨（206ページ参照）

❷ 婚約・結婚・内縁のトラブルで困ったとき

結婚に関するトラブル

結婚に関するトラブルには、大きく分けると婚約・結婚・同棲・内縁に関する問題があります。

民法は結婚に関しては、婚姻届を出した男女だけを婚姻と認め（法律婚）、男女が同棲して事実上夫婦と同じ生活をしていても結婚とは認めていません（事実婚）。民法には結婚に関しては法律婚以外に直接の規定はありません。

婚約に関するトラブル

婚約は将来夫婦になろうという当事者間の約束です。婚約は結納の取り交わし、婚約指輪の交換など、儀式を行う場合が多くありますが、これがないからといって婚約が否定されるものではありません。婚約は婚姻の予約という当事者間の約束であり、この合意があれば婚約は成立しています。

したがって、婚約が成立した場合、双方は婚姻する義務を負います。ただし、後述するように婚姻は結婚するというこれまた双方の意思が必要ですので、婚姻する気がなくなった場合には婚姻する義務は強制できず、この場合には**婚約の不当破棄**となり損害賠償の問題となります。

損害賠償の対象となる損害には、慰謝料（精神的苦痛に対する賠償）、婚約によってなされた支出（婚約披露の費用、新居の準備費用、仲人へのお礼、あるいは結婚式場のキャンセル代など）があります。

ポイント

わが国は法律婚をとっているために、婚姻届の提出がない限りは、夫婦としての実態があっても内縁関係にすぎず、法律上の夫婦とは認められません。したがって、相続や社会保障などで、不利になります。

メモ

夫婦は同一の戸籍を作り、同姓を名乗ります。また、貞操義務、同居義務、扶助義務が発生します。

結婚に関するトラブル

婚約破棄も結婚のトラブルの１つと考えられますが、これについてはすでに述べましたので、前記を参照してください。

まず、結婚のトラブルには、当事者間に婚姻の意思がない場合があります。

例としては、人違い、勝手に婚姻届を出されたなどがあり、当事者の一方に婚姻の意思がないのですから、当然、婚姻は無効です。

ただし、婚姻届が受理されると、戸籍訂正の必要があり、婚姻無効の調停を家庭裁判所に申し立てなければなりません。詐欺または強迫による結婚の場合には取り消すことができます。

つぎに、法律で定められた婚姻禁止・制限の規定に違反する場合があります。

これには、不適齢婚、重婚、近親婚、再婚禁止期間中の婚姻（表参照）があり、通常は婚姻届が受理されませんが、誤って受理された場合には、婚姻を取り消すことができます。

取消しも無効の場合と同様に、家庭裁判所に調停の申立てをして行います。

〔婚姻禁止・規制〕

①男女とも満18歳にならないと結婚できない。
②二重結婚はできない。
③女は夫の死、あるいは離婚・結婚の取消しから100日を経なければ再婚できない。
④直系血族および3親等内の傍系血族は結婚できない。
⑤直系姻族の間では結婚することができない。
⑥養親と養子は結婚できない。
⑦婚姻届が必要。
※民法改正で、婚姻適齢が満18歳に男女統一され、未成年者は結婚ができない。

同棲・内縁に関するトラブル

同棲と内縁の違いは、男女が婚姻届をせずに共同生活をしている点では同じですが、内縁が終生生活を共にする合意があるのに対して、同棲は一時的な同居とされています。したがって、内縁については、婚姻に準じて一定の保護があります（後述）が、単なる同棲に関する保護はありません。

解決法

①事実関係を調べる。
②必要があれば、家庭裁判所の家事相談室で相談する⇨（118ページ参照）
③家庭裁判所に調停あるいは審判の申立てをする⇨（202ページ参照）
④調停が不調あるいは審判に不服の場合は、訴訟あるいは即時抗告をする⇨（206ページ参照）

3 離婚に関するトラブルで困ったとき

離婚の実状と離婚するか否かのトラブル

令和2年中の離婚件数（概数）は19万3251組（人口動態統計）で、離婚に関するトラブルも多く発生しています。その主な問題点は、以下のとおりです。

離婚は双方の合意で成立します。これが協議離婚と言われるもので、双方が合意し、役所に離婚届を提出すれば離婚は成立します。ただし、子がいる場合には、親権者を決めなければ離婚届は受理されません。

離婚の合意ができず、どうしても離婚したい場合には、家庭裁判所に調停の申立をします。調停が成立すれば離婚成立ですが、調停が不成立の場合には、訴訟となります。

調停や裁判では、**離婚原因**があるかどうかが、まず、問題となります。離婚原因については、民法770条に規定（次ページ表参照）があり、この離婚原因に該当するかどうかで、離婚を認めるか否かの判断がなされます。現実には、婚姻生活がどの程度破綻しているかが、離婚が認められるポイントのようです。

では、離婚したい側に離婚原因（不貞など）があり、離婚したい場合はどうなるのでしょうか。この点については、かつては、離婚原因を作った側からの離婚請求は認められないとされていましたが、昭和62年の最高裁判所の判決により、一定の要件（長期間の別居、未成熟の子がいない、離婚により相手方が極めて過酷な状態におかれるなどの社会正義に反するといえるような特段の事情がない）の

ポイント

離婚の大半は協議離婚によっています。したがって、裁判所が関与していないので、財産分与や子の養育費が決まらないままの離婚も少なくありません。こうした金銭についての給付は離婚後も請求できますが、やはり、離婚時に決めておかないと、後ではなかなか応じてくれない場合もあります。

メモ

離婚に伴う傷害や殺人などの事件も増加しています。

また、年金について婚姻中にかけた分は折半するという離婚時の年金分割制度が平成19年4月より導入されています。

もとに、離婚を認めました。なお、この場合の別居期間は36年でしたが、現在は8年程度まで短くなっていると言われてます。

慰謝料や財産分与についてのトラブル

財産分与は、夫婦共同生活中に築いた共通の財産の清算とされ、これには、離婚原因をつくり出した側の相手に対する損害賠償、離婚後の生活についての扶養も含まれるとされています。その額はケース・バイ・ケースとなりますが、夫婦の財産の2分の1ずつと推定されます。また、離婚原因を作った側は相手配偶者に対して精神的な苦痛に対する賠償（慰謝料）を支払わなければなりません。

〔離婚原因＝民法770条〕
①配偶者に不貞な行為（浮気）があったとき
②配偶者から悪意で遺棄（配偶者の失踪、愛人宅に行って戻らないなど）されたとき
③配偶者の生死が3年以上明らかでないとき
④配偶者が強度の精神病にかかり、回復の見込みがないとき
⑤その他、婚姻を継続しがたい重大な事由があるとき

原則として離婚後2年間は財産分与の請求ができ、相手方に離婚原因がある場合には3年間は損害賠償（慰謝料）の請求ができます。

その他の離婚に関するトラブル

子どもの親権者を誰にするか、養育費をいくらにするか（110ページ参照）も問題となります。親権を得れば、子の養育全般の行為ができ、親権を持つかどうかは重大な問題です。

親権の内容である身上監護権を切り離して、一方の配偶者を親権者に、もう一方の配偶者を監護権者に指定する場合もあります。

なお、氏については、婚姻前の旧姓に戻るか婚姻中の氏を継続して名乗るか、どちらかを選択できます。婚姻中の氏を名乗る場合には、離婚から3か月以内に「離婚の際に称していた氏を称する届」の提出が必要です。

子の氏は変更はなく、氏を変更した配偶者の氏を名乗りたい場合には、裁判所の許可が必要です。

解決法

①話し合い、離婚の合意ができれば離婚届を出す。
②話し合いがつかなければ、離婚原因の有無を調べる。
③必要があれば、家庭裁判所で家事手続相談をする。
④法的手続きをとる。
・家事調停⇨家庭裁判所に調停の申立てをする（202ページ参照）。
・民事訴訟⇨調停が不成立の場合、家庭裁判所に訴訟を提起する⇨（207ページ参照）
※離婚の話し合いがついているが、子の親権者、財産分与、養育費等で争いがある場合も調停の申立てをします。

4 親子に関するトラブルで困ったとき

親子に関する問題

親子に関する問題には、出生・養子縁組および子の養育等に関する問題があります。出生や認知に関しては102ページを参照してください。

まず、**養子**についてですが、養子とは法律によって、親子関係のない者の間に人為的に親子関係をつくり出す制度です。

養子縁組も結婚と同様に、当事者間に縁組をする合意がなければ無効ですが、15歳未満の場合にはその子の法定代理人（親など）が子に代わって合意します。未成年者の養子縁組の場合には家庭裁判所の許可が必要です。

また、養子には**特別養子縁組**という制度があります。この制度は主として未成年者の子の福祉を目的とし、養親と養子との間に実の親子と同様の関係を成立させる制度です。

特別養子縁組が成立すると、実親との間の親子関係は終了し、実親子間の相続はなくなり、扶養義務も消滅します。また、戸籍の記載も一見して特別養子とは分からないよう実親子に近づける工夫がなされています。

ただし、特別養子縁組で養子となる者は、満15歳未満、15歳未満から養親となる者に監護されている場合は18歳未満でなければなりません。

また、養親となる者の請求によって家庭裁判所が審判をし、養子縁組が許可されるためには、①実父母の監護が著しく困難または不適当であり、②子の利益のために養子縁組が必要、という場合です。

ポイント

子の問題は、親の側からすれば親権者としての問題です。親権の内容は、身上監護権（教育権、居所指定権、懲戒権、職業許可権）と財産の管理権（財産に関する法律行為の代理権も含む）とされています。

また、扶養義務（次項参照）があることは当然です。

メモ

子どもの虐待については、「児童虐待防止法」が制定されています。

児童の虐待を、身体的虐待、性的虐待、心理的虐待、ネグレクトの四種類と定義し、早期発見のために国民に通告義務を課し、また、通告を受けた児童相談所などは警察に援助要請するよう義務づけています。

また、養子縁組に関しては、離縁の問題もあります。特別養子縁組の場合には、原則として離縁は認められません。

子どもの事故

子どもの事故には、子どもが事故にあった場合（被害者）と子どもが事故を起こした場合（加害者）が考えられます。

子どもが事故にあった場合には、親が法定代理人として損害賠償請求ができます。

子どもが事故を起こした場合は、親に損害賠償義務があるかどうかが問題となります。法律では、責任能力のない者の加害行為では、加害者に責任はないとされ、この責任能力は個々に判断されますが、通常、12～13歳で備わるとされています。したがって、この年齢以下の子が加害者の場合、加害者本人の責任は追及できず、子どもを監督する義務のある親に対して損害賠償の請求をすることになります。

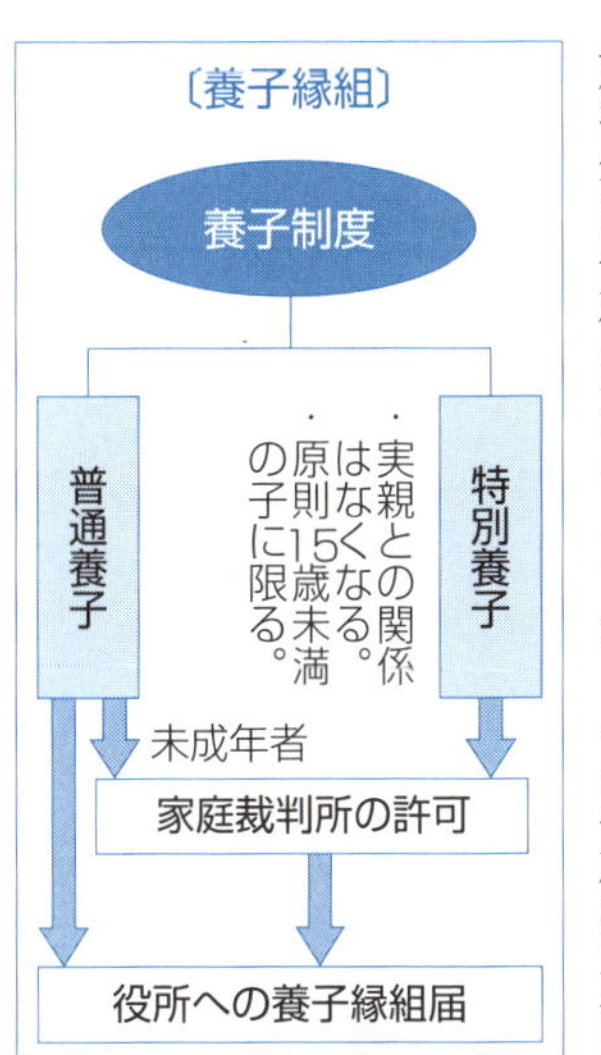

児童虐待の増加

児童虐待件数は増加の一途をたどっていて、令和2年度には20万5044件（厚生労働省発表）と過去最多を記録しています。こうした状況を背景に児童虐待防止法が改正され、親の虐待の禁止、児童相談所の体制の強化などが行われました。被害児童の保護に有効に機能することが期待されます。

子どもに関するトラブルの注意点

子どもに関するトラブルには、さまざまな種類があります。単なる事故から、いじめ、離婚の場合の親権（106ページ参照）・扶養（110ページ参照）、非行（156ページ参照）など、トラブルは多岐に分かれます。親としては、真剣にかつ誠実に問題を処理していくことが大切です。

解決法

①子どもの事故⇨法律相談所などの利用（180ページ以下参照）。示談・民事調停・訴訟などの解決手段（192ページ以下参照）がある。
②養子の問題　・養子縁組⇨未成年者は家庭裁判所の許可が必要。
　　　　　　　・特別養子縁組⇨家庭裁判所の許可が必要。
③離婚などに伴う氏の問題⇨改姓するには家庭裁判所の許可が必要。
　家庭裁判所の家事相談室で手続きについては相談。
④児童虐待に関する相談⇨最寄りの児童相談所。
※家庭のトラブルの相談先⇨（118ページ参照）

扶養のトラブルで困ったとき

ポイント

夫婦親子間では、当然に扶養義務があります。
その他の直系血族や・兄弟姉妹の場合には、生活に余裕がある場合に扶養義務が発生することになります。

扶養に関する問題

扶養とは、自分の資力や労力で生活できない者に対して、経済的給付を行う制度です。夫婦相互間および親と未成熟の子の間では、互いに同程度の生活が確保されなければならず、夫婦は互いに他方の生活を自分の生活の一部として維持しなければならず（夫婦の扶助義務）、親は未成熟の子の生活を自分の生活の一部として維持しなければならない（監護養育義務）とされています。これを**生活保持義務**といいます。

また、民法は直系血族および兄弟姉妹は、互いに扶養する義務があると定めています。

さらに民法は三親等内の親族間においても扶養の義務を負わせることができるとしています。

こうした場合には、自分の生活に余裕がある場合にはじめて扶養義務が生じます。これは**生活扶助義務**と言われるものです。

扶養に関するトラブル

扶養がよく問題となるのは、離婚後の子に対する扶養（具体的には養育費）や老後の生活の困窮の場合などです。

離婚の場合、通常は養育費について離婚の際に決めます。**養育費**は、未成熟の子の両親である扶養義務者間の扶養料の求償権（子の扶養料を支払った側が他の離婚した親側に請求）であるとされています。

この額が決まらない場合、あるいは決めていない場合には、家庭裁判所に調停を申し立

メモ

扶養には、上記のような親族間の扶養の他に公的扶助（生活保護など）があります（172ページ参照）。

てることができます。なお、具体的な養育費の額は親の収入を考慮してなされ、通常は子が20歳に達するまでですが、親の学歴や職業によっては、大学卒業までとすることもあります。

なお、非嫡出子（102ページ参照）の扶養が問題となる場合があります。このことについては、扶養義務があるのは当然ですが、養育費の額については、「認知した父は、親権者である母と同順位で、その資力に応じて共同してこれを扶養する生活保持義務がある」としています（広島高裁決定・昭和37年12月12日）。

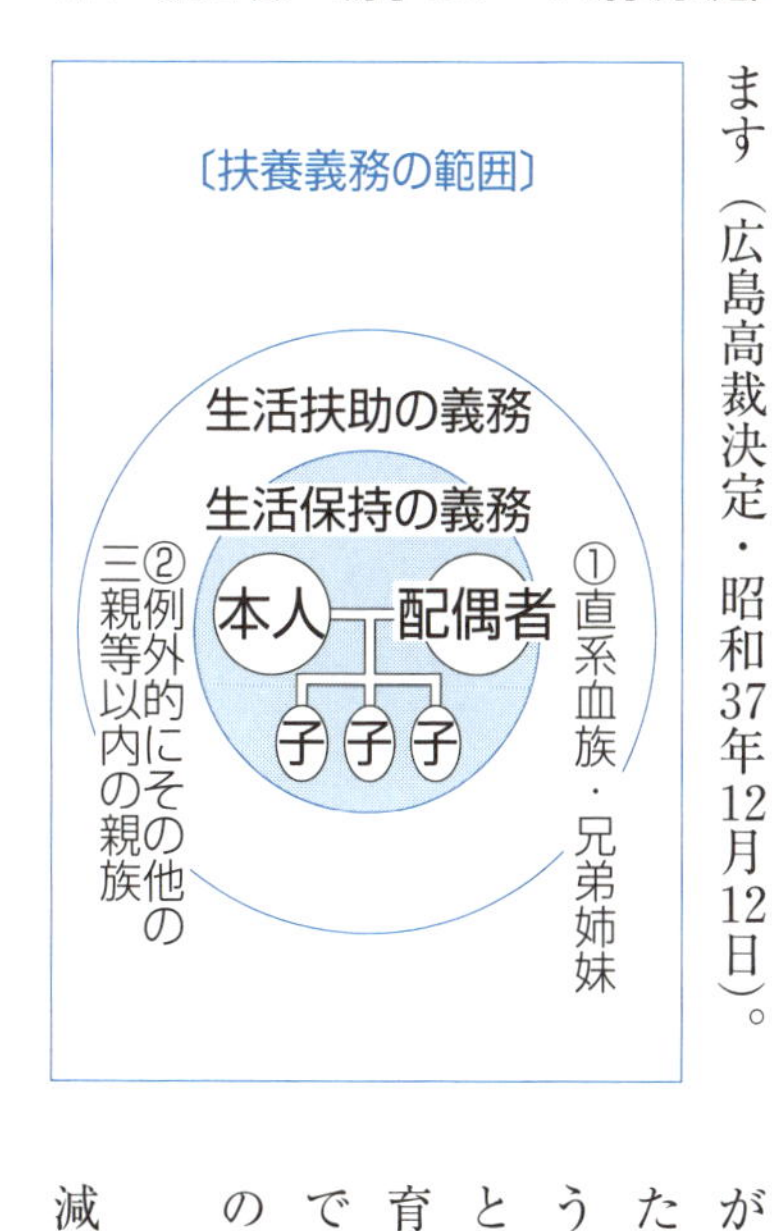

また、自分の親や兄弟が生活に困窮し、扶養を求められる場合があります。この場合に扶養義務が生じるのは、自分の社会的地位・身分に適した生活程度を切り下げないで扶養する余裕がある場合とされています。

なお、親族の生活困窮者の扶養が困難な場合には、生活保護等の**公的扶養**を検討することになります。

扶養のトラブルでの注意点

離婚した人の再婚、失業などの事情で、扶養料（養育費）などについて影響が出ることがあります。具体的には、離婚の際に約束した養育費が支払えないなどのケースです。こうした場合、事情変更により、減額をすることもできます（養育費減額請求）。また、養育費を支払う相手が羽振りがよくなった場合で、養育費が安すぎるというケースでは増額の請求もできるでしょう。

話し合いがつかないときには、養育費の増減額請求の調停の申立ができます。

解決法

①扶養料等の請求をする。
②必要なら、法律相談所や家庭裁判所で家事手続相談をする（118ページ参照）。
③法的手続きをする。
扶養請求の調停申立⇨家庭裁判所に申し立てる（202ページ参照）
※約束を守らない場合は、強制執行（212ページ参照）もできる。

老人に関する問題で困ったとき

ポイント

高齢化社会を迎えて、認知症や高齢者の虐待は大きな社会問題です。法整備がなされていますが、根本的な解決法がないのが実状です。

⊠認知症をめぐるトラブルの対策

高齢になると判断能力が失われ、財産をだまし取られるといったトラブルも生じます。こうした場合、成年後見制度が活用できます。

〔**成年後見制度**〕

成年後見制度は、精神上の障害によって判断能力が十分でない人（痴呆性高齢者・知的障害者・精神障害者など）の保護制度です。

この制度は本人の判断能力の度合いなどによって、①成年後見、②保佐、③補助の３つの種類があり、本人（成年後見開始の審判を受ける者）、配偶者、４親等内の親族などが家庭裁判所に申し立てて、後見人・保佐人・補助人などを選任してもらいます。補助の申立ては、本人の同意が必要です。

後見人は、本人の財産に関するすべての法律行為を本人に代わって行うことができ、後見人または本人は、本人が行った法律行為（日常の買物は除く）は取り消せます。

保佐人には、本人（被保佐人）がする一定の法律行為（民法13条）について、同意権が与えられます。保佐人の同意なしに、本人が行った一定の法律行為（日常の買物は除く）は取り消せます。

補助人は審判で決まった特定の法律行為について、同意権を与えられます。また、同意なく行った特定の法律行為は取り消せます。

〔**任意後見契約制度**〕

任意後見契約は、本人が判断能力が不十分になったときのために、事前に後見人になる

メモ

◆**成年後見登記制度**

「後見登記に関する法律」が「改正民法」と同時の平成12年４月１日に施行され、戸籍記載に代わる新たな公示方法として成年後見登記制度が創設されています。

登記は法務局が取り扱い、後見開始の審判がなされたときや任意後見契約の公正証書が作成されたときなどに、家庭裁判所または公証人の嘱託によって登記がなされます。

人（任意後見人）と契約をしておくことです。

この契約があれば、本人が判断能力が不十分になったときに、家庭裁判所に任意後見監督人を選任してもらい、任意後見がスタートします。そして、任意後見人は任意後見契約に従って、委任事項の任務を行います。

高齢者に関するトラブル

高齢者に関するトラブルには、前記、認知症の他にも、高齢者（老人）の虐待、老後の生活（介護）の問題などもあります。

制限能力者

<table>
<tr><th>区分</th><th>本人の判断能力</th><th colspan="2">援助者（家庭裁判所が選任）</th></tr>
<tr><td>後見</td><td>全くない</td><td>成年後見人</td><td rowspan="3">家庭裁判所が監督人を選任することがあります。</td></tr>
<tr><td>保佐</td><td>特に不十分</td><td>保佐人</td></tr>
<tr><td>補助</td><td>不十分</td><td>補助人</td></tr>
<tr><td>任意後見</td><td colspan="3">本人の判断能力が不十分になったときに、本人があらかじめ結んでおいた任意後見契約（公正証書による）にしたがって任意後見人が本人を援助する制度です。家庭裁判所が任意後見監督人を選任したときから、その契約の効力は生じます。</td></tr>
</table>

高齢者の虐待は、高齢化が進んでいることから、大きな社会問題となっています。こうしたことから「高齢者虐待防止法」が平成18年4月1日より施行されています。

高齢者の虐待は、大別すると家庭内虐待と老人ホームなどの施設による虐待とがあります。また、虐待の類型には、①身体的虐待、②心理的虐待、③性的虐待、④経済的虐待、⑤介護・世話の放棄・放任（ネグレクト）があるとされています（高齢者虐待防止法）。

高齢者虐待防止法は、高齢者虐待の早期発見・早期対応、家族・親族などの養護者の支援を行いその負担の軽減を図る、ことを目的とし、国、地方公共団体、国民の責務を規定しています。高齢者虐待を発見した人は、市区町村役場に通報してください。また、虐待を受けている（受けるおそれがある場合も含む）高齢者も同様に市区町村役場で相談してください。

なお、老後の福祉の問題については、別項（168ページ）を参照してください。

解決法

①認知症など、おかしいと気づいたら、早期に医師の診断を受ける。
②認知症者の財産を守るために、成年後見制度の利用も考える。
③高齢者の虐待では、虐待されている人、あるいは虐待を発見した人は、市区町村役場に通報あるいは窓口で相談する。

財産をどう承継させるかで困ったとき

ポイント

思い通りに財産を相続させる方法は、遺言と生前贈与とがあります。

遺言は、一定の方式があり、方式違反は無効となります。また、税金についても検討してください。

財産承継の問題

死亡した場合の財産の相続は、遺言がなければ、法定相続によることになります。しかし、財産の所有者が法定相続どおりに相続させたくない場合があります。

例えば、財産の所有者が商売や事業を行っていて、相続人の1人にその事業を承継させたい場合や認知していない子がいて、その子にも相続させたい場合などです。

こうした場合には、遺言により、思い通りに財産を承継させることができます。ただし、相続人には遺留分があり、その遺留分を侵害すると、侵害された相続人から遺留分の侵害額請求がなされることがあります。

また、生前に贈与するという方法もあります。

遺言の場合、遺留分があり、この部分は法定相続人に残さなければならない最低部分です。遺留分は、通常は遺産の2分の1で、相続人が直系尊属（親や祖父母）の場合には遺産の3分の1が遺留分です。ただし、この遺留分を侵害しても、侵害額請求がなされなければ、そのまま遺言通りに相続されます。

遺言書の作成

遺言は、書面で作成しなければなりません。遺言には何を書いてもよいのですが、法律的に効力があるのは以下の10項目です。

①遺贈や寄付行為など遺言者の遺産の処分
②推定相続人の廃除
③法定相続分と違う相続をさせたい場合、相続分の指定または指定の委託（特定の相続

メモ 遺言に関する改正

民法の相続編の改正において自筆証書遺言の方式緩和がなされ、自筆証書遺言に添付する財産目録については自書でなくてもよい（財産目録の各ページに署名押印が必要）とされました。

また、「法務局における遺言書の保管等に関する法律」が制定され、法務局において自筆証書に係る遺言書を申請により保管することになりました。施行は令和2年7月10日からです。

人の分だけの指定も可）
④遺産の分割方法の指定
⑤遺産分割の禁止
⑥相続人相互の担保責任の指定
⑦遺言執行者の指定
⑧民法の遺留分減殺方法とは違う方法の指定
⑨認知
⑩未成年後見人の指定（親権者が1人もいなくなる場合だけ）

また、遺言には、**自筆証書遺言、公正証書遺言、秘密証書遺言、特別方式の遺言**（一般危急時遺言、難船危急時遺言、一般隔絶地遺言、船舶隔絶地遺言）があります。

自筆証書遺言は、いつでも誰でもできる最も簡単な遺言ですが、遺言の全文および日付・氏名を自書し押印する必要があります。ただし、財産目録については自書でなくてもよいとする改正がなされました（前ページ下欄参照）。

公正証書遺言は、公証人に遺言を作成してもらう遺言で、2人以上の証人が必要です。

秘密証書遺言は、遺言内容を死ぬまで秘密にしたい場合に利用する遺言です。

トラブルを起こさない遺言を…

遺言の作成は厳格な要件があり、この要件に該当しないと無効となりますので、自筆証書を作成するに当たり作成方式が分からないときなどには、法律相談などを利用されるとよいでしょう。方式違反などで遺言が紛争の種にならないように注意してください。

また、生前贈与については、贈与税の対象となります（受遺者が支払う）ので、贈与税対策も検討してください。

■思いどおりに財産を承継させる方法

①遺言書を作成する

遺言には、自筆証書遺言、公正証書遺言、秘密証書遺言などがある。

遺言には、厳格な要件があり、違反すると無効となる。

②生前贈与を活用する

生前贈与では、税金についての対策が必要。また、財産の額によっては、他の推定相続人との話合いも必要でしょう。というのは、生前贈与は特別受益となり、相続時にもめる要素をはらんでいるからです。

解決法

①財産を思い通りに承継させたいなら、遺言か生前贈与を活用すること。
②遺言を作成する場合は、方式違反にならないように弁護士などに相談するとよい（227ページ参照）。
③公正証書遺言についての相談⇨公証人役場でする（228ページ参照）。
④生前贈与等の相談⇨税理士の税務相談などを活用する（231ページ参照）。

⑧ 相続のトラブルで困ったとき

多い相続のトラブル

相続は、被相続人の死亡により発生します。そして、遺言がなければ被相続人の財産は相続人が法定相続分により共同で相続したことになります。その後、遺産分割協議で各財産を分けることになります。

遺産そのものに関するトラブル

遺産に関するトラブルで最も多いのは、財産が借金だらけという場合などです。遺産はプラスの遺産だけとは限らず、マイナスの遺産の場合もあるのです。こうした場合は、相続の開始があったことを知ったときから3か月以内に**相続放棄**あるいは**限定承認**をする必要があります。相続放棄とは、相続財産の承継を全面的に拒否することであり、限定承認とは積極財産の範囲で債務を負担する（マイナスの財産が多ければ相続しない）というものです。いずれも、家庭裁判所に申し立てて行いますが、相続放棄は各相続人が1人でもできますが、限定承認の場合には、全員でする必要があります。

相続人に関するトラブル

相続権は、胎児（生きて生まれた場合）、婚外子（非嫡出子）も当然、相続権がありますので、こうした人を抜いて、遺産分割をしたりすると、遺産分割協議が無効となります。胎児の場合は生まれるまで待って遺産分割協議をするのがよいでしょう。

婚外子がいることを知っている場合には、その人にも連絡する必要があります。婚外子

ポイント

遺産相続では、自分に都合のよい勝手なことを言い出す人がいます。これではまとまる話もうまく行きません。相手の立場も考慮して、感情的にならず、公平な分割が大切です。

メモ

法定相続人（下記順位で相続）と相続分

①死亡者（被相続人）の配偶者と子→配偶者1/2・子1/2

②死亡者の配偶者と直系尊属→配偶者2/3・直系尊属1/3

③死亡者の配偶者と兄弟姉妹→配偶者3/4・兄弟姉妹1/4

子、直系尊属、兄弟姉妹が数人いるとき、それぞれの相続分は均等です。嫡出子と非嫡出子の相続分も均等ですが、父母の一方のみを同じくする兄弟姉妹は、父母の双方を同じくする兄弟姉妹の2分の1です。

については、認知や相続分（前ページ下欄参照）の問題があります。また、被相続人の子となっているが、本当は親子ではないという主張がされ親子関係不存在（102ページ参照）をめぐって争いとなる場合もあるでしょう。

また、相続人になれない場合もあります。これには**相続欠格**、被相続人による**推定相続人の廃除**の場合があります（表参照）。

遺産分割に関するトラブル

遺産分割協議は、遺産のそれぞれを相続人の誰が受け取るかを決めることです。全員の合意で決める必要があり、協議が整わないときは、家庭裁判所に申立て、決めてもらいます。

なお、相続法の改正で、「配偶者居住権」の新設、および「夫婦間の自宅贈与」に関する規定が新設されました（44ページを参照）。

遺言に関するトラブル

遺言がある場合には、原則として、その遺言の内容にしたがって相続をすることになります。ただし、遺言の内容が遺留分（各相続人がこれだけは相続できるという最低の割合）を侵害するときには、侵害額請求ができます。

なお、遺言書は法律が定める方式に従い作成される必要があり、方式に違反する場合には無効となります。自筆証書や秘密証書の遺言書は家庭裁判所で検認・開封の手続きをしなければ5万円以下の過料に処されます。

その他、相続人がいない場合の**特別縁故者**（内縁関係にあった者など）への遺産の承継、死亡した人の遺産の形成に貢献等をした相続人への**寄与分**の問題等もあります。

▶相続人の相続欠格（民法891条）

①故意に被相続人または相続についての先順位もしくは同順位に在る者を死亡するに至らせ、または至らせようとしたために、刑に処せられた者。
②被相続人が殺害されたことを知って、これを告発、または告訴しなかった者。
③詐欺または強迫によって、被相続人が相続に関する遺言をし、これを取り消し、またはこれを変更することを妨げた者。させた場合も同様。
④相続に関する被相続人の遺言書を偽造し、変造し、破棄し、または隠匿した者。

▶推定相続人の廃除（民法892条）

以下のときは、被相続人が家庭裁判所に推定相続人の廃除の申立てができる。
①被相続人に対して虐待をし、もしくはこれに重大な侮辱を加えたとき。
②その他の著しい非行があったとき。

※子がいる場合には、子が代襲相続する。

解決法

①遺産、相続人、相続分を確定する。問題があれば法律相談をする。
②話し合いがつけば遺産分割協議書を作成する。
③話し合いができない、あるいはまとまらない場合は法的手段をとる。
家事調停・審判⇨家庭裁判所に申し立てる（手続きについては家事手続相談〈118ページ〉ができる）
・調停の申立て⇨遺産分割、寄与分など（202ページ参照）
・審判の申立て⇨相続放棄、限定承認など（202ページ参照）
・民事訴訟⇨人事訴訟は家庭裁判所、その他は地方裁判所に提起する（206ページ参照）
※自筆証書遺言があった場合は、検認の申立てが必要。遺言無効確認の訴えもある。

相談＆解決

家庭のトラブルの相談先と紛争解決機関

家庭内のトラブル

家庭内のトラブルには、離婚などの夫婦の問題、親子の問題、相続の問題などがあります。トラブルは、内輪のことでもあり、相談しにくいものですが、そうしたことが原因で刑事事件となることもあります。例えば、家庭内暴力は、だんだんエスカレートしていく性質があります。家庭内のトラブルでも、問題が生じたら抱え込まずに、専門機関などに早期に相談することが重要です。

また、今日の日本社会は高齢化がすすみ、老人についての問題も多くなっています。財産管理の問題や高齢者の虐待などの人権問題も生じています（112ページ参照）。

家庭内の問題の相談先

離婚や相続などの問題については、弁護士会や都道府県の法律相談所を利用するとよいでしょう。法律的なことが中心ですので、悩みごとの相談は控えてください。ただし、自治体によっては、こうした家庭内の悩みごとの相談に応じている所もあります（東京都の場合、東京都および各区市町村で法律相談が行われています）。

家庭内の問題は、相続や離婚など法律的に解決する問題だけではありません。家庭内暴力や子どもの非行などについては、自治体で特別な相談所を置いているケースが少なくありません。こうした相談所も利用することで総合的に問題の解決をすることも必要です。

家庭裁判所の家事（手続き）相談

ポイント

家庭の恥だとは思わずに、早めに相談することです。放っておくと、思わぬ悲劇につながる場合があります。

メモ

家事調停の申立てなどの手続きについては、家庭裁判所の家事相談室が利用できます。

離婚などの人事（身分上）の問題で、当事者同士の話し合いがつかない、感情的な対立が大きくてできないなどの場合、訴訟を起こすには、まず、家庭裁判所に調停の申立をすることが必要です。これは調停前置主義といわれるもので、家庭内のことは、話し合いにより解決することがいちばんよいという考えから、こうした制度になっています。したがって、調停での話し合いが不成立となった後でなければ、訴訟を起こすことはできません。

家庭裁判所には家事相談室があり、調停に向けての手続きなどについて教えてくれます。ただし、個々の具体的なトラブルの内容について、判断を下すものではありません。

配偶者からの暴力（ドメスティック・バイオレンス＝ＤＶ）で悩む人の相談先には、最寄りの警察署や配偶者暴力相談支援センターがあります。どこに相談してよいかわからないときは、「ＤＶ相談ナビ」があります。

しかし、ＤＶが繰り返される場合、被害者は地方裁判所にＤＶ防止法に基づく保護命令の申立ができます（詳細は150ページ参照）。

なお、東京ウィメンズプラザでは、女性のセクハラやＤＶ被害の相談窓口とは別に、パートナーとの向き合い方がわからない、セクシュアリティーの悩み、セクハラ・ＤＶなど暴力の問題など、男性の抱える悩みに対応する男性相談窓口も設けています。

〔家庭内のトラブルの相談先と紛争解決機関〕

・ＤＶ相談ナビ（内閣府）　☎＃8008
　最寄りのＤＶ相談支援センターに自動転送
・ＤＶ相談＋（内閣府・24時間電話対応）
　☎0120-279-889

〔法律相談〕
・各地の弁護士会の法律相談センター
・都道府県の無料法律相談所

〔専門機関等〕
ＤＶ防止等
・各地の女性相談⇒夫の家庭内暴力など
　東京都女性相談センター　☎03-5261-3110
・東京ウィメンズプラザ相談室　☎03-5467-2455
・各地の警察署⇒犯罪がらみの問題
　警視庁総合相談センター
　☎＃9110または03-3501-0110

●家事調停の利用

離婚などの問題が起きると、以前は仲人や親戚、地方の名士などといった人が、話し合いの仲介をしたものです。しかし、今日では、こうした仲介人はほとんどいず、トラブルが起きると、当事者双方が段取りをつけて話し合うしかないという状況です。その話し合いも、自分の主張を一方的に言うだけという、話し合いの場を持てば持つほど、状況は悪くなるというケースも少なくありません。

こんなことなら、いっそ、家庭裁判所を活用して、お互いが納得の上で調停の申立てをして、調停委員や裁判官の意見を聞いたらどうか、と思うのですが。

9 戸籍や住民票のトラブルで困ったとき

戸籍のトラブルには誤記あるいは記載事項に誤りがある場合の訂正の問題があります。単なる誤記は申出により訂正されることがありますが、勝手に婚姻届が出されて戸籍が新たに作成されている場合などでは、家庭裁判所の婚姻無効の審判を経て、戸籍訂正の手続きをする必要があります（105ページ参照）。嫡出子否認（102ページ参照）などの場合も同様です。

また、戸籍はその謄本（全部事項証明書）や抄本（個人事項証明書）の交付請求ができますが、プライバシー侵害の問題があります。このことについて戸籍法は、戸籍に記載されている者またはその配偶者、直系尊属、直系卑属は戸籍謄本等の請求ができるとし、第三者からの請求は一定の場合に限定しています。

ポイント

戸籍の届出を受理しない、正当な理由なく謄・抄本（全部事項・個人事項証明書）の交付をしない、などの戸籍の取扱いについて不当な処分があった場合には、家庭裁判所に対して不服の申立てをして処理してもらえます。一般的には、行政処分に不服の場合は行政事件訴訟となりますが、戸籍事件については家庭裁判所が処理することになっています。

メモ

戸籍は身分関係を公証する公正証書ですから、虚偽の届出をして戸籍に記載されると、公正証書原本不実記載の罪に問われる場合があります。

戸籍・住民票の制度とは

戸籍は、国民の各個人ごとの出生から死亡までの親族関係を記載して公証する制度です。戸籍を綴った帳簿を戸籍簿といい、全国の自治体で電子化（コンピュータ化）が完了しています。

一方、住民票は、前記の戸籍記載の本籍と現に住んでいる住所とは一致しない場合が多く、この不一致を避けるために、市区町村の区域内に住所を有する個人を単位として住民票を作成して世帯ごとに編し、住民基本台帳が作成されています。戸籍および住民票への記載は個人の届出によってなされますが、その主な届出は次ページの表のとおりです。

戸籍・住民票のトラブル

弁護士など資格ある者からの請求はできますが、請求の理由などを明らかにしなければなりません。偽りその他不正の手段により交付を受けた者は30万円以下の罰金に処されます。

住民票に関してもプライバシーの問題があります。かつて、住民票は債権者による債務者の家族調査等に利用されたために、問題となりました。

住民票の写しの交付請求は、住民基本台帳に記録されている者は当然請求ができますが、その他の者は一定の理由がある場合にしか請求できません。なお、単に住民票の写しを請求しただけでは、本籍、世帯主との続柄等は写しから除かれています。また、閲覧も一定の者に限定され相当な理由がなければ、拒むことができる、とされています。

偽りその他不正な手段により閲覧あるいは交付を受けた場合、30万円以下の罰金です。

■戸籍・住民票のトラブルの解決法

戸籍の記載が法律上許されないものである場合、錯誤または遺漏があることを発見した場合、創造的届出（氏・名の変更など）の場合には、家庭裁判所の許可を得て戸籍の訂正・変更ができます。

誤字などの単なる訂正の場合には、職権による訂正が行われる場合がありますので、役所に申し出ることです。

〔戸籍関係の主な届出〕

出生届	子の出生から14日以内
認知届	いつでもよい。強制認知は裁判確定から10日以内
婚姻届	いつでもよいが、届け出ないと効力は発生しない
離婚届	協議離婚はいつでもよい。調停成立、審判・判決確定から10日以内
復氏届	いつでもよい。
姻族関係終了届	いつでもよい。
養子縁組届	いつでもよい。特別養子縁組届は裁判確定から10日以内
氏・名の変更届	特に定めはないが、届け出ないと効力は発生しない
死亡届	死亡の事実を知ったときから7日以内

※入籍・分籍・転籍・就籍の届出もある。住民票関係は、転出・転入・転居・世帯変更届がある。

解決法

①戸籍の内容の訂正による場合
- 単なる誤字・脱字の類は、申し出れば職権で訂正してくれる場合もある。
- 戸籍の訂正は原則として、家庭裁判所の許可が必要。
  ※手続きについては、家庭裁判所の家事手続相談を利用するとよい（118ページ参照）

②戸籍の取扱いについて不当な処分があった場合
- 当該役所に対して是正を求める。
- 家庭裁判所に対して審判等の申立てをする。
  ※戸籍に関しては、行政不服審査法の適用はありません。

⑩ 外国人との結婚など国際問題で困ったとき

ポイント

日本での離婚は、原則、日本法が適用されます。

海外旅行や移住では、その国の法律を事前に調べておくことが大切です。

外国人に関する問題

外国人に関する問題には、結婚や離婚、海外旅行でのトラブル、海外移住などの問題があり、国際化時代を反映して問題やトラブルは増加の傾向にあります。以下では、概要を述べるに留めますので、詳しくは後に掲載する相談所（125ページ参照）を利用してください。

外国人との結婚や離婚の問題

外国人との結婚や離婚では、まず、戸籍や国籍が問題となります。

国際結婚は、戸籍役場に国際結婚の届をすることによって成立します。この場合、戸籍はどうなるかというと、婚姻届が出されると、日本人についての新戸籍が編成されます。新戸籍は、日本人の従前の姓が戸籍筆頭者の氏になり、日本人のみが夫あるいは妻として記載されます。また、日本人の身分変更事項として、外国人である夫あるいは妻の姓名、生年月日、国籍、結婚の年月日、結婚の方式、結婚届出先が記載されます。

ただし、結婚により、直ちに結婚相手の外国人が日本国籍を取得するというものではありません。日本国籍を取得するためには、別途、帰化の申請をして法務大臣の許可が必要です。

また、婚姻により相手方の国の国籍を取得することができますが、この場合は日本法は二重国籍を禁止していますので、日本国籍を失うことになります。

離婚の場合は、離婚の準拠法（法の適用に関する通則法）では、一方が日本人で日本に

メモ　査証（ビザ）

入国希望の外国人は、予め在外領事館で入国審査を受け、査証（ビザ）を発給してもらいます。ビザは目的別に区分され、滞在期間も異なります。ビザは仮の入国許可ですが、短期滞在で報酬目的でない場合に限って、二国間協定によりビザなしで短期滞在ができる国もあります。

常居所を持つ場合には、日本法が優先されますので、日本法により離婚ができます。しかし、協議離婚は国によっては認められない国もあります。この場合は、審判あるいは訴訟による離婚の方法をとることになります。

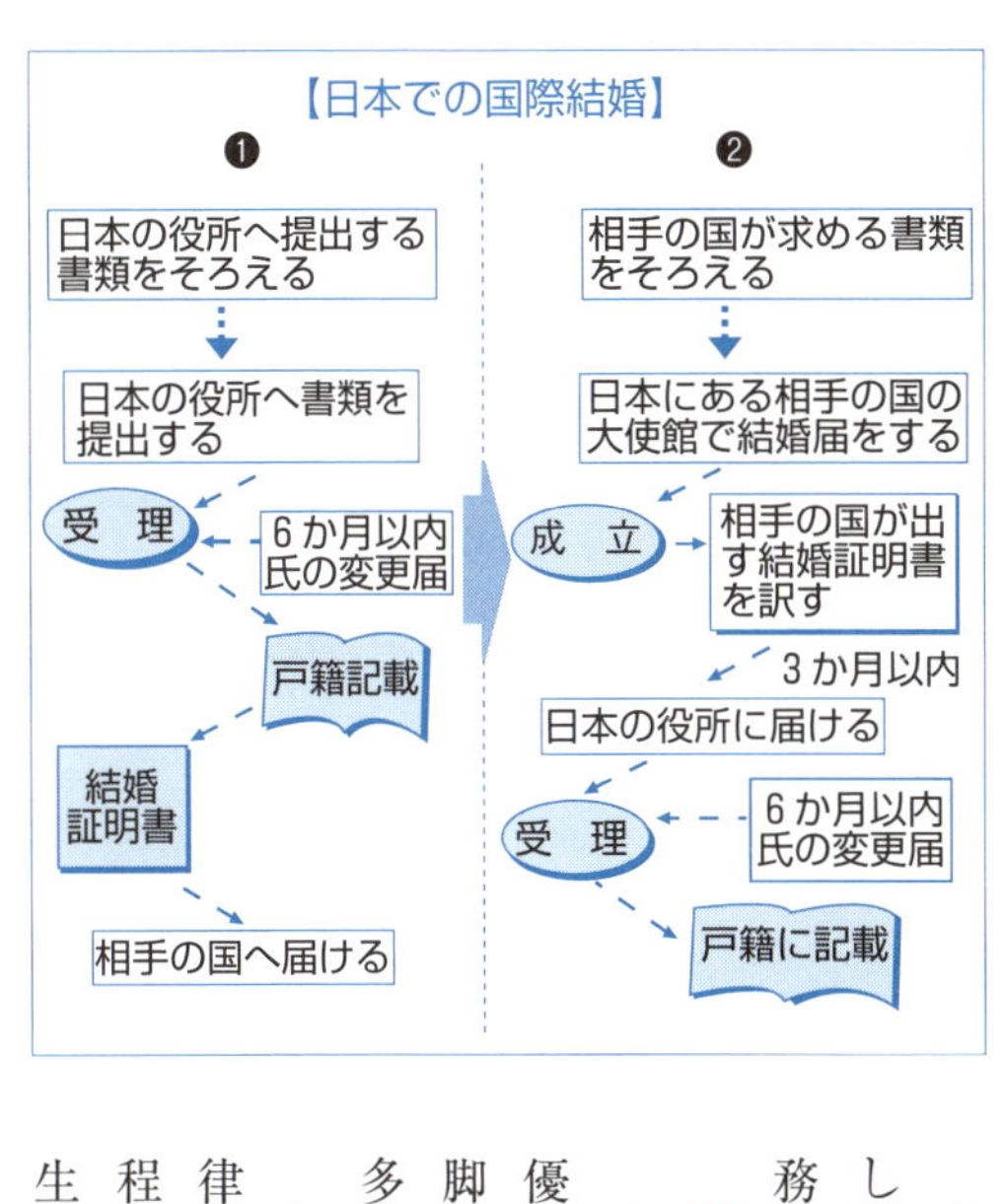

海外旅行でのトラブル

海外旅行のトラブルは、お金やパスポートを盗まれた、クレジットカードのスキミングにあった、紛争に巻き込まれて行方不明など、枚挙にいとまがありません。

こうしたトラブルで大事なことは、すぐに被害を最寄りの警察や大使館に届け出ることです。こうしておかないと、パスポートの紛失で言えば、後に盗まれたパスポートが使われて密輸などが行われた場合などで、犯人の一味ではないかとの疑いをかけられかねません。

また、危険な地域の海外旅行は避けるようにしてください。海外の危険地滞については、外務省より情報が提供されています。

海外移住などの問題

中高年の海外移住（滞在）が安い生活費で優雅な生活ができるということでちょっとした脚光を浴びていて、海外で生活する中高年も多くいるようです。

海外の生活では、原則として、その地の法律が適用されますので、その国の法律にはある程度精通しておく必要があります。何か問題が生じれば、大使館に駆け込むことです。

解決法

①日本での国際結婚については戸籍役場および相手国の大使館に、また、海外での結婚は大使館に相談するとよい。
②海外危険情報は外務省が情報提供をしている。　外務省領事サービスセンター　海外安全相談☎03-3580-3311　査証相談☎0570-011000
③海外で盗難等の被害にあったら、すぐに最寄りの警察に届け出る。
④海外旅行や移住では、その国の法律を学習しておく。
日本旅行業協会消費者相談室（ツアーなど旅行会社との問題）　☎03-3592-1266
(一財)ロングステイ財団　☎03-6910-0681
⑤海外で問題が起きたら、大使館を活用しよう。

相談＆解決

戸籍・住民票・国籍などに関する相談先

戸籍のトラブル

戸籍に関する届出書の記載については、戸籍の窓口に聞けば教えてくれます。また、戸籍の記載の間違いについては、窓口で相談すると職権で訂正できるものについては、役場で訂正してくれます。しかし、多くの場合、家庭裁判所の審判（許可）を経て、訂正することになります（例えば、婚姻の場合、婚姻無効の手続が必要です）。こうした場合、役場で相談をし、家庭裁判所に審判などの申し立てをするのがよいでしょう。なお、家庭裁判所の家事事件手続相談や家事事件手続案内サービスを利用するとよいでしょう。

住民票のトラブル

住民票は、現住所として役場に届けている所で、住民基本台帳に記載されているものをいいます。

住民票の氏名などの誤記等については、通常は、戸籍簿も誤記等となっていますので、裁判所の許可による戸籍の訂正、変更が必要です（職権で行われる場合もある）。また、住民票により貸金業者などに住所地がわかるという問題や、住基ネットの不正使用により情報が漏れるなどプライバシー侵害となる可能性があります。プライバシー侵害では、損害賠償の問題も出てきます。

戸籍などのトラブルについての相談先

相談先としては、役所の戸籍などの窓口、法務局の人権相談、各地の弁護士会、都道府県の法律相談室などがあります。

ポイント

戸籍などの問題は、当人の証明の資料として使われる場合が多く、プライバシーの権利と関わり合います。こうしたことから、本人以外の戸籍謄本（全部事項証明書）や住民票の取得には大きな制限があります。

メモ

戸籍法は、戸籍簿について「市町村の区域内に本籍を定める一の夫婦及びこれと氏を同じくする子ごとに、これを編製する」としています。新戸籍は婚姻等により編製されますが、住所等はどこでもよく、また、転籍も可能です。

国際結婚や離婚には戸籍がどうなるかの問題もあり、戸籍の届出をする市区町村役場で相談するのがよいでしょう（問題があれば本局〈法務局〉に問い合わせてくれます。

国籍についての相談先

国籍については、国籍法に定めがあります。国籍法2条は出生のときに「父または母が日本国民であるとき」等の規定をおいています。これは血統主義と言われ、出生地により国籍が取得できる出生地主義とは異なります。

国籍については国籍簿といったものはありません。海外で日本人であることを証明するのに日本国発行のパスポートがありますが、この申請では戸籍抄本（個人事項証明書）、戸籍謄本（全部事項証明書）の添付が必要です。外国人との結婚では国籍はこうなります。

①日本人男性と外国人の女性の結婚

日本人男性は日本国籍のままです。外国人女性は結婚により日本国籍を取得することはできず、帰化の手続きが必要です。

②日本人女性と外国人男性が結婚した場合

日本人女性は日本国籍のままです。ただし、外国人男性の国の法律で結婚によって必然的に相手国の戸籍を取得する場合、二重国籍となり国籍の選択が必要です。また、結婚後、届出などにより意思表示をして相手国の国籍を取得した場合には、日本の国籍を失います。

③子については、どちらかの親が日本国籍であれば日本の国籍を取得できますが、現実問題としては、相手国の国籍も取得でき、二重国籍となります。日本は二重国籍を認めていませんので、18歳前に外国籍を取得した場合は20歳になるまでに、18歳になってから外国籍を取得した場合にはそのときから2年以内に国籍選択届をします。外国籍を選択した場合には日本国籍を失うことになります。

離婚でも同様の問題が起きます。こうした、帰化や国籍選択などの問題については、最寄りの法務局で相談するとよいでしょう。

・東京法務局国籍課☎03－5213－1347

●マイナンバー制度

マイナンバーは、「行政手続における特定の個人を識別するための番号の利用等に関する法律」による制度で、導入目的は3つです。

①公平・公正な社会実現
税負担を不当に免れ、給付を不当に受け取ることを防止し、困っている人に支援を行なう。

②国民の利便性の向上
マイナンバー（カード）により、添付書類の削減など、行政手続が簡素化され、国民の負担が軽減する。

③行政の効率化
マイナンバーにより行政機関などで入力などに要している時間が大幅に削減される。

平成28年1月から、社会保障、税、災害対策の行政手続ではマイナンバーが必要です。

・マイナンバー総合ダイヤル
☎0120－95－0178

第3章 会社・労働問題のトラブルと解決法

●会社に関するトラブル

民法では、人には自然人と法人があり、人は権利義務の主体となれることを規定しています。つまり、法人も人と同じく権利義務を持つことができるのです（ただし、選挙権、相続権などの、自然人だけが持つことができる権利はありません）。

貸金や売掛金があれば、期日に支払ってもらう権利や、不法行為で会社が損害を受けた場合には、その損害を賠償してもらう権利があります。こうしたトラブルは自然人の場合と同様に解決されます。

●会社特有のトラブル

会社特有の問題としては、前記の債権回収の問題や借金の整理の問題があります。借金整理あるいは会社の債務に関しては、特定調停、民事再生、会社更生、破産という手続きが法律上用意されています（216ページ参照）。

また、経営・営業行為等における法律違反の問題もあります。商法違反、商法関連の特別法違反がこれに当たります。

例えば、利益がないのに粉飾決算をして配当をすることは、違法配当として会社法で禁止されていて、5年以下の懲役もしくは500万円以下の罰金または併料に処されます（963条5項2号）。

また、取締役などが私利私欲のために会社の財産を不当に処分して会社に損害を与えたときには、刑法の業務上横領罪や会社法の特別背任罪の責任を負うことになります。

手形の問題も重要です。これには手形の紛失盗難、振出権限のない者が振り出した手形、不渡り、手形詐欺などのトラブルがあります。

会社のトラブルで、最近特に多いのが、倒

◆個別労働関係の紛争解決促進制度

平成13年10月から個別労働紛争解決促進制度（個別労働関係紛争の解決の促進に関する法律）がスタートし、労働条件をめぐる紛争を簡易・迅速に処理するためにあっせんを行っています。本制度に対する照会や援助の申し出は、全国の都道府県労働局および労働基準監督署などの総合労働相談コーナーで受け付けています。

ちなみに、令和2年度に寄せられた労働相談件数は、

産関連のトラブルです。会社が経営不振に陥ったときには、会社は再生か清算かの法的手続きをとることになります（130ページ参照）。こうした場合には、後記の従業員の解雇問題も出てきます。

一方、取引先の会社から見れば、債権回収の問題が生じます。

●会社と従業員とのトラブル

従業員は採用から退職まで、会社で働くことになりますが、正社員の場合はその期間は長く、さまざまな問題があります。

主なものをあげれば、①労働条件の問題、②人事関係（男女差別含む）の問題、③解雇の問題④パワハラの問題などがあります。こうした問題は、その解決も難しく、解決までに長期間を要することがほとんどなので、特に従業員の場合には、その間の生活をどうするかが問題となります。

また、従業員が他人（第三者）に与えた損害で、会社に損害賠償の責任があるかという問題もあります。これは**使用者責任**と呼ばれるもので、民法は「…被用者がその事業の執行について第三者に加えた損害を賠償する責任がある」（７１５条）としています。したがって、業務中に会社の車で事故を起こした等の場合には、会社は損害賠償の責任を負うことになります。

さらに、従業員が会社に損害を負わせることもあります。会社の金を使い込んだ、という場合です。この場合には、刑法の窃盗罪または**業務上横領罪**となりますが、民事上は会社は使い込んだ金の分の損害賠償を請求することができます。

また、本人が支払えない場合で身元保証人がいる場合には、身元保証人に請求することができます。ただし、身元保証契約の期間は５年を超えることはできず、雇用者は被用者の任務の変更などの通知義務があります。

最近では、会社（雇主）と従業員（使用人）とのトラブルが多くなっています。

129万７８２件に上っています。

◆労働基準監督署への相談

労働基準監督署は、①賃金（賃金不払事案の解決、最低賃金、倒産企業の未払賃金の立替払い、退職金の支払い等）、②労働時間、休憩、休日、年次休暇、③労働時間短縮のすすめ方、④就業規則等、⑤労働基準法、最低賃金法、労働安全衛生法等の違反の申告の受理と監督等、⑥時短関係助成金のもらい方、⑦ケガ、災害の防止、⑧労災保険給付の支払い、⑨家内労働、最低工賃等について相談・指導を行います。

なお、全国の自治体でも労働問題に関する相談機関を設けています。

会社の経営状態が悪くリストラで困ったとき

ポイント

正当な理由のない解雇は許されません。一定の手続きを踏んで、お互いがある程度、納得のいく解雇をすることです。

メモ

事業は生き物と言われ、好調なときも不調のときもありますが、長期的な再建の一環としてリストラを行わなければ、結局は、残った社員や取引先の不信感を招くことになり得策ではありません。また、訴訟を起こされたりすると、企業イメージのダウンにもつながります。

会社の状況とリストラ

2020年からのコロナ禍により、業績不振等による人員整理（リストラ）を行う企業も出てきています。

リストラは、本来はリストラクチュアリングと言い、企業などの再構築で根本的な立て直しをするという意味の英語です。それが、今日では、リストラと言えば、従業員を解雇をすることとの意味で使われています。

従業員の解雇について、労働契約法は、「解雇は、客観的に合理的な理由を欠き、社会通念上相当であると認められない場合は、その権利を濫用したものとして、無効とする」（16条）と規定しています。

解雇が具体的に有効か無効かについての要件は、判例が示しています。それによると、以下の4つの要件が必要です。

①**解雇の必要性**――経営不振に陥り、企業が倒産寸前まで追い込まれている場合（最高裁・昭和29年1月29日判決）など。

②**リストラ回避のための努力の必要性**――整理解雇に先立って、配置転換や出向、労働時間の短縮、残業の廃止、新規採用の中止、昇給の停止、賞与の支給中止、賃金引下げ、一時帰休の実施、希望退職者の募集等が行われたかどうか。

③**労働者への説得・協議の必要性**――人員整理の必要性や解雇基準について、納得を得られるように、労働者や労働組合に十分説明し、協議を尽くしたかどうか。

④リストラ対象人員選定の客観的合理性――

解雇対象とする労働者の順序について、パートタイマー・契約社員などの非正規雇用者の後に正規雇用者（正社員）の順で整理するのは合理的とされています。

また、客観的で合理的と認められる基準については、年齢が一定以上、あるいは一定以下の者、勤続年数が一定以上、あるいは一定以下の者、共稼ぎの者、単身者、勤務成績の悪い者、欠勤の多い者などを解雇対象者として考慮しているようです。

解雇での従業員の注意点

リストラに伴う解雇では通常、希望退職者の募集が行われます。まず、これに応募するかどうかを判断することになります。希望退職の条件は普通退職の場合よりも、よい条件が提示されるようですが、退職金の額、年齢も含めて将来の転職の可能性、将来の生活設計などを考慮して応募するかどうかを判断するとよいでしょう。

リストラによる指名解雇の場合には、まず、前記のリストラ解雇をするための条件に該当しているかどうかを検討してください。条件に該当しない解雇は無効となりますが、解雇は通知で効力が生じますので、解雇された社員が無効を主張しなければなりません。

こうした場合、まず、労働組合があればその労働組合に、または総合労働相談コーナーなどに相談することです。

それでも解雇の撤回がない場合には、解雇無効の訴えを裁判所に起こすことになりますが、そのためには判決までの長い期間がかかり、また、弁護士等の費用がかかることを覚悟しなければなりません。

また、訴訟を起こす場合には、通常、従業員としての地位保全の仮処分又は賃金仮払いの申立ても行います。訴訟となれば、素人には困難な手続きも多く、法律知識も必要ですので、弁護士に依頼したほうがよいでしょう。

解決法

①労働組合、法律相談所などで相談する。
②個別紛争処理制度を活用する⇨総合労働相談コーナー（140ページ参照）
③法的手段をとる。
　労働審判⇨地方裁判所に申し立てる（204ページ参照）
　民事調停⇨簡易裁判所に申し立てる（200ページ参照）
　民事訴訟⇨地方裁判所に提起する（206ページ参照）
　　※地位保全、賃金仮払い、仮処分の申立てもできる。
※労働条件違反がある場合には、労働基準監督署に通告する。

❷ 会社が倒産して困ったとき

会社の倒産と処理法

倒産は法律用語ではなく、一般的には弁済期にある債務（借金など）を返済できなくなり、経営が破綻している場合とされています。また、6か月以内に2度の手形の不渡りを出して、銀行取引停止処分を受けた場合を倒産ということもあるようです。

さて、負債総額1000万円以上の会社の倒産は、東京商工リサーチの調べによると、令和3年は6030件（対前年比22・4%減）で、57年振りの低水準だったそうです。また、負債総額は約1兆1507億円（対前年比5・68%減）と、4年連続前年を下回っています。なお、コロナ禍に関連した倒産件数は1668件で、前年の2・08倍でした。

会社の経営が行き詰った場合、その対策としての法的手段は、①会社再建、②会社清算の2つがあります。

さらに、①の会社再建型には、**会社更生法による会社の更生**、**民事再生法による再生**、**特定調停法による再生**があり、②の会社清算型としては、破産法による**破産・清算**、会社法による**特別清算**があります。

会社の倒産処理でのトラブル

日本の中小企業の社長のほとんどは、会社が銀行等からの融資を受ける場合の保証人となっています。したがって、会社が倒産した場合には、保証人としての返済責任を負うことになります。しかし、保証人となっている社長には、会社が破産する前の段階で会社に

ポイント

会社が再建を目指すのか、清算するのかの判断が重要です。再建を目指す場合は、ある程度の雇用は守られるからです。

また、倒産では賃金債権の確保のために会社財産の仮差押えなどが必要な場合もあります。

メモ

倒産の場合には、賃金の支払の確保等に関する法律により、未払賃金の立替払制度が利用できます。立替払いの請求手続きは労働者健康安全機構に申し立てます。最寄りの労働基準監督署で相談するとよいでしょう。

お金をつぎ込んでいるので、財産はほとんどないのが実状です。こうした場合には、社長個人も自己破産して、保証債務（借金）の免責を受けることになります。自己の財産を妻に贈与した（通謀虚偽表示として無効）などの財産隠しが問題となる場合もあります。

一方、取引相手に倒産された会社は大変です。納入した商品の回収、売掛金の処理、手形の問題などが生じます。まず納入した商品は、所有権が相手にありますので、勝手に持ち出すことはできず、相手方の社長の了解を得て引き取ることになります。破産手続開始の申立がなされていれば、会社の財産は破産財団に属することになり、通常、取り引きはできません。また、売掛金の回収も不能となりますが、破産手続きの方法に従って、売掛金の一部は回収ができます。

破産を例にとれば、倒産会社の財産の清算（競売など）が行われ、残余の財産の分配が債権額に応じて行われますが、その額は通常、債権額の5～10％程度と低額です。ただし、倒産した会社所有の不動産に抵当権が設定されている場合には、その不動産の売却益から優先的に弁済されますが、不動産価格が下落傾向にあれば、満額とはいかないようです。

なお、こうした損失は経理において損金処理をすることができますので税務署で相談してください。

会社の倒産処理と従業員

倒産処理の方法にもよりますが、会社が存続しなくなる場合、従業員は解雇されます。解雇に当たっては、未払賃金や退職金の問題が発生します。未払賃金や退職金は優先債権とされ、一般債権（借入金や物品の購入代金など）に優先して支払われます。

ただし、会社に不動産などの資産があっても、それに抵当権が設定されていた場合には、こうした賃金債権よりも抵当権が優先し、競売により残った財産からしか支払いを受けることはできません。

解決法

①早急に弁護士等の専門家に相談する⇨（227ページ参照）
②会社と今後の方針、退職金などについて交渉する。
③会社がとる法的手段⇨特定調停、民事再生、破産など（216ページ参照）
　従業員がとれる手続き⇨会社資産の仮差押えなど（210ページ参照）
④会社の方針が決まれば、代理人（弁護士）を立てて交渉することも可。

3 会社の不祥事の責任を問いたいとき

会社の責任

民間企業は営利法人と言われ、利益の追求をすることを目的とするものですが、当然、法律は遵守しなければなりません。主な事件に、雪印乳業の食中毒事件、雪印食品偽装牛肉事件、三菱ふそう脱落タイヤ死亡事件、最近では、大手不動産会社レオパレス21による建築基準法違反事件があります。

会社の責任は、製造して販売したものに欠陥があれば、債務不履行として製品の交換や損害賠償義務が生じますし、製造した製品で被害を与えれば製造物責任を負います。

また、最近、問題になっているのが悪質商法です（62ページ参照）。悪質商法は、一時的に利益を生むことはあっても、結局は、法律の規制が入って刑事責任を問われたりして、長続きはしません。例えば、ヤミ金融の被害が続出したことから、平成15年にヤミ金融対策法が成立し、施行されました。

会社の不祥事と経営者の責任

前記のような不祥事があれば、会社は責任を負うことになります。しかし、会社の責任は経営者の責任として、経営者が連帯して責任を負わなければならない場合もあります。

会社法は、４２３条で役員等の株式会社に対する損害賠償責任を定める一方、４２９条では第三者に対する損害賠償責任を定め、４３０条において、役員等の連帯責任の規定を設けています。

また、取締役は社内的には、「会社のため

ポイント

会社は営利法人ですが、儲かるためには何をしてもよいというものではありません。また、会社の違法行為は経営者である取締役に及ぶことがありますので注意が必要です。

メモ

代表訴訟の申立費用は、1万3000円と予納郵券が必要で、被告（訴えられた人）の請求により相当の担保を裁判所より命令されることがあります。また、弁護士費用は、原告が勝訴した場合には、原告株主は相当な弁護士費用を会社に請求できます。

に忠実にその職務を行わなければならない」（忠実義務――会社法355条）とされ、この義務に違反した場合には、会社は当然、この義務に違反した取締役の責任を追及することができます。もし、追及しない場合には株主が取締役の責任を追及することを認めています（株主代表訴訟、後述）。

以上は、経営者の民事責任ですが、経営者に刑事責任が科される場合もあります。

刑事責任で注意が必要なのは、会社の取締役・監査役や支配人などの背任行為は、刑法の背任罪よりも重い会社法の特別背任罪となることです。ちなみに背任罪の法定刑は5年以下の懲役または50万円以下の罰金ですが、特別背任罪は10年以下の懲役または1000万円以下の罰金刑です。業種によっては特別法による罰則がある場合があります。例えば、貸金業者の場合、貸金業法に業者の罰則規定が設けられています。

なお、会社の不正を告発した人を保護する必要があることから、「公益通報者保護法」が制定されました（平成18年4月1日施行）。

株主の代表訴訟

代表訴訟とは、取締役が会社に対して損害賠償の責任を負っているのに支払わない、会社から借金をしているのに期限が来ても返済しない、会社に違法に損害を与えた等の場合に、本来は会社がその取締役に対して責任を追及し、訴えを起こさなければならないのですが、この訴えを怠ったときに、株主が会社に代わって訴訟を起こすことを言います。

具体的には、6か月前から引き続き株式を持っている株主が、会社に対し、書面で取締役の責任を追及する訴えを起こすように請求することができます（会社法847条）。この請求があった後、会社が取締役に対して60日以内に（回復すべからざる損害を生じるおそれのある場合は直ちに）訴えを起こさなかったときには、その株主は自ら訴えを起こすことができるというものです。

解決法
①会社の不祥事の責任を明確にする。
②会社の責任者と交渉する。
③法的手段をとる
　会社責任の追及⇨民事調停・訴訟（200・206ページ参照）
　取締役の責任追及⇨株主代表訴訟
※会社の不祥事では、責任者が刑事処分される場合もある。

ビジネスに関するトラブルで困ったとき

ビジネストラブル

ビジネスのトラブルはさまざまなものがありますが、取引上の主なものをあげれば、代金の支払い遅延、手形の不渡り、取引先の倒産、各種の契約違反などがあります。

こうしたトラブルでは、取引先の事情に応じてトラブルを解決することになりますが、思い通りに解決しない場合も多々あります。

トラブルを少しでも少なくするには、取引開始前に相手の信用を調査することも必要でしょう。また、取引中でも、取引相手の情報を常に入手し、売掛金などの債権の管理を怠らないことです。

こうすることで、万一、問題が起きたときでも痛手が少なくてすみます。

支払い遅延と債権回収

ビジネスでは、商品を売ることにばかり精力を傾けて、代金を受け取ることには、あまり関心がない営業マンもいます。しかし、いくら商品を売っても、代金が支払われなければ何の意味もありません。

代金の回収は、法律的には債権回収の問題です。債権回収では、まず、期限を切って、いついつまでに支払うように通知します。多くの場合、これにより支払われると思いますが、条件が出される場合もあります。その条件を呑むが否かは自由です。

通知しても、支払われない場合は、内容証明郵便で、最後通牒ともいうべき、支払いの催促をします。この場合は、期限までに支払

ポイント

債権回収の手段には、内容証明郵便による催告、支払督促、訴訟（少額訴訟含む）、強制執行、保証人への請求、担保権の実行などがあります。

メモ

訴訟において、売買代金の回収を目的とする訴えが最も多いようです。

なお、民事執行は例年、不動産・動産・債権を合わせて総計で年間約15万件（売買以外の場合も含む）となっています。

いがない場合は、法的手続きをとる旨の記載もします。それでも支払いがない場合、訴訟を起こし、最終的には民事執行となります。

また、こうした過程の中で、保証人や不動産担保をとる方法もあります。

債権回収で特に気をつけなければならないのは、継続的な取引の場合です。つい、支払いが遅れてもお得意さんだからと言い出せない場合があったり、相手の言うままに支払いを延ばしてしまいがちです。こうした場合は、ビジネスとして割切って対応してください。

すなわち、支払い遅延や延期が自社に致命的な影響があるかどうかの検討が必要です。余裕があれば、支払延期や代金の減額もよいでしょう。黒字倒産などあってはならないのです。

◈債権回収の法的手続き

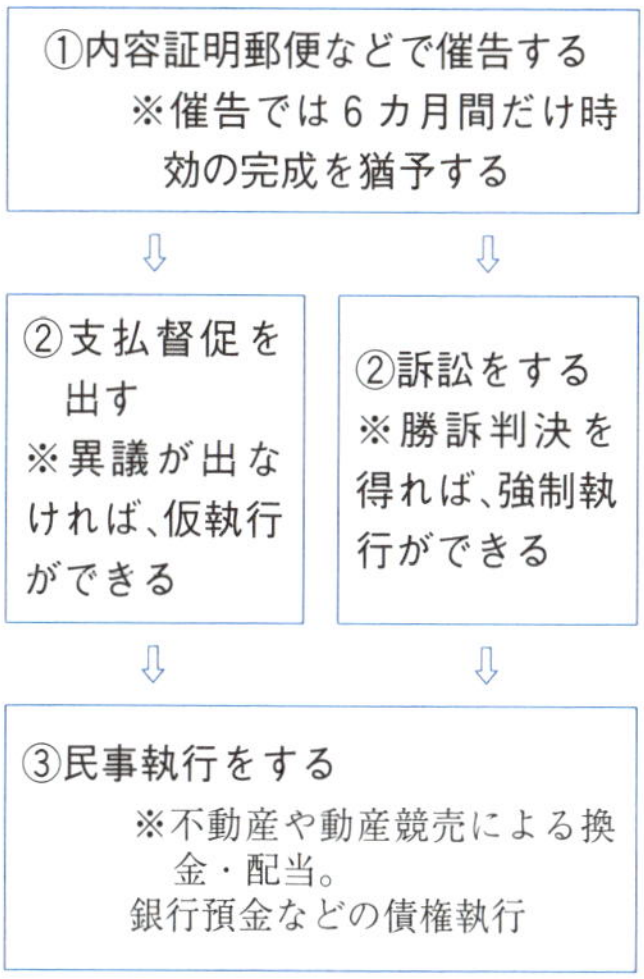

①内容証明郵便などで催告する
※催告では6カ月間だけ時効の完成を猶予する

⇩

②支払督促を出す
※異議が出なければ、仮執行ができる

②訴訟をする
※勝訴判決を得れば、強制執行ができる

⇩

③民事執行をする
※不動産や動産競売による換金・配当。
銀行預金などの債権執行

不渡りと倒産

バブル崩壊後には、企業の倒産が相次ぎました。ビジネスマンも不良債権の処理に追われたのです。この倒産という用語は法律用語ではなく、一般的には、6か月以内に2回の不渡手形を出して銀行取引停止処分となった場合を言います。したがって、倒産により会社はなくなるのではなく、会社は倒産後の会社財産の清算後になくなることになります。

倒産による破産手続きの場合、売掛金等の代金は、相手会社の財産の処分による配当という形で債権額に応じて分配されるのが基本です。しかし、その分配額は、通常は債権額の5~10%程度で分配なしもあります。

また、倒産企業を再建する民事再生手続きでは、通常、大幅な債務の減額が再生計画案において行われます。

解決法

①債権回収は、まず、期限を切って支払いを催告する。
②催告しても支払いがない場合は、法的手段を考える。
・支払督促⇨198ページ参照
・調停⇨200ページ参照
・訴訟（少額訴訟もある）⇨206・208ページ参照
・民事執行⇨212ページ参照
③遅延の金額が大きい場合には、弁護士に相談し債権回収を依頼するのもよい。

⑤ 労働条件に関するトラブルで困ったとき

ポイント

労働基準法や就業規則などで定めた労働条件を、会社は守らなければなりません。問題が発生した場合、法律等に照らすとどうなるのか検討してください。

不況型の労働トラブルの急増

労働条件の変更や労働基準法を守らないなどの問題も多数発生しています。労働問題は働く側にとっては収入源に関わることであり、トラブルとなると引くに引けない問題となります。

また、職場ではこうした問題だけでなく、差別、セクシュアル・ハラスメント（セクハラ）やパワハラなどの問題もあります。

職場の規律と就業規則・労働協約

労働問題については、労働契約法や労働基準法などの労働関連法で、労働者と従業員間のルールについて定めています。

そして会社には就業規則があり、これは、いわば職場の憲法にあたるもので、労働条件等の定めがなされています。また、使用者と労働組合で結ばれた労働協約もあります。

働く人にとっては、こうした法律等が労働者を守ってくれますので、その内容を知っておく必要があります。労働条件は、法律や命令などで最低条件が定められていますが、個々の会社の具体的な就業時間や賃金は、就業規則や労働協約で決められます。特に最近では、働き方改革による時間外労働の上限規制などがあり、注意が必要です。

こうした労働条件等に違反する場合には、会社に是正の申入れをし、それでも対応に納得がいかない場合には、自社の労働組合、最寄りの労働基準監督署（総合労働相談コーナー）で相談するなどの対応が必要です。

◆「働き方改革関連法」の施行（令和元年4月1日）

①時間外労働の上限規制
月45時間、年360時間が原則。臨時的な特別な事情がある場合、年720時間、単月100時間未満（休日労働含む）、複数月平均80時間が限度。

②年次有給休暇の取得
使用者は、10日以上の年次有給休暇が付与される全ての労働者に対し、毎年5日、時季を指定して有給休暇を与える必要がある。

③正規・非正規労働者間の不合理な差別待遇の禁止
基本給や賞与などの個々の待遇ごとに不合理な待遇差の禁止。

トラブル解決と相談

トラブルが起きた場合、まず、会社の組合や専門の相談機関なりに相談することです。国や地方自治体には、労働者の相談機関が設けられています。

なお、個別労働紛争（会社と個人）の解決を目的とする「労働審判法」が平成一八年四月一日から施行されています（204ページ参照）。

〔基本的な労働条件の基準（労働基準法）〕

項　目	労働基準法の原則
労働契約の期間（期間を定める場合）	3年を超えてはならない（原則） 5年（例外）下記の労働者が対象 ・専門的な知識、技術または経験であって高度の専門的知識を持つ労働者（厚生労働大臣が定める基準に該当する者） ・満60歳以上の労働者
賃金（原則として、右のすべてを守る必要がある）	通貨（銀行振込も可）で払う 直接労働者に払う（未成年者でも親などに払うことは禁止） 全額を払う（税金などは控除可） 毎月1回、一定の期日に支払う
休業手当	レイオフなど会社の都合で仕事を休ませる場合、平均賃金の100分の60以上を払わなければならない
労働時間 ※年齢の起算日は、満15歳の誕生日を超えた最初の3月31日	1日8時間以内、週40時間以内（休憩時間を除く）――原則 ▶次のような例外もある ・従業員10人未満の商業、映画・演劇業、保険衛生業、娯楽接客業――週44時間以内 ・裁量労働制やフレックスタイムなど変形労働時間制の場合には労使協定の定めによる ・満15歳未満は原則働けない。満13歳以上は、健康や福祉に有害でなく軽い仕事に就ける（修学時間を含め1日7時間以内、週40時間以内が条件）※
残業および休日出勤	会社は必要があれば命令ができる（労使協定の届出が条件） ・育児や介護をする女性労働者は年間150時間以内を上限とする（女子保護規定撤廃の経過措置） ・妊産婦が請求した場合は、会社は残業などをさせてはならない ・坑内労働など有害業務は、1日2時間を超えてはならない
割増賃金	時間賃金の25%～50%増し（22時～5時はさらに25%加算） 1か月60時間を超える時間外労働の場合は50%以上加算（中小企業は適用外）
休憩時間	労働時間により次のようになる ・労働時間6時間超⇒45分以上 ・労働時間8時間超⇒60分以上

項　目	労働基準法の原則
休日	毎週1日以上（原則） 4週間で4日以上でも可
有給休暇	初年度（6か月以上継続して勤務し8割以上出勤）――10日以下、勤務年数が1年増えるごとに日数が加算され、11日、12日、14日、16日、18日、20日となる。パートも有給あり
深夜業	・満18歳未満――22時～5時禁止（原則、時間・年齢の例外あり） ・妊産婦が請求した場合、会社は深夜業をさせてはならない
危険有害業務	満18歳未満は次の業務に就けない ・運転中の機械など危険な部分の掃除、検査、修繕 ・クレーンの運転など危険な業務 ・重量物を取り扱う業務 ・毒劇薬、毒劇物、爆発性、発火性、引火性の原材料を扱う業務 ・じんあいが著しく飛散する業務 ・有毒ガス・有害放射線発散場所や高温・高圧場所の業務など、安全、衛生、福祉に有害な場所における業務 妊娠中の女性、産後1年を経過しない女性は次の業務に就けない ・重量物を取り扱う業務 ・有害ガスを発散する場所の業務
坑内労働	満18歳未満の者は禁止 満18歳以上の女性は禁止（原則）
女性労働者の産休	・出産6週間前（多胎は14週間）は請求により仕事を休める ・産後8週間の就業は禁止（医師の許可と本人の請求により産後6週間を経過すれば就業可） ・妊娠中の女性は請求により軽い仕事へ変更してもらえる
育児時間	生後満1年未満の子を育てる女性は、法定の休憩時間の他に、1日2回、少なくとも30分ずつの育児時間を請求できる
生理休暇	就業が著しく困難な女性は、請求により仕事を休むことができる

（注）育児・介護休業法により、労働者は子供が満1歳（一定の場合は2歳まで）に達するまで育児休業を1年間、また家族の介護が必要な場合は通算93日（3回まで分割可）までの介護休業がとれる。子（小学校まで）の看護休暇制度、介護休暇制度もある。

解決法

①労働条件が法律や就業規則等に違反しているかどうかを確認する。
②会社の責任者と交渉する。
③必要があれば、専門家に法律相談をする。
④個別労働関係紛争解決制度を活用（総合労働相談コーナー）⇨140ページ
　労働基準監督署に違反を通告する。
⑤法的手段をとる
　民事調停⇨簡易裁判所に申し立てる⇨（200ページ参照）
　労働審判・民事訴訟⇨地方裁判所に申立てる⇨（204・206ページ参照）

労働災害に関するトラブルで困ったとき

ポイント
労災保険の給付は、業務上の負傷、疾病、障害、死亡に関する給付と通勤による負傷、疾病、障害、死亡に関する給付があります。

業務中の災害が対象

労災保険によって給付が行われる災害は「業務上の災害」と「通勤途上の災害」に限られています。

業務上の災害については、労災保険法では「労働者の業務上の負傷、疾病、障害又は死亡」と規定しています（7条1項1号）。しかし、何が「業務上」に当たるかについては何も規定していません。

厚生労働省の「業務上」の解釈は、「業務と傷病等による損害との間に一定の因果関係（相当因果関係）がある」こと、つまり、①傷病が、労働者が労働契約に基づき使用者の支配下にある状態で発生したものであること（これを業務遂行性と言います）、②業務遂行と傷病等との間に相当の因果関係があること（これを業務の起因性と言います）が必要だとしています。

通勤途上の災害については、通勤途中で業務とは関係のない目的で経路を逸脱した場合が問題となります。飲みに行ったり、映画を見るために逸脱した場合には、その後、通常の通勤経路に復しても、事故にあった場合には労災の適用はありませんが、①日用品の購入やトイレに行く、②職業訓練・能力開発向上のための教育の受講、③選挙権の行使、④病院等での診察・治療など、止むを得ない理由で最小限の範囲で行う場合には、逸脱・中断の場合を除き、その後、合理的な経路に復したときから通勤災害と認められます。

メモ
労災保険からの主な給付には、療養補償給付、休業補償給付、傷病補償年金、障害補償給付、遺族補償給付、葬祭料、介護補償給付などがあります。

労災申請の手続き

業務中に災害にあった被害者や遺族は、その事業場を管轄する労働基準監督署長に対して、労災保険給付の請求をしなければ給付は受けられません。

請求を受けた労働基準監督署長は、業務災害、通勤災害の有無、障害等級の認定を行った上で、支給するか不支給とするかの決定をします。

この処分に不服のある場合は、都道府県にある厚生労働省の労働者災害補償保険審査官に、それでも不服の場合は労働保険審査会に不服申立てをし、それでもダメな場合には、処分取消しを求めて、裁判所に行政訴訟（164ページ参照）を起こすことになります。

過労死と過労による自殺

過労死が問題になるのは、これが業務上の災害となるかどうか、労災保険給付の対象となるかどうかの判定が困難なためです。

過労死が業務上の災害と認められるためには、脳血管障害や心臓疾患などが業務に起因するものであることが必要とされています。

厚生労働省の見解は、過重な業務に就いたことにより基礎疾病を急激に悪化させ、脳・心臓疾患を発生させた場合には、業務が相対的に有力な原因となったとして業務起因性を認めています。

なお、過労死については厚生労働省から「労災認定のガイドライン」が出されています。

過労死による自殺で、平成9年9月、東京高裁は、過度の長時間労働による睡眠不足で、うつ病になり自殺した電通社員のケースについて、約8900万円の支払いを会社に命じ、この判決後の平成10年8月、中央労働基準監督署は労災の認定をしています。

また、最高裁判所は、労働者の自殺につき、使用者側の安全配慮義務違反を認め、死亡の逸失利益等の賠償請求を認めています（平成12年6月27日）。

解決法

①何が問題かを把握する。
②必要があれば、専門家に法律相談をする⇨（140ページ参照）
③労災が認定されない（不服）とき
・審査請求⇨厚生労働省の労働者災害補償保険審査官に申し立てる
④法的手段をとる
・民事調停⇨簡易裁判所に申し立てる⇨（200ページ参照）
・民事訴訟⇨地方裁判所に提起する⇨（206ページ参照）

労働問題のトラブルの相談先と紛争解決機関

労働紛争の急増

景気が回復基調にあっても、倒産、リストラによる労働条件の変更、解雇など、労働問題は多数発生しています。今日のコロナ禍にあっては尚更です。この労働問題は働く側にとっては収入源であり、解雇などでは大問題になります。また、職場ではこうした問題だけでなく、差別、セクハラ、パワハラなどの問題もあります。

トラブルの相談は、弁護士会（有料）や都道府県の無料相談所を利用することもできます。専門機関や民間の相談所もあります。

労働基準監督署への相談

労働基準監督署は、①賃金（賃金不払い事案の解決、最低賃金、倒産企業の未払賃金の立替払い、退職金の支払い等）、②労働時間、休憩、休日、年次休暇、③労働時間短縮の進め方、④就業規則等、⑤労働基準法、最低賃金法、労働安全衛生法等の違反の申告の受理と監督等、⑥時短関係助成金のもらい方、⑦ケガ、災害の防止、⑧労災保険給付の支払い、⑨家内労働、最低工賃等について相談・指導を行います。なお、労働基準法等の違反については、労働基準監督署に通報ができます。

また、平成10年4月から紛争解決援助制度がスタートし、平成13年10月には「個別労働関係紛争の解決の促進に関する法律」が施行、紛争を簡易・迅速に処理するために相談・助言または指導・あっせんを行っています。

相談は全国各地に**総合労働相談コーナー**

ポイント

労働に関するトラブルでは、状況の把握や資料の整理をして相談します。

また、争うには支援してくれる仲間も必要です。

メモ

▼労働審判法の制定
平成16年の通常国会で労働審判法が成立しました。これは個別労働民事紛争について、実情に即した迅速・適正かつ実効的な解決を図ることを目的とする労働審判制度を創設するというものです（204ページ参照）。

（厚生労働省・労働基準監督署）が設けられており、ここでまず相談をしてください。その後、都道府県労働局長による助言・指導、紛争調整委員会によるあっせんも行われています。

自治体への相談

全国の自治体では、労働問題に関する相談機関を設けています。

各都道府県には、労政事務所が設けられ（各自治体によって名称は異なる）、この労政事務所は、①労働組合、団体交渉、ストライキ等、②人事、労務、労働問題全般（労働基準監督署、ハローワーク、女性少年室、県庁内の職業能力開発担当課、職業能力開発校などの各機関が担当していることを含む）の相談を行っています。また、労使だけでは、解決が難しいとして、労政事務所が和解のあっせんをする場合もあります。

なお、労働問題は会社にとっても重要です。問題になりそうなときは、事前に労働基準監督署や弁護士に相談するのもよいでしょう。

〔労働問題の相談先と紛争解決機関〕

〔法律相談〕

・各地の弁護士会の法律相談センター
・都道府県の労働相談所（労政事務所）
　（例）東京都労働相談情報センター
　☎03-5211-2248
　東京都ろうどう110番 ☎0570-00-6110
・社労士110番（東京都社会保険労務士会）　☎03-5289-8844

〔専門機関等〕

・全国の労働局および労働基準監督署
・各地の総合労働相談コーナー
　東京☎03-3512-1608
・中央労働委員会（地方労働委員会）
　中央☎03-5403-2111

※労働組合等と企業間の紛争の解決のための機関で、助言、相談、和解のあっせん・調停、仲裁を行う。

〔その他の相談先〕

・労働相談ホットライン（全労連）
　0120-378-060
・日本労働弁護団
　（ホットライン）☎03-3251-5363
・過労死110番全国ネットワーク
　☎03-3813-6999
・東京管理職ユニオン　☎03-5341-4905
・東京ユニオン労働相談 ☎03-6709-8954
・女性ユニオン東京　☎03-6907-2030
　※この他にも民間機関があります。

●労働組合

労働組合の組織率が減少しており、労働争議も減少の一途をたどっています。

こうした状況を受けて、労働のトラブルは個別化し、個別労働のトラブルの相談や苦情は総合労働相談コーナーや都道府県の労政事務所に多く持ち込まれているようです。

経営者と労働者のトラブルは、当事者間の話し合いで解決するのが望ましいのですが、リストラ等の浸透で、個別労働紛争は、これからも続きそうです。

知的財産権のトラブルで困ったとき

知的財産権とは

知的財産権は、産業、学術・芸術（文芸・美術）の分野における知的活動から生じる権利で、法律で保護されています。知的財産権には、特許権、実用新案権、意匠権、商標権、著作権などがあります。

各種の知的財産権とトラブル

①**特許権**――発明は特許権として保護されますが、そのためには登録が必要です。なお、ビジネスモデル特許とは、新しいビジネス手法について、コンピュータやインターネット等の情報技術の発明についての特許を言います。また、コンピュータ・ソフトについても特許要件を満たせば、特許が認められます。

正当な権原なく特許を実施（使用）すると、特許権侵害となり、侵害者には刑事罰および民事責任が生じ、権利者は侵害者に対して、差止請求や損害賠償請求、不当利得の返還請求、信用回復のための措置などの請求ができます。

②**実用新案権**――実用新案は考案（小発明）のことで、これも登録することにより保護されます。正当な権原なく実用新案を実施（使用）すると、刑事罰および民事責任（損害賠償など）を負うことになります。ただし、実用新案は無審査で登録されるため、実用新案技術評価書という保護に値するかどうかの特許庁の作成した書類の提出が必要です。

③**意匠権**――意匠とは、物品（有体財産）のデザイン（家具、靴、家電製品、自動車など）

ポイント

知的財産権には、特許などの工業所有権、著作権があり、権利の侵害者に対しては、刑事罰や差止請求・損害賠償の請求があります。

知的所有権の登録は先願主義なので、発明等をしたら直ぐに特許庁に出願することです。

メモ 知的財産権の訴訟は、裁判所の工夫にもかかわらず専門性が高いことから、審理期間が長いとの指摘がありました。

そこで、制度の改正が行われ、①管轄裁判所の見直し、②専門委員制度の導入、③知的財産高等裁判所（東京高裁の特別支部）の新設が行われました。

を保護するもので、意匠登録することで権利として保護されます。正当な権原なく、意匠を侵害すると損害賠償等の問題が生じます。

④商標権――商標とは、自分の商品・サービスであることを示す目印が商標です。商標には2種類あり、「商品商標」とサービス（役務）に使用されるサービスマークがあります。

商標の登録をすると、同商標については排除ができ、類似商標についても商標権の侵害があったものとして、排除ができます。

⑤著作権――著作権とは、著作者の著作物（思想または感情を創作的に表現したもので、文学、学術、美術または音楽の範囲に属するもの）に対する権利を保護するものです。著作権は、登録をしなくても発生します。

著作権は、①著作人格権（氏名表示権、同一性保持権）と②著作財産権（複製権・上演権など）があり、保護期間は著作者の死後70年、法人著作権は公表後70年です。また、著作隣接権（実演家・レコード製作者・放送事業者などに認められる権利）があります。

なお、コンピュータプログラムを言語による著作物として保護するプログラム著作権というものがあります。

著作権の侵害行為があると刑事責任（告訴が必要・親告罪）および民事上の請求（差止請求・損害賠償請求等）ができます。

⑥不正競争防止法による保護――不正競争防止法は、知的財産諸法を補完するもので、以下の不正競争を禁止しています。

⑴他人に周知である商品等の表示と紛らわしい表示により、商品や営業をその他人のものと混同させて売り込む行為
⑵他人の商品の形態の模倣
⑶他人の営業上の秘密の侵害
⑷競争相手の虚偽の事実を広める行為など

不正競争行為者には刑事罰があり、また、被害を受けた人は、①差止請求、②損害賠償請求、③不当利得返還請求、④信用回復の措置請求ができます。

解決法

①権利侵害の相手と交渉する。必要があれば、専門家に相談する。
※工業所有権⇨工業所有権情報·研修館相談部、日本弁理士会
※著作権⇨文化庁著作権課　☎03-5253-4111（登録など）
②ADR機関（日本知的財産仲裁センター、232ページ参照）の活用も検討する。
③訴訟⇨
・特許権・実用新案権・回線配置利用権・プログラム著作権→東京地方裁判所（東京・名古屋・仙台・札幌高裁管内）、大阪地方裁判所（大阪・広島・福岡・高松高裁管内）
・意匠権・商標権・著作権・出版権・著作隣接権・育成者権・不正競争→各地方裁判所または東京・大阪地方裁判所

第4章 刑事・少年事件と解決法

●犯罪と刑罰

犯罪が行われた場合、原則、刑罰が科せられます。何が犯罪かについては、警察などが勝手に決めることはできず、国会の制定した法律によらなければなりません（罪刑法定主義）。

犯罪と刑罰を定めた法律には刑法がありますが、刑法以外にも「暴力行為等処罰に関する法律」「盗犯等の防止及び処分に関する法律」「軽犯罪法」「覚せい剤取締法」「売春防止法」などの特別刑法があり、また、刑事関連法とは関係のない一般の法令の中に、罰則として刑罰規定があるものもあります。

こうした規定に触れる行為をすると、刑事訴訟により責任を問われることになります。

●犯罪が成立する場合

犯罪が成立するためには、その行為が各種の刑罰法規が規定する**構成要件に該当**しなければなりません。これを構成要件該当性といい、具体的には条文のどれに該当するか、検討がなされます。例えば、殺人であれば、条文上「人を殺した者は…」となっており、この人を殺すとは、殺す意思をもって（故意）殺した場合で、過失により死亡した場合には殺人罪とはならず、過失致死罪となります。

また、**構成要件**に該当しても、それだけでは犯罪が成立しません。犯罪が成立するためには、構成要件に該当する他、**違法阻却事由**がなくかつ**有責**でなければなりません。違法阻却事由とは、構成要件に該当するが、その行為が違法でない場合があるのです。正当防衛（相手が自分を殺そうとしたので、やむを得ず相手を殺した）、あるいは正当行為（医師の手術など）の場合には、違法性はないものとされ、犯罪は成立しません。また、構成

◆犯罪と検挙件数

犯罪白書（令和3年版）によれば、令和2年中に検挙された犯罪は多い順に、以下のようになっています（交通事故関係除く）。

①窃盗…41万7291人
②器物損壊……6万4089人
③詐欺……3万468人
④暴行……2万7637人
⑤傷害……1万8963人
⑥横領……1万5542人
⑦占有離脱物（遺失物等）横領…1万4154人
⑧住居侵入1万1021人
⑨強制わいせつ4154人
⑩脅迫………3778人

認知件数61万4231人は戦後最少で、18年連続減少中です。検挙率も45・5%と上昇しています。

要件に該当して、違法であっても、重篤な精神病にかかっていたり、低年齢者の場合は、その責任は問えず（責任阻却事由）、犯罪は成立しません。

●犯罪に関するトラブル

犯罪に関する問題は、どういう犯罪でどう罰せられるかの問題がありますが、犯罪の種類は多岐にわたり、また、実際の刑事裁判では弁護士が選任されますので、ここでの解説は割愛します。

その他、犯罪に関して問題になるのは、違法捜査、えん罪などの問題もあります。こうした場合には素人では手に負えませんので、専門家（弁護士）に相談することです。

また、犯罪では被害者となる場合もあります。被害者は、加害者の刑事裁判には意見を述べるなどの権利があり、また民事責任（損害賠償）の追及ができます。

●少年事件

未成年者の犯罪については、原則として家庭裁判所で審判を受けることになり、少年院送致などの保護処分がなされます。これは、刑事処分と違い、あくまで、本人の更生のための処分です。しかし、家庭裁判所が刑事処分が相当と判断したときには、検察官送り（逆送）となり、刑事裁判が行われる場合があります。ただし、14歳未満の場合は、刑事処分に付すことはできません。

◆起訴・不起訴・起訴猶予

起訴は被疑者を刑事裁判にかけることで、不起訴は刑事裁判にかけないことです。不起訴となる場合は、嫌疑なし、嫌疑が不十分な場合などで、起訴にするか、不起訴にするかは検察官が決めます。

また、起訴猶予は、犯罪の立証はできるが、諸般の事情を考慮して起訴をとりあえずはしないでおく（猶予）場合です。

〔刑事手続きの流れ〕

- 犯罪の発生
  - …届出、110番通報など
- 捜査の開始
  - …事情聴取　証拠品の提出　実況見分
- 犯人の特定
- 任意捜査 ／ 逮　捕
  - 48時間以内
- 書類送検 ／ 身柄送検
- 任意捜査 ／ 勾　留
  - 最長20日
- 不起訴 ／ 起　訴
- 公判請求 ／ 略式命令請求
- 公　判
- 判　決 ／ 略式命令

犯罪被害にあって困ったとき

ポイント
窃盗や詐欺などの犯罪が横行しています。被害にあったら、まず、警察に被害届を必ず出しましょう。

メモ
犯罪の検挙率が低下し、日本の安全神話が崩れかけています。しかし、仕方がないなどと諦めるのではなく、犯罪に対しては被害届や告訴するなど厳しく対処してください。そうすることで、次の被害を防げる場合もあるのです。

犯罪被害者

犯罪にあったときには、警察へ被害届を出します。また、犯人を処罰してもらうために、**告訴**をすることもできます。強制性交等罪（強姦罪）や強制わいせつ罪などの場合には、平成29年の刑法改正で告訴をしなくても相手が処罰されることになりました（非親告罪）。

告訴は犯罪の被害者が一定の期間内にしなければならない場合もありますので、注意してください。最寄りの警察でも検察庁でも構いませんが、書面または口頭で申告する必要があります。

また、告訴と似たものに**告発**があります。告発は犯罪の被害者以外の者が警察官や検察官に対して、犯罪事実を申告して処罰を求めることです。

犯罪被害者と刑事手続き

刑事事件の被害者が、刑事手続き上、警察等に協力するのは以下のことがあります。

まず、事情聴取です。犯行の状況や犯人の様子などについて詳しく聞かれます。つぎに、証拠品（被害当時着ていた服、持っていた物など）の提出を求められることがあります。さらに、実況見分への立会い、検察官による事情聴取、公判での証言などがあります。

被害者にとっては、忘れたい事件についての証言などを求められることになり、辛い場合もありますが、今後、こうした被害をなくすためにも、協力してください。

なお、犯罪で財産上の被害を受ける場合が

少なくありませんが、この損害の回復については次項を参照してください。

不起訴処分と検察審査会

検察がした不起訴処分に不服の場合は、検察審査会に審査を申し立てることができます。

検察審査会は、国民の中からくじで選ばれた11人の検察審査員が、検察官がなした不起訴処分について、その是非を審査することを主な仕事としています。

不起訴処分に対して不服の申立てをすると、審査が開始されます。検察審査会議が開かれ、事件の記録を調べたり、証人を呼んで事情を聞くなどして不起訴処分の是非を検討します。

その結果、もっと調べるべきである（不起訴不当）、起訴すべきである（起訴相当）という決議があった場合には、検察官は、事件を再検討します。その結果、起訴をするのが相当と判断した場合には起訴がなされます。

検察審査会の決議が起訴相当とされた場合に、検察官は必ず起訴しなければならないというものではありませんが、再検討の上、起訴した事件も多くあります。また、検察審査会の議決で独自に強制起訴（起訴等の担当は裁判所が選任した弁護士）することもできます。

こうした検察審査会が関わった事件には、水俣病事件、日航ジャンボ機墜落事件、脳死臓器移植事件などもあります。

なお、検察審査会は全国の地方裁判所と主な地方裁判所の支部にあります。また、審査の申立て費用は無料です。

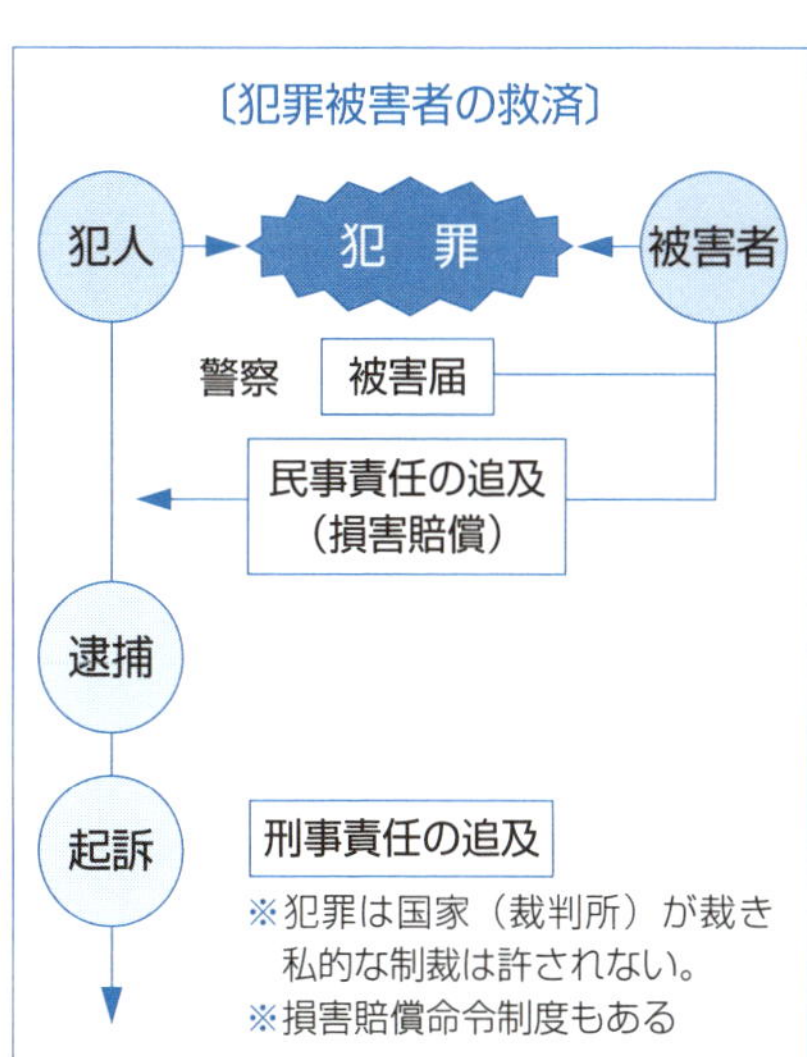

解決法

①被害届を出す。
②告訴・告発する。
③犯人逮捕などでは、警察に協力する。
④不起訴処分に対しては、検察審査会に不起訴処分不服の申立てができる。

※犯罪に関する相談先⇨（158ページ参照）

② 犯罪で損害を受けて困ったとき

犯罪者の刑事責任と民事責任

犯罪者は刑事上の責任と民事上の責任を負うことになります。刑事上の責任は刑事裁判により、懲役や罰金などの処罰を受けることです。民事上の責任は、犯罪行為により、被害者に与えた損害を弁償することです。

民事上の損害賠償は被害を受けた者の当然の権利ですが、刑事裁判とは別に被害者の側で直接請求しなければなりません。犯人とは接触したくないなどの理由から、損害賠償を請求しない（できない）人もいますが、こうした場合は警察や弁護士と相談してください。

犯罪被害と損害賠償での注意点

交通事故などはあまり犯罪という認識がないようですが、過失運転致死傷罪や危険運転致死傷罪に問われれば犯罪です。

こうした場合、民事上の救済が得られやすくするためにいくつかの方法がとられています。犯罪被害者等保護法は、被害者等の損害賠償請求権の行使のために必要があると認められる場合、事情を考慮して相当と認めるときには、申出をした者に公判記録の謄写および閲覧をさせることができるとしています。

また、被告人と被害者等が民事上の争い（損害賠償など）について合意ができたときには、公判調書への記載を求める申立をし、公判調書に記載されると、裁判上の和解と同一の効力を持ちます（強制執行ができる）。

刑事裁判における損害賠償命令制度

犯罪被害者は、加害者に対して民事訴訟に

ポイント

犯罪者に対して損害賠償の請求をすることは当然の権利で、泣き寝入りは無用です。

メモ

交通事故などでは、損害賠償が定着していますが、殺人や暴力団が関与した事件では、損害賠償の支払能力や接触をしたくないという気持ちから、なかなか損害賠償の請求ができないのも事実です。警察の相談所や弁護士と相談してください。

よる損害賠償訴訟を起こせます。この制度は、新たに民事訴訟を起こす必要はなく、刑事事件を担当した裁判所に申し立てることにより、当裁判所が有罪判決を下した場合に、加害者に損害賠償を命ずることができるという制度です。被害者にとっては、刑事裁判の証拠等が利用でき民事訴訟に比べ立証の負担が軽減できます。

犯罪被害者は、この刑事裁判中（弁論手続きの終了まで）に損害賠償命令の申立てができます。手数料は２０００円です。

審理は、刑事裁判を担当した判事が行い、審理回数は４回まで、その後、決定が出され、決定は民事裁判の確定判決と同じ効力があります。刑事裁判所の決定に異議申立てがされると、民事裁判に移行することになります。無罪判決が出ると、この申立ては却下され、改めて民事訴訟を提起することになります。

この制度を利用できるのは、刑事事件の被害者本人、相続人です。対象となる事件は、①殺人、②傷害、③強制わいせつ、④強制性交、⑤逮捕、監禁、⑥略取、誘拐、⑦人身売買の罪です。過失犯は対象外です。

なお、この申立てができるのは、地方裁判所に限られます。

⊠犯罪被害給付金制度

通り魔殺人事件等の犯罪行為により、不慮の死を遂げた等の場合には、犯罪被害者等給付金制度から、以下の給付がなされます（令和３年４月１日現在の犯罪被害）

①遺族給付金（支給額・被害者の収入と生計維持関係遺族の人数に応じて算出した額等）

※詳しくは最寄りの警察に問い合わせを。

②障害給付金（障害等級１級３９７４・４万円～14級18万円）

③重傷病給付金（３年を限度に医療費の自己負担相当額と休業損害を支給〈最高120万円〉）

支給を受けるには、一定の要件があり給付の申請も必要ですので、最寄りの警察署、都道府県警察本部等で相談してください。

解決法

①民事上の損害賠償責任を追及できる。
②各都道府県警察の被害者相談窓口などを利用する⇨（158ページ参照）
③民事上の損害賠償責任の追及では告訴（特に親告罪では）も有力な武器となる。
④民事訴訟⇨訴額が 140 万円以下は簡易裁判所、140 万円超は地方裁判所に提起する（206ページ参照）
⑤犯罪被害者等給付金の請求ができる場合もある。
※公益財団法人犯罪被害救援基金（電話相談 03(5226)1020）もある。
被害者支援連絡協議会⇨警察と関連機関・団体とのネットワークです（最寄りの警察署で連絡先は確認してください）。

❸ 配偶者の暴力やストーカーで困ったとき

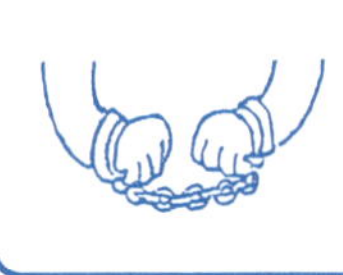

配偶者の暴力とDV法

「法律は家庭に入らず」ということで、かつては夫婦間の暴力については、死亡した場合などは別として、放置されていました。

しかし、配偶者からの暴力事件が相次いだことからDV防止法（正式名称は、配偶者からの暴力の防止及び被害者の保護等に関する法律）が平成13年10月に施行されました。

DV防止法は、配偶者（元配偶者、生活の本拠を共にする交際相手を含む）の暴力（身体に影響を及ぼす言動を含む）は人権侵害で犯罪であることを明らかにし、救済の方法として、①配偶者暴力相談支援センターの設置と対応、②警察官による暴力の制止・被害者の保護・被害発生の防止に必要な措置、③裁判所による保護命令などを定めています。

DV被害は、泣き寝入りをして放置しておくと、一層暴力がエスカレートし、深刻な結果となる場合もありますので、早期に速やかに弁護士等の専門家や配偶者暴力相談支援センター、警察等に相談し、必要な保護をしてもらうのが最善です。なお、令和元年度中に配偶者暴力相談支援センターにあった相談件数は11万9276件にのぼっています。

ストーカー被害

女性がつきまとわれて、挙げ句の果てに殺されるという凶悪事件が問題になり、「ストーカー行為等の規制等に関する法律」が制定されました（平成12年11月施行）。

この法律の施行により、反復してつきまと

ポイント

配偶者や恋人への暴力あるいは女性へのストーカー行為等が続出したことから、DV防止法、ストーカー規制法が制定され、また平成26年11月には「私事性的画像記録の提供等による被害の防止等に関する法律」（いわゆるリベンジポルノ防止法）が制定されています。

メモ DVやストーカーの被害者はそのほとんどが女性です。こうした背景には性差別の問題があります。教育等を通じて、この問題を解決していくことが本質的な課題と言えます。

なお、平成21年1月11日から「DV相談ナビ」（内閣府、☎#8008）がスタート。

い、待ち伏せ等の行為をした者は処罰され、また、被害者から申立てを受けた場合には、警察や公安委員会が警告や禁止命令が出せます。また、告訴により、処罰を求めることもでき、警察による援助規定（被害者住宅周辺のパトロールなど）も設けられています。

同法は平成28年末に改正され、「つきまとい等」の行為が拡大され、住居等の付近をみだりにうろつくこと、拒まれたにもかかわらず連続してSNSを用いたメッセージ送信をすること、ブログ、SNS等の個人のページにコメント等を送る行為が追加されました。

また、公安委員会の禁止命令に違反した場合には、2年以下の懲役または200万円以下の罰金に処罰が引き上げられました。

令和2年中のストーカー規制法による検挙1518件、警告2146件、禁止命令1543件でした。

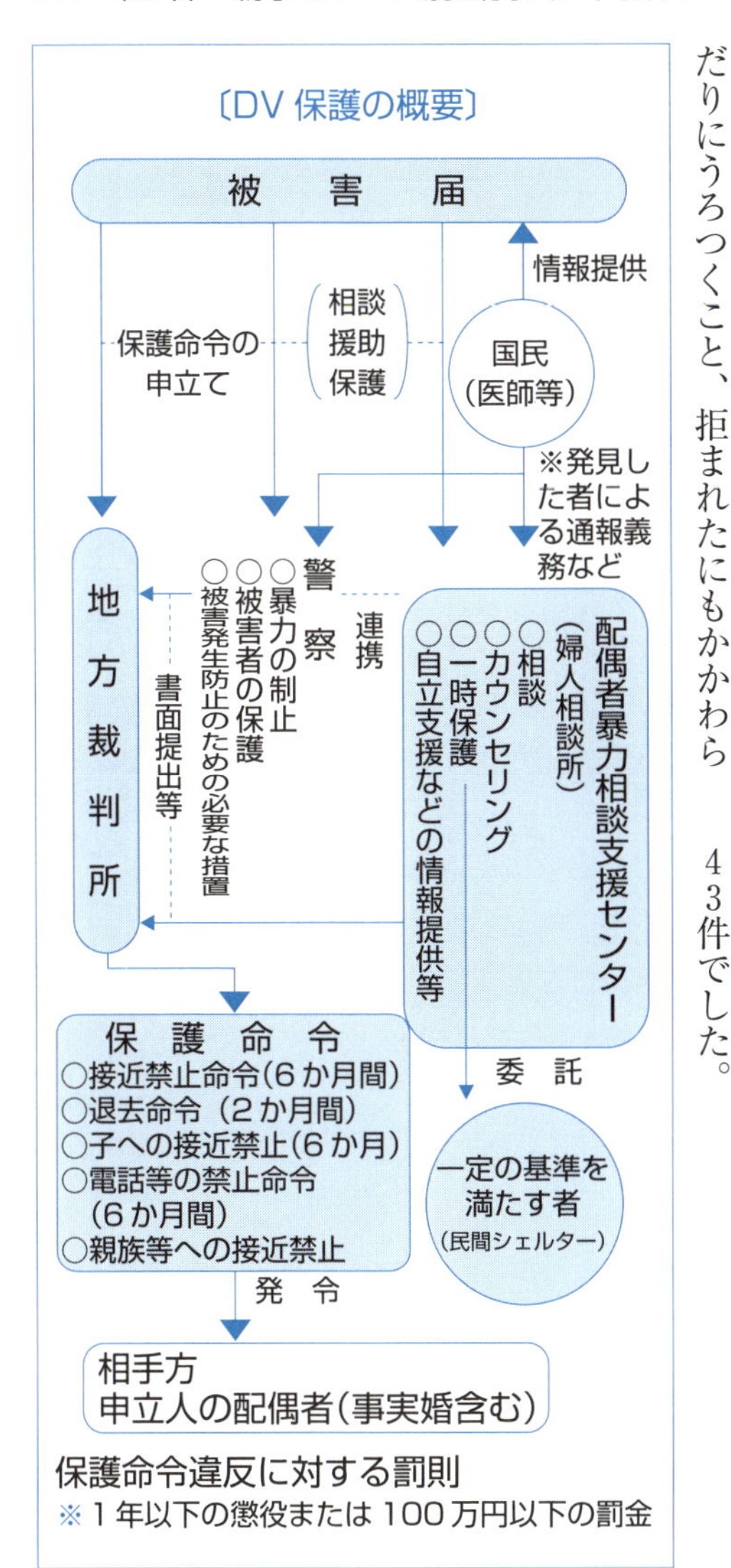

解決法

●DVの場合⇨DV防止法

①警察や婦人相談所（配偶者暴力相談支援センター）などで相談する。

※緊急の場合は110番。配偶者暴力相談支援センター⇨都道府県および市町村役場

②地方裁判所に保護命令の申立てをする。

●ストーカーの場合⇨ストーカー規制法

①警察に相談、告訴・警告の申出・援助の申出ができる。

②公安委員会による禁止命令が出してもらえる。

※被害者に損害があれば、損害賠償（慰謝料など）の請求ができる。

逮捕されて弁護士の知り合いがなくて困ったとき

逮捕と取調べ

逮捕とは、人の自由な行動を拘束することで、警察などの捜査機関が犯罪が行われたのではないかと嫌疑を抱いた場合は、将来刑事裁判を行って処罰するために、被疑者を逮捕・勾留して身柄を確保し、取調べを行い、有罪を立証するための証拠の収集・保全をします。この一連の手続きを捜査と言います。

逮捕には原則として、裁判所が出す逮捕令状が必要ですが、現に犯行が行われている場合、あるいは行い終わって間もない場合には、誰でも現行犯逮捕ができます。

別件逮捕と呼ばれるものがあり、これは例えば、殺人という重い犯罪の捜査で、犯人と思われる者がいるが逮捕・勾留するだけの証拠がない場合に、その者を別の軽い事件で逮捕して、本命の殺人事件の取調べをするというものです。裁判所は一定の条件付きで合法と考えているようですが、学者等からは逮捕・勾留はあくまでその事件について行わなければならない、という批判があります。

逮捕と当番弁護士

逮捕されると警察官による取調べが行われ、48時間以内に釈放するか身柄を検察庁に送検するかを決めなければなりません。検察庁に送検された場合は、検察官の取調べが行われ、24時間以内にさらに身柄を拘束するかどうかを決めなければなりません。身柄をさらに拘束する場合は勾留請求が行われ、最長で20日間の勾留ができることになっています。

ポイント

当番弁護士制度は、不当な取調べ等に対する抑制の効果もあり、えん罪の防止にもつながる制度です。

メモ

裁判では私選の弁護人が選任されない場合には、国選弁護人が選任されます。

被疑者の段階では国費による被疑者国選弁護人制度があります。

逮捕・勾留（最長23日間）されて被疑者が困るのが、この間の取調べの時に誰も味方はいずに、一人ぼっちだということです。

憲法34条は「何人も、理由を直ちに告げられ、かつ、直ちに弁護士に依頼をする権利を与えられなければ、抑留または拘禁されない。…略…」と規定しています。しかし、多くの人は弁護士に知り合いはなく呼ぶこともできません。こうしたときのために、当番弁護士という制度があり、警察で「当番弁護士を呼んでください」と言えば、弁護士を呼んでくれます。親や友人でも連絡できます。

当番弁護士は最初の1回は無料で相談に応じてくれます。取調べ中は家族の者が会いに来ても会わせてくれないのですが、弁護士であれば許可される場合も多いので、逮捕に至った事情を聞いたり、今後の打合せをすることもできます。なお、引き続き頼む場合には所定の弁護士費用が必要です。

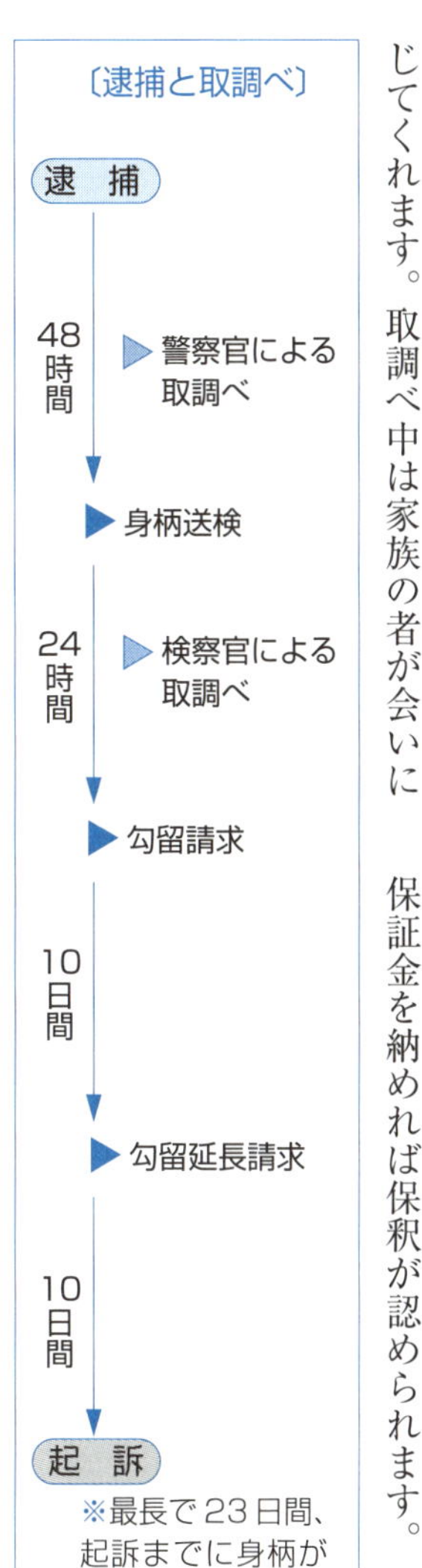

接見と保釈

面会（接見）や差し入れは無制限に認められているものではありません。外部の人との通謀を禁止するために「接見禁止」の決定が出される場合もあります。こうした場合、弁護士に依頼するとよいでしょう。また、起訴後は特定の犯罪を除いて、被告人に逃亡や証拠隠滅のおそれがない場合には、申請により、保証金を納めれば保釈が認められます。

解決法

①逮捕されたら、「当番弁護士を呼んでください」というだけでよい。
②家族や友人・知人も当番弁護士に頼むことができる。
費用⇨1回目は無料
その後は通常の弁護士費用が必要。
※相談先⇨158ページ参照

えん罪で犯人にされて困ったとき

無実の者に有罪の判決が下されたというような重大な誤りがある場合には、非常救済手続きとして再審制度があります。

ポイント
えん罪事件では、再審請求が問題となりますが、再審の理由が厳格なことから再審開始決定の判断がなかなかなされないのが実状です。

えん罪とは

えん罪とは、無実の人が裁判によって有罪となり犯罪者にさせられることです。戦後のえん罪事件（死刑判決）には、愛知・吉田翁事件（強盗殺人・昭和38年再審無罪確定）、熊本・免田事件（強盗殺人等・昭和58年再審無罪確定）、香川・財田川事件（強盗殺人・昭和59年再審無罪確定）、宮城・松山事件（強盗殺人・放火・昭和59年再審無罪確定）、静岡・島田事件（強姦致傷・殺人・昭和63年再審無罪確定）などがあります。

こうしたえん罪事件は殺人罪に問われた場合だけに限らず、事件数の多い窃盗や暴行・傷害などでも起きることが考えられます。

再審制度

ただし、再審は、法律で定められた理由がある場合のみ可能です（刑事訴訟法435条、436条）。特に重要なのは435条6号の規定で、これには、「…無罪…を言い渡すべき明らかな証拠を発見したとき」と規定されています。例えば、有罪判決が確定した後に真犯人が検挙されて有罪の判決が確定した場合などです。

また、必ずしも無実が明らかである必要はなく、新しい証拠により、有罪が疑わしいときには再審の請求ができるとされています（最高裁・昭和50年5月20日決定）。

メモ
えん罪事件は、人権の問題もあり、個人としてだけでなく社会問題としてマスコミ等で取り上げるような活動も必要です。支援の輪を広げることが重要です。

再審の手続きは、原判決を言い渡した裁判所に対して、再審の申立てをします。そして、再審開始の理由があると判断されれば、再審開始の決定がなされ、審理が開始されます。その後の手続きは、通常の刑事裁判と同様です。

刑事補償制度

無罪の判決を受けた者は、それまでの拘留、拘禁に対して補償を受けることができます。刑事補償法に、その要件、手続き、補償額などの規定があり、死刑の場合の補償額は３０００万円以内＋財産的損失額、拘留・拘禁の場合の補償額は１日１０００円以上１万２５００円以下となっています。

えん罪・再審の問題は、素人ではなかなか困難です。専門家に支援を依頼することが大切です。

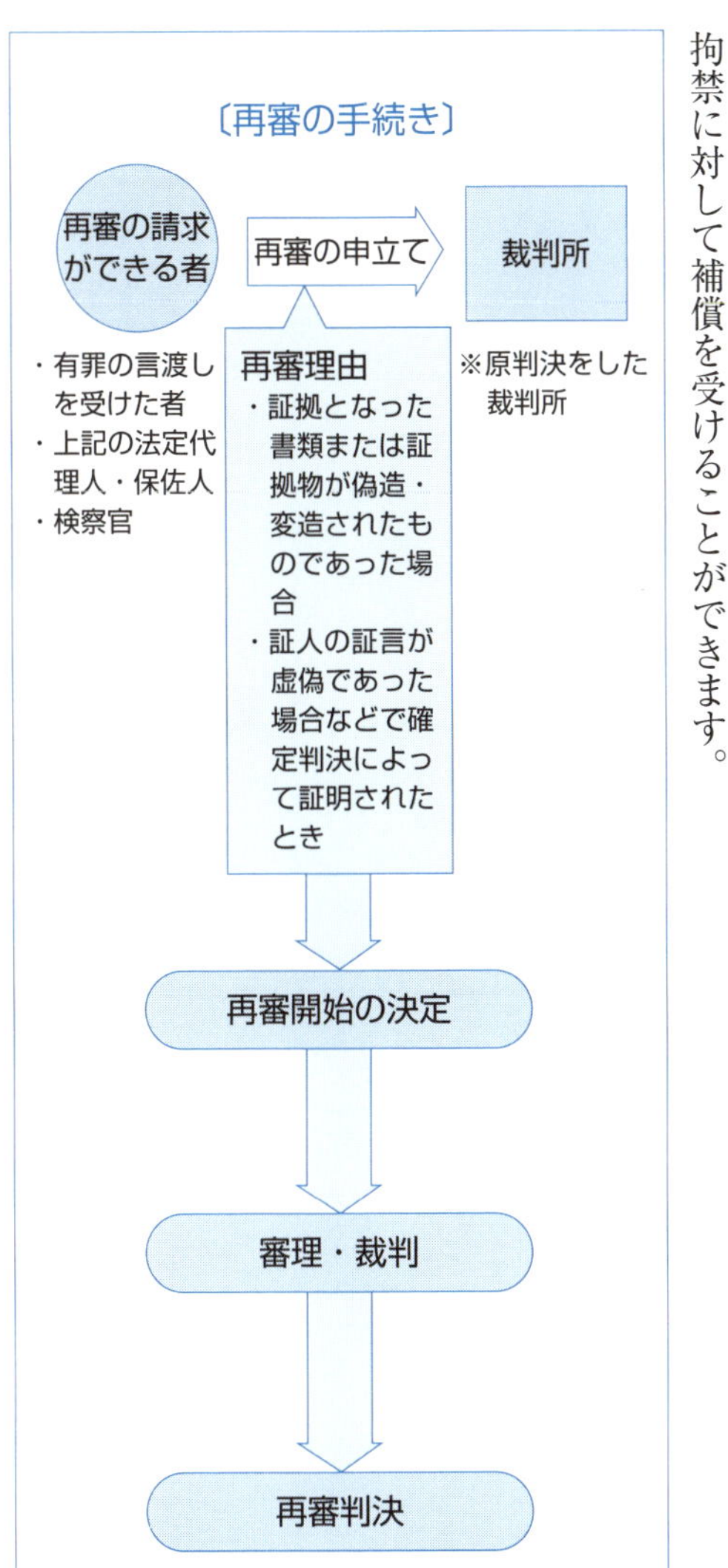

解決法

①再審の申立てをする。
②人権擁護団体やマスコミ等にも働きかける。
※団体としては、自由人権協会などがある。
犯罪に関する相談先⇨158ページ参照

わが子が犯罪を犯して困ったとき

ポイント
令和4年4月1日から成年年齢が18歳に引き下げられますが、18歳、19歳の犯罪は、引き続き少年法が適用されます（全件、家庭裁判所に送られる）。

子どもの事件・犯罪と処分

ここでは、少年犯罪で最も多いとされている万引き（窃盗）でつかまり、警察に連れて行かれたという事例で解説します。

まず、万引きをした子どもが14歳未満の場合には、警察で事情を聞かれ、書類を作って児童相談所に送ります。児童相談所では、親を呼んで育て方などについて指導をし、場合によっては児童自立支援施設に送られて教育されることもあります。このように、14歳未満の子の場合には、原則として犯罪としては罰せられません。ただし、重大な事件の場合には、児童相談所から家庭裁判所に送られ審判を受けることがあります。

14歳以上20歳未満の場合には、警察で取調べを受けて、事件は家庭裁判所に送られ、家庭裁判所では保護者と一緒に呼び出され、調査官の調査などにより、裁判官の審判がなされます（少年審判）。審判は、少年院送りや保護観察（家に返され保護司の指導を受ける）という保護処分がなされ、場合によっては厳重注意で済むこともあります。

ただし、重大な事件の場合には、家庭裁判所の判断で大人と同じ刑事裁判に回されることがあります。そして、有罪となると、少年刑務所に収監されることになります。

子どもの犯罪とトラブル

万引きなどの場合には、謝罪し代金を支払い、警察へ行かずに済むこともあります。ただし、何度も同じことを繰り返すようであれ

メモ
少年事件の本質的な解決のためには、厳罰で臨むだけでなく、学校や家庭での教育などの検討も必要です。

ば、いつかは、警察に行くことになりますので、よく話し合い、注意が必要です。
　また、少年事件では、えん罪も考えられます。他人に犯人にされた、あるいは自ら犯人となる場合もありますので、その辺の事実関係は本人や回りの人から聞いて、事実を確かめることも重要です。

　なお、未成年者の犯罪で、被害者から損害賠償を請求される場合があります。一般論で言えば、小学校を修了する一二歳ぐらい以上の少年には責任能力があるとされ損害賠償責任を負います。また、親が監督責任を怠っていたときには、損害賠償をしなければなりません（109ページ参照）。

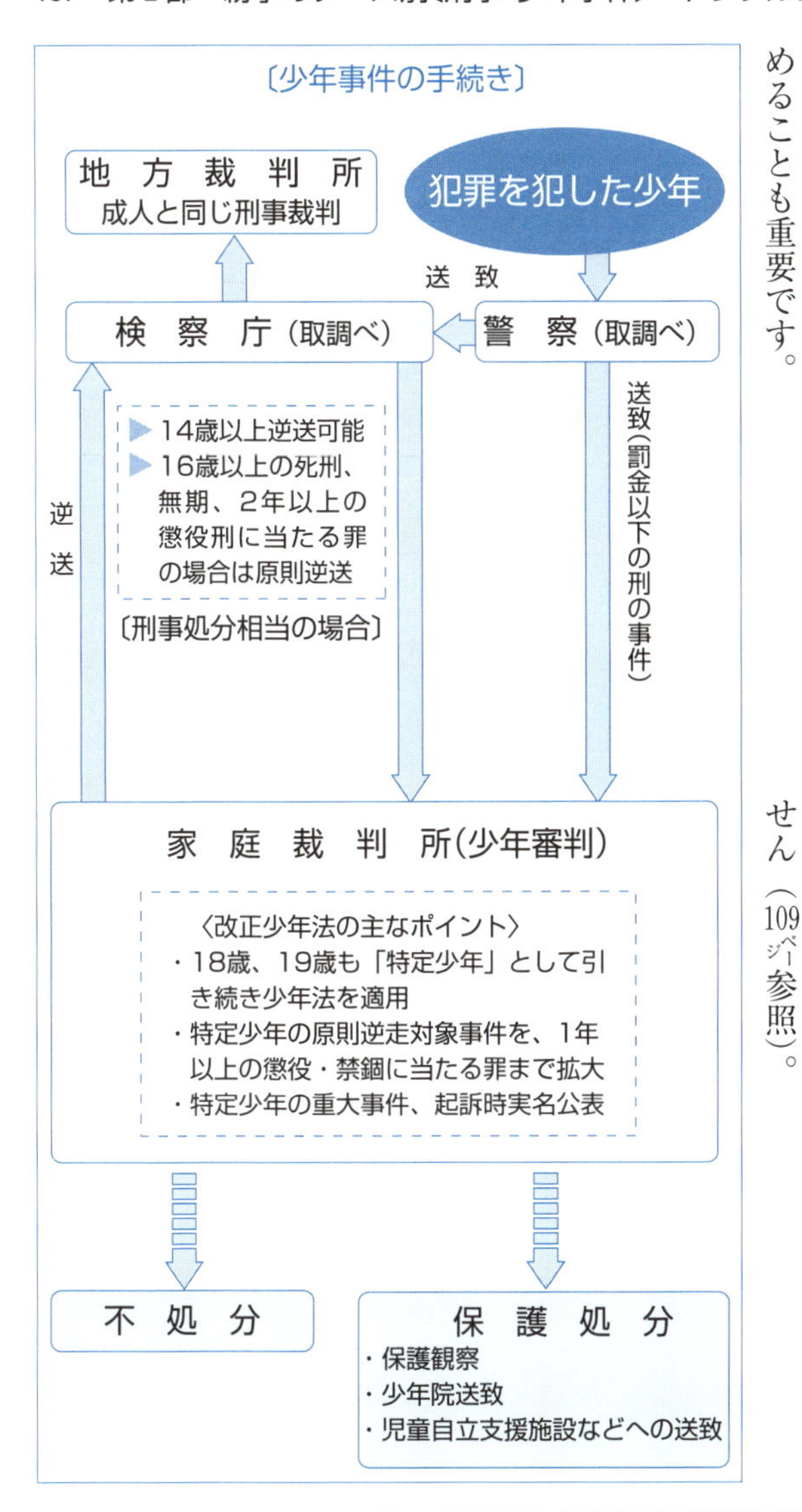

解決法

①原則、家庭裁判所で保護処分を受ける。
　少年院送致・保護観察処分など
②検察官への逆送
　凶悪犯罪については、14歳以上は刑事処分される場合がある。
※相談先⇨158ページ参照

相談&解決

犯罪に関する相談先と紛争解決機関

ポイント
犯罪の被害にあったら、まず、最寄りの警察署に被害届を出してください。

メモ
刑事事件では対応が後手にまわらないように、早めの対応が必要です。

犯罪と警察の相談所

犯罪被害にあった、犯罪を見たなどの相談は、警察にしますが、各都道府県の警察ではさまざまな相談窓口が用意されています。

警視庁（東京都）**総合相談センター**の相談には、以下のものがあります。

・**110番**　事故・事件が発生した場合の緊急用です。緊急でない場合は#９１１０または☎03－３５０１－０１１０

・**犯罪被害者ホットライン**
☎03－３５９７－７８３０

・**ヤング・テレホン・コーナー**
☎03－３５８０－４９７０

・**暴力ホットライン**
☎03－３５８０－２２２２

・**銃器・薬物ホットライン**
☎03－３５９３－７９７０

・**交通相談コーナー（交通事故）**
☎03－３５９３－０９４１

・**性犯罪被害者相談電話**
☎#８１０３（全国共通）

・**サイバー犯罪対策課（コンピュータ関連犯罪）**
☎03－５８０５－１７３１

相談はすべて無料です。

弁護士会等の法律相談

弁護士会の法律相談センターでは、刑事事件や少年事件の全般について相談に応じています。もちろん、知り合いの弁護士がいる場合には、その人に相談するとよいでしょう。

また、犯罪の嫌疑で逮捕された場合、**当番**

弁護士を呼んでもらって相談することもできます（152ページ参照）。

勾留された後は、私選弁護士か国選弁護士がつきますので、その人と相談することになります。

また、えん罪・再審などの問題の場合には、再審・えん罪事件全国連絡会、㈳自由人権協会などがあります。

犯罪被害者と相談先

犯罪被害者は、被害後の精神的なケアの問題や、加害者に対しての損害賠償請求の問題などを抱えることになります。また、犯罪被害者給付制度（条件あり）からの給付金の受給の問題もあります。手続きについては、最寄りの警察署で相談をしてください。

犯罪被害者の相談先としては、前記の犯罪被害者ホットライン、弁護士会の法律相談センターなどがあります。

〔犯罪に関する相談先〕

〔犯罪の相談先〕

- 警察の相談所
  東京都の場合、警視庁総合相談センター
  ☎＃9110 または 03-3501-0110
- 民事介入暴力対策センター　各警察本部
- 警視庁ストーカー対策室
  ☎＃9110 または 03-3501-0110

〔犯罪被害者の相談〕

- 各地の弁護士会の法律相談センター　犯罪被害者支援窓口
  東京3弁護士会（東京弁護士会、東京第一弁護士会、東京第二弁護士会）犯罪被害者支援センター　☎03-3581-6666
  ※面談相談も初回無料で応じています。
  この他、以下の機関もあります。
- 犯罪被害者ホットライン（警視庁内）
  ☎03-3597-7830
- （公社）被害者支援都民センター
  ☎03-5287-3336
- 児童相談所（センター）犯罪の被害を受けた少年の相談など。
- （公財）犯罪被害救済基金　犯罪被害者の子の奨学金の申請等に関する相談
  ☎03-5226-1020

〔えん罪事件の相談〕

- 全国冤罪事件弁護団連絡協議会（日弁連）
  ※相談機関ではない　☎03-3580-9954
- えん罪救済センター（立命館大学人間科学研究所気付　☎075-466-3362（ＦＡＸ）
  eメール　ipj2015@outlook.com

●ハイテク犯罪対策総合センター（警視庁）

平成23年4月1日から「サイバー犯罪対策課」と名称が変更されています。

ハイテク犯罪とは、①コンピュータ犯罪（コンピュータまたは電磁的記録を対象とした犯罪）、②ネットワーク利用犯罪（コンピュータネットワークを手段として利用した犯罪）、③不正アクセス犯罪（不正アクセス禁止法に違反する行為）を対象としています。

業務は、ハイテク相談、業界団体等の連絡窓口（対策班）、ハイテク犯罪の捜査等（捜査班）、コンピュータの調査・解析等（技術班）で、ハイテク相談では、携帯電話に関する相談も多く寄せられていることから、相談の対象としています。

第5章 行政・年金・福祉のトラブルと解決法

◆行政事件と訴訟

行政に関するトラブルには、①公共施設の管理のミスでけがをした場合の損害賠償の請求や、②税金の課税処分に不服があるなどのトラブルがあります。前記①の損害賠償の請求は、国家賠償法によることになりますが、その内容が司法上の損害賠償の対象となっていることから、国や地方公共団体を相手に民事訴訟を行うことになります。

一方、②の税金の処分に不服がある場合などは、行政事件として行政事件訴訟法により行政事件訴訟となります。

行政事件訴訟法には、行政事件訴訟とは抗告訴訟、当事者訴訟、民衆訴訟、機関訴訟を言うとされています（2条）。

①抗告訴訟――行政庁の公権力の行使に対してする不服の訴訟（3条）。これには、処分取消訴訟、裁決取消訴訟、無効等確認訴訟、不作為違法確認訴訟等があります。

②当事者訴訟――当事者間の法律関係を確認、または形成する処分または裁決に関する訴訟で、法律関係の当事者を被告とするものおよび公法上の法律関係に関する訴訟（4条）。

③民衆訴訟――国または公共団体の法規に適合しない行為の是正を求める訴訟で、選挙人たる資格その他自己の法律上の利益にかかわらない資格で提起する訴訟（5条）。

④機関訴訟――国または公共団体の機関相互間における権限の存否またはその行使に関する紛争についての訴訟（6条）。

行政訴訟には以上の4つの形態がありますが、実際にはほとんどの行政訴訟は①の抗告訴訟となっています。税金の更正決定に不服の場合、強制収用に不服の場合などの訴訟は

◆行政手続法

行政手続法は「処分、行政指導及び届出に関する手続並びに命令等を定める手続に関し、共通する事項を定めることによって、行政運営における公正の確保と透明性の向上を図り、国民の権利利益の保護」を図るために制定された法律です（1条）。

この法律で重要なのは、申請に対して処分を行う場合は、①申請基準を定め公表しなければならない、②申請に対する処分の標準期間を定め公表しなければならない、③審査は遅滞なく開始しなければならない、

抗告訴訟となります。なお、行政事件訴訟法が改正され、義務づけ訴訟、差止訴訟が認められ、原告・被告適格、執行停止が緩和されるなど従来より利用しやすくなりました。

●税金・年金のトラブル

所得税などの税金は更正処分される場合があります。更正処分に不服の場合は、税務署長への異議申立て、国税不服審判所の審査手続き（裁決）を経なければ訴訟を提起することはできません（裁決前置主義）。したがって、まず、税務署長への異議申立てをすることになります。税金の申告については、通常、公認会計士か税理士が行っていますので、不服申立て等については、これらの専門家に相談するとよいでしょう。

年金のトラブルには、年金の支給もれがある、年金の保険料を支払うことができないなどのトラブルがありますが、こうした点については、地方自治体の国民年金課や社会保険庁の年金相談センターで相談してください。

年金の支給もれについては調査を依頼します。保険料の支払いができないことについては免除の措置があります。

この免除には、法定免除（障害基礎年金の受給者や生活保護を受けている人など）、申請免除（所得がない人や少ない人で都道府県知事に申請して認められた人）があります。

●福祉のトラブル

国や地方公共団体の政策には、福祉に関するものが多くあります。福祉に関する法律には、生活保護法、児童福祉法、母子及び父子並びに寡婦福祉法、身体障害者福祉法、知的障害者福祉法、老人福祉法などがあり、福祉の内容が具体的に規定されています。法律の支援を受ける要件に該当する人は、申請により支援を受ける権利を有しています。

したがって、申請しても福祉の支援が得られない場合には、苦情の申立てをしてください。苦情の申立ては当該市区町村役場あるいは行政相談所でも扱っています。

④拒否処分をする場合は理由を提示しなければならない、⑤申請に必要な情報の提供を義務づけていることです。さらに、行政庁が相手方に対して義務を課したり、権利を制限したりする場合の手続きについても具体的な定めがあります。

◆行政不服審査法

行政処分などの問題については、裁判所の救済よりも、簡易・迅速な手続きによって救済が必要とされる場合があります。

営業許可の申請をしたが不許可となった場合などでは、不服があればその行政庁に不服審査の申立てができ、さらに上級庁に対して不服の申立てもできます。

1 行政がらみの事故・事件で困ったとき

行政による事故の損害賠償

行政が関係した事故については、国家賠償法に定めがあります。国家賠償法によれば、①道路、河川その他の公の営造物の設置または管理に瑕疵があったために他人に損害を生じたときは、国または公共団体は、これを賠償する責めに任ずる（2条）とし、また、国または公共団体の公権力の行使に当たる公務員が、その職務を行うについて、故意または過失によって違法に他人に損害を加えたときは、国または公共団体が、これを賠償する責めに任ずる（1条）、と規定しています。

つまり、公の営造物の設置・管理に落ち度があったり、公務員の職務の遂行で故意または過失により違法に損害を与えた場合には、国または地方公共団体は損害賠償をしなければならないことになっています。

行政処分等に関するトラブル

役所の行政は多岐にわたり、行政とのトラブルも、店を開業する許可申請をしたがなぜか不許可にされた、何もしていないのに警察に拘束された、税務調査と称して役人が勝手に家に入って来た、役所が悪い業者を取り締まらない、出生届がなぜか受理されないなど、そのトラブルは枚挙にいとまがありません。

こうしたトラブルを態様別に分けると、概ね以下のようになります。

①職員の態度やサービスが悪いので改善して欲しい

②役所のした行政処分などに不服なので、も

ポイント

行政のした処分等に不服の場合は、行政不服審査法等に基づき審査請求を求める方法、行政事件訴訟法に基づき訴訟を提起する方法があります。

メモ

行政の横暴（処分が不当な場合など）に対しては、行政手続法などの内容をよく検討し、苦情を言いましょう。

う一度審査して欲しい
③役所のした行政処分などに不服なので、それを止めさせたり、取り消して欲しい
④役所の行為や不作為（何もしないこと）により損害を受けたので賠償して欲しい
⑤説明不足なのでちゃんと説明をして欲しい
ただし、①⑤は苦情や要望に過ぎず、被害がなければ、訴訟はできません。

行政処分等に関するトラブルの解決法

行政事件では、各種の制度に応じて、不服申立ての制度（左図参照）があります。まず、こうした不服申立てを活用されてはいかがでしょうか。そして、それでも納得がいかない場合には、最後の手段である訴訟ということになります。

また、近時は市民オンブズマンの活動も活発化していますので、こうした機関に相談するのもよいでしょう。

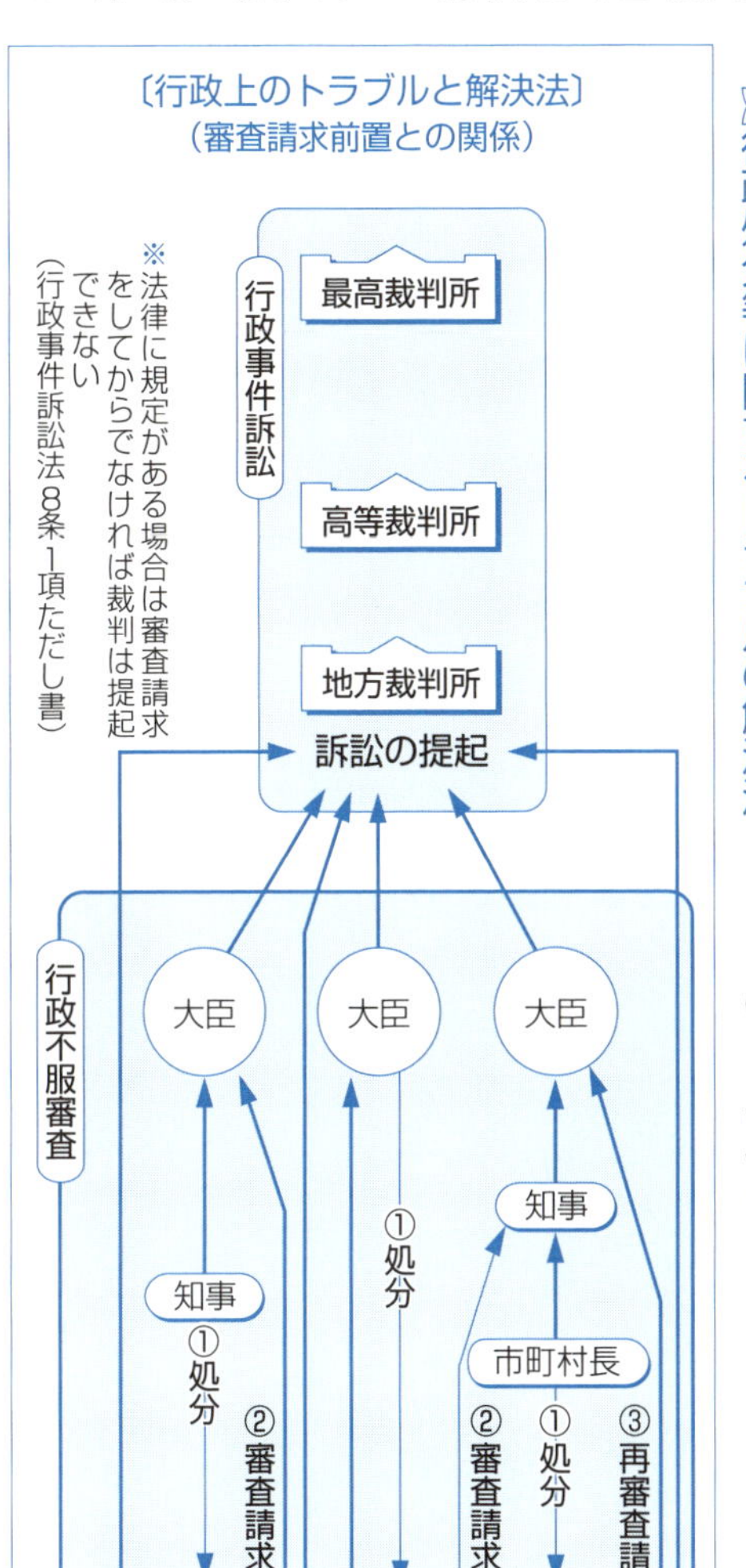

解決法
①行政に不服があれば、まずは苦情を言う。
②オンブズマン等に相談するのも一つの手段。
③行政トラブルの解決手段
審査請求⇨行政庁に対して行う
※税金については国税不服審判所がある。
行政事件訴訟⇨地方裁判所に提起する。
※行政の不法行為等による損害賠償事件は、一般の民事訴訟である。
行政苦情110番⇨186㌻参照

2 行政処分に不服で困ったとき

行政処分とはなにか

行政事件訴訟で多いのは、抗告訴訟と呼ばれるものです。これには、①処分取消しの訴え、②裁決の取消しの訴え、③無効等確認の訴え、④不作為の違法確認の訴えなどがあります（行政事件訴訟法3条）。この中で大部分の訴えは、①の処分の取消しの訴えです。

では「処分」とは何かですが、行政事件訴訟法3条には、「行政庁の処分その他公権力の行使に当たる行為」とあり、許可や免許などが典型的な例ですが、強制収用など事実上の効果が継続的に残るものについても、国民の利益の保護という観点から処分性が認められ、行政事件訴訟の対象とされています。

行政処分のトラブル

行政処分のトラブルとしては、課税処分取消請求事件、滞納処分取消請求事件、産業廃棄物処理施設設置許可取消請求事件、営業不許可処分に対する異議請求事件、住民票不受理処分取消等請求事件、文書開示拒否処分取消請求事件、登記申請却下決定取消請求事件、恩給不支給処分無効確認請求事件、建築確認処分取消請求事件、運転免許取消処分取消請求事件など、多岐に及んでいます。

処分の取消訴訟には要件があり、大まかに言えば、①行政庁の処分がすでに決定していること、②原告適格（法律上の利益を有する者で、一定の利害関係人も含まれる）、③訴えの利益があること、④訴えの提起ができる期間（出訴期間）を超えていないこと。この

ポイント

行政処分でその理由が不明確な場合には、その理由をただしてください。不服の場合の手段としては、審査請求、行政事件訴訟があります。

メモ

行政指導や行政処分は、法律に違反することはできません。行き過ぎた行政指導には苦情等の申立てをしましょう。

なお、平成一六年の行政事件訴訟法の改正で、義務付け訴訟（処分を行うべきなのに行なわない場合に裁判所が処分を命じる）、差止め訴訟（処分をすべきでないのに行なおうとしている場合に裁判所が処分をしてはならないと命じる）が制度として確立しました。

出訴期間は処分または裁決があったことを知った時から6か月以内、処分または裁決があった日から1年以内とされています。

なお、行政事件訴訟法の改正により、義務づけ訴訟（処分または裁決をすべき旨を求める訴訟）、差止め訴訟（処分または裁決をすべきでない旨を求める訴訟）が認められました。

行政処分のトラブルでの注意点

行政手続法は、行政が行う行為について、事後的な国民の権利の救済に留まらず、事前手続きについても適正な手続きを確保しようというものです。申請に関する処分については、①審査基準の設定、②申請に対して拒否的回答をする場合には理由を示さなければならないなどについて定めています。また、不利益処分（特定の者を名宛人として、直接これに義務を課し、またはその権利を制限する処分とされている）の場合にも、①処分基準の設定、②聴聞または弁明の機会を付与すべきこと、③処分の際には理由を示すこと、などについて定めています。ただし、これには適用除外や努力義務の規定もあります。まず、行政処分がこうした手続きに違反していないかを検討してください。処分（許認可などの拒否）の理由が不明確であれば、説明を求め、法的要件に該当するかなどの検討をしてください。また、行政不服での申立てをする方法もあります。不服の申立てには、①審査請求、②再審査請求の2つがあります。審査請求は、通常、処分をした庁あるいは処分した庁が市町村庁の場合はその上級行政庁に対して行います（163ページ図参照）。ただし、法律の定めにより第三者機関が審査する場合もあります（例・建築審査会）。

なお、行政事件訴訟となれば、訴訟要件等を厳格に判断されます。したがって、専門家に相談してください。また、訴訟にするか不服の申立て（審査請求）にするかは、原則、選択できますので検討してください。

解決法

①行政処分に不服があれば、まずは理由を調べる。
②行政オンブズマン等に相談するのも一つの手段。
③行政処分に不服のときのトラブル解決手段
　審査請求⇨行政庁に対して行う
※税金については国税不服審判所がある。
　行政事件訴訟⇨地方裁判所に提起する。
※行政の不法行為等による損害賠償事件は、一般の民事訴訟である。

3 税金の修正申告を求められ困ったとき

ポイント
納税は国民の義務ですが、節税は国民の権利です。脱税にならないよう専門家（税理士）あるいは事前に税務相談をして、申告をするようにしてください。

税金のトラブル

納税は国民の義務ですが、しばしば、納税について争われる場合があります。かつて、サラリーマンの必要経費をめぐって争われたことがあり、現在は、特定支出（通勤費や転居費、研修費、資格取得費、帰宅旅費の合計額、いわゆる必要経費）が給与所得控除額を超える場合には、その超える額を給与所得控除後の所得から差し引くことができるようになりました。こうした争いの他にも必要経費や医療費に該当するかどうかのトラブルが多く存在します。

税金について、分からない場合には、国税局に「税務相談室」、また全国の主要な税務署に「税務相談室の分室」があり、電話相談室も設けられていますので、まず、そこで相談するとよいでしょう。

過少申告や申告をしない場合

税務署に申告した所得が少なかったり（過少申告）、確定申告をしなかった場合には、税務署長は調査した結果に基づき、更正・決定などの処分を行います。また、未納の税額があり督促をしても納付に応じない場合には、差押えなどの処分がなされます。

こうした場合、処分に不服がある場合には、処分の通知を受けた日の翌日から3か月以内であれば、異議申立てができます。そして、税務署長はその処分が正しかったかどうかを、改めて見直しを行い、その結果（異議決定）を納税者に通知します。

メモ
ルールの取り違えや計算誤り、また一定の特別な事情があるときで、税金の納め過ぎに気がついたときには、更正の請求をして税金の減額をしてもらうことができます。

この決定に不服の場合には、異議決定の通知を受けた日から１か月以内に、国税不服審判所長に対して「審査請求」ができます。国税不服審判所長は、その不服の内容を審査して、その結果（裁決）を納税者に通知します。

さらに、国税不服審判所の裁決を受けた後も、なお、処分に不服の場合には、その通知を受けた日から６カ月以内に裁判所に行政訴訟を起こすことができます。

税金のトラブルでの注意点

税金のトラブルで争いとなるのは、課税対象となる所得であるかどうか、財産の評価額が申告者と税務署の見解が異なる、などの場合です。特に相続税や贈与税の不動産評価については、トラブルとなりやすいので注意してください。場合によっては、不動産鑑定士の鑑定評価が必要な場合もあります。

なお、税務に関する紛争の場合には、前記の異議申立て、審査請求を経ずに、いきなり訴訟を起こすことはできません（審査請求前置主義）ので注意してください。

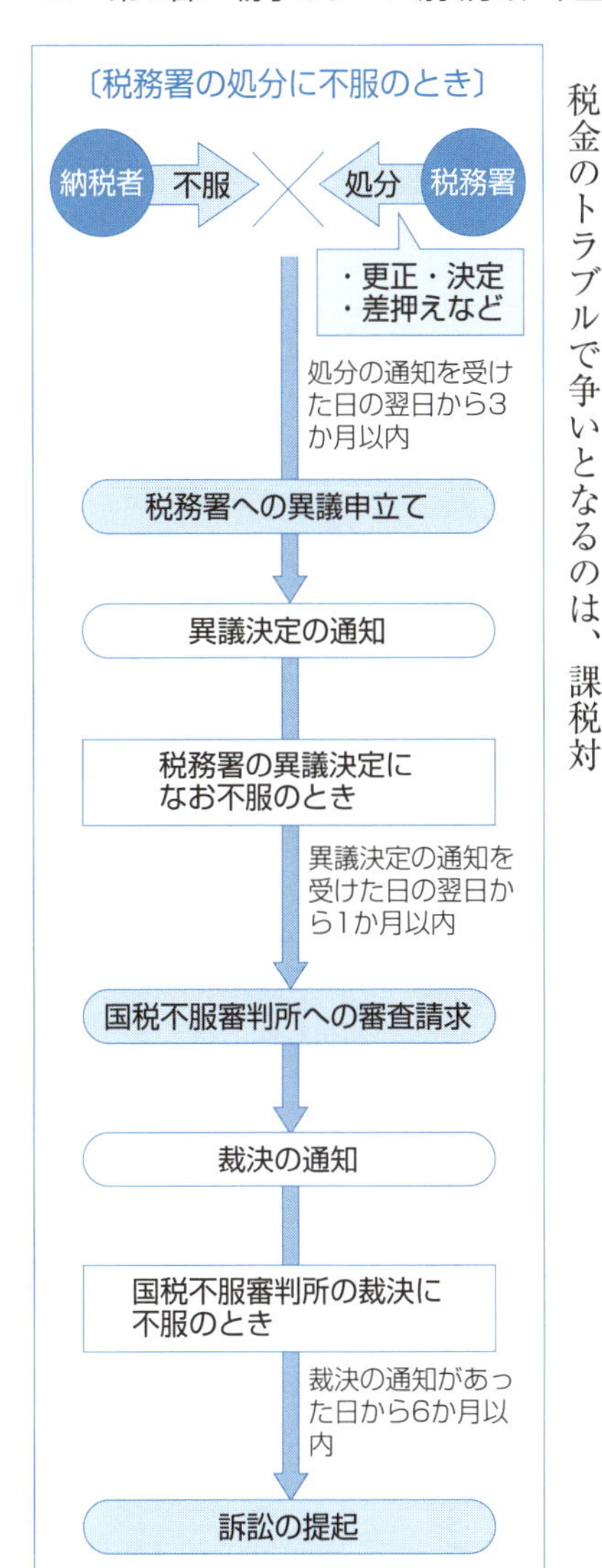

解決法

①不服があれば、まずは苦情を言う。
②分からないことがあれば、国税庁や税理士の税務相談を受ける。
③払い過ぎに気がついたときには更正請求をする。
④税金トラブルの解決手段
　異議申立て⇨税務署に対して行う
　審査請求⇨国税不服審判所に対して行う。異議申立て抜きで、審査請求もできる。
　行政事件訴訟⇨地方裁判所に提起する。
※国税不服審判所の裁決は、税務署のした処分より不利益になることはない。

高齢者の社会保障や福祉の問題で困ったとき

ポイント

高齢化社会が急速に進行する中で、誰もがどうなるか将来を予測できません。こうした時代において、高齢者が頼りになるのは、社会保険制度や福祉制度です。ただし、制度の内容をよく知らなければ、うまく活用することはできません。

メモ

令和2年の簡易生命表（厚生労働省）によれば日本人の平均寿命は男81・64歳、女87・74歳となっています。

また、高齢化が進む中で、2020年（令和2年）には65歳以上の高齢者人口は3619万人になり、総人口に占める割合は28・8％になっています（内閣府・令和3年版高齢者白書）。

健康保険（老人保険）の問題

健康保険には、健康保険（サラリーマン）と国民健康保険（サラリーマン以外）とがあります。サラリーマンは退職すると、

①国民健康保険、

②健康保険の任意継続保険、

③国民健康保険の退職被保険者医療制度、

④所属の健保組合が特例退職者被保険制度を設けている場合には、その健保組合の特例退職者被保険者、

⑤年金を含む収入が130万円以下なら家族の被扶養者、

のいずれかに加入しなければなりません。

ただし、それぞれの制度には、加入条件があり、その条件に該当しない場合には、国民健康保険に加入ということになります。

また、平成20年4月から「後期高齢者医療制度」が始まり、75歳以上の人（または65歳以上75歳未満で寝たきりなど一定の障害者）は一人ひとりが被保険者となり、保険料を納めることになりました。医療費の自己負担は、原則として一定以上の所得があると3割、その他は1割負担（将来的に2割負担になる予定）です。

以上のように、健康保険制度は極めて複雑ですので、問題が起きそうだったら、事前に市区町村役場の窓口や加入している健保組合で相談してください。サラリーマンの場合、会社が手続きをしてくれます。

介護保険の問題

虚弱、痴呆、寝たきりなど、介護を必要とする高齢者（要介護者）に対して、国・都道府県・市区町村が必要な医療・福祉サービスを給付するのが介護保険制度です。介護保険は40歳以上の人はすべて加入者となり、保険料を徴収されます。

介護保険で最も問題なのは、要介護者の認定です。介護の認定は、食事、トイレ、入浴はできるが、その他は時々支援が必要という軽度（虚弱）から寝たきりで全面的に介護が必要という重度の状態まで7段階があり、そのランクに応じて金銭的な給付や各種のサービスが異ります。

〔高齢者の社会保険・福祉〕
- 所得保障…（国民年金・厚生年金・共済年金・など）
- 保健医療…健康保険
国民健康保険
後期高齢者医療
介護保険（介護サービス）
- 生活困窮者…生活保護
- 住宅…高齢者住宅整備貸付事業→老人世帯向公営住宅
- 就職…高齢者能力開発情報センター

介護の認定は、市区町村に介護認定の申請をして行いますが、要介護認定は調査員の聞き取りにより行われることから、家族から不満が出ることも少なくありません。認定に不服の場合には、介護保険審査会に不服申立を行い、再認定を求めることができます。

年金の問題

老後の生活資金で頼りになるのが年金です。年金の額の計算は、非常に複雑で、退職前におおよその計算をしようとしても、素人では無理です。そこで、年金受給前に教えてもらうことができますので、これを活用して、老後の生活設計をするとよいでしょう。

また、年金が受給できる年齢でも働いている人は、在職老齢年金となり、一部あるいは全部が支給停止となりますので、事前に、給与と合わせた収入を計算しておくことです。

なお、年金は本人が手続きをしないと、受給できません。もらい忘れのないよう注意してください。

解決法

①分からないことがあったら、その都度、役所等に聞いたり、相談する。
問い合わせ先⇨国民健康保険⇨市区町村役場
介護保険⇨市区町村役場
介護認定に不服の場合は介護保険審査会
年金⇨年金相談センターまたは社会保険事務所・社会保険業務センター

②社会保険労務士に相談する。
※社会保険労務士は、社会保険（健康保険や年金など）を扱う専門家である。

5 保険・年金のトラブルで困ったとき

ポイント

年金や保険などの給付で不支給などの処分理由が不明確な場合には、その理由を質してください。不服の場合の手段は、審査請求、行政事件訴訟があります。

保険・年金のトラブル

社会保険には健康保険、国民健康保険、介護保険、労災保険、厚生年金保険、国民年金保険などがあります。こうした保険に関するトラブルの多くは、なんらかの事情で保険金が支払われない場合です。

例えば、労災保険では、仕事による過労死の認定が問題になっていますし、また、介護費用の等級の認定でも問題が生じています。

また、年金では、加入していたはずなのに年金記録がない、会社が保険金を支払っていなかったなど、未払い、未加入、請求漏れなどの問題もあります。

こうしたトラブルについては、まず、事実を知ることが大切です。なぜ、支払われないのか、その理由を問いただしてください。そして、その理由と法律に定められている支給の要件とを照らし合わせてください。

また、仕事による過労死などのように、新しい問題もあります。労災に該当するかどうかは、最終的には裁判所の判断となりますが、現在では、過労死認定のガイドラインも定められていますので、こうした規定に照らして、支給されるかどうかの検討も必要です。

保険・年金のトラブルの解決法

給付金等の交付が認められない場合には、その根拠となる法令、条例、通達、実務慣行などについて、納得いくまで説明を求めてください。そして、やはり納得が行かない、不服の場合には、不服の申立てができます。

メモ

年金の時効は5年です。したがって5年前までは遡って支給してくれます。

ただし、年金記録が見つかり年金が増額された場合、時効の適用はなく過去の分も含めて支払われます（年金時効特例法）。

また、厚生年金の保険料が天引されていたのに、事業主が保険料の支払や資格の届出をしていなかった場合は、年金記録が訂正されて年金が支払われます（厚生年金特例法）。

なお、年金の受給資格（加入）期間が、25年から10年に短縮されました（平成29年8月1日から）。

社会保険については、不服申立ての制度が、設けられています。例えば、国民年金や厚生年金についての不服の申立てについては、社会保険審査官（再審査の場合は社会保険審査会）となっています。なお、年金記録漏れの確認については、第三者委員会が設置されています。

こうした審査請求で不服の申立てが認められると、原処分（不支給）は取り消されます。しかし、再審査請求でも申立てが却下されると、その後は行政訴訟による方法しかなくなります。

保険・年金のトラブル解決での注意点

保険や年金については、国が定めた制度ですが、サラリーマンの税金等とは異なり、原則として、申請しなければ支給されません。

また、一度決まったことはなかなか変更してくれません。こうした場合には、訴訟しかありませんが、行政訴訟の場合には、訴訟要件などが厳格に定められていて、また、相手がその分野の専門家でもあることから、弁護士に依頼したほうがよいでしょう。

〔主な社会保険・社会福祉制度不服申立て先〕

制度	不服申立ての手段	請求の相手先
国民年金	・被保険者の資格に関する処分、給付・保険料その他徴収金に関する処分に不服の際の審査請求 ・上記審査決定に不服の際の再審査請求	社会保険審査官 社会保険審査会
厚生年金	・被保険者の資格、標準報酬、保険給付に関する処分に不服の際の審査請求 ・上記審査決定に不服の際の再審査請求	社会保険審査官 社会保険審査会
共済年金	・給付の決定、障害程度の審査等に不服の際の審査請求	国家（地方）公務員共済組合審査会
労働保険	・保険給付の決定に不服の際の審査請求 ・上記の審査の決定に不服の際の再審査請求	労働者災害補償保険審査官 労働保険審査会
健康保険	・標準報酬・保険給付等に関する処分に不服の際の審査請求 ・上記審査・徴収金等の処分に不服の際の再審査請求	社会保険審査官 社会保険審査会
国民健康保険	・徴収金・保険給付等に関する処分に不服の際の審査請求	国民健康保険審査会
雇用保険	・失業給付等に関する処分に不服の際の審査請求 ・上記審査に不服の際の再審査請求	雇用保険審査官 労働保険審査会
児童扶養手当	・手当の支給に関する処分に不服の際の異議申立て	都道府県知事

解決法

①疑問があれば、役所の相談室や専門家に相談する。
年金⇨日本年金機構「ねんきんダイヤル」☎0570-05-1165
・社会保険労務士
保険⇨各健保組合・社会保険事務所・市区町村役場・社会保険労務士
②年金・保険のトラブルの解決手段
審査請求⇨申立先は上表参照
再審査請求⇨申立先は上表参照
行政事件訴訟⇨地方裁判所に提起する

生活保護のトラブルで困ったとき

⊠生活保護とトラブル

国の責任に基づいて、公的負担で生活困窮者に所得補償する制度が生活保護法で、収入・資産の調査を行い、保護すべき水準に照らして不足分を支給するものです。

生活保護に関するトラブルには、生活保護申請を受け付けてもらえない、生活保護費から貯金をしていたら減額された、車を持ったら生活保護費が減額された、などのトラブルがあります。

⊠生活保護のトラブル解決例

生活保護は、窓口の担当者が保護は認められないと判断した場合であっても、申請の不受理は認められません。というのは、生活保護法では、保護申請によって、保護費の支給をするかどうかの調査が開始され、遅くとも30日以内に認めるかどうかの決定がなされ、その理由を記載した書面で結果が通知されることになっているからで、保護を認めないとするなら、申請を受理した上で却下すべきだからです。

また、貯蓄や車の所有については、一般的には減額や打切りの事由となりますが、生活保護の本旨に照らしてこれでは酷な場合もあります。例えば、生活費を切り詰めて、その中から病気などの不意の出費にそなえるために貯蓄した場合に保護費を減額するのは酷でしょう（秋田地裁・平成5年4月23日判決）。

また、車の所有については、①身体障害者が通勤する場合、②身体障害者が定期的に通院

ポイント

「最低限の生活」は、憲法によって保障されています。生活に困窮した場合、生活保護費を受給できるのは、国民の権利でもあるのです。受給要件について、まず、検討してください。

なお、生活保護の生活扶助の減額について、平成30年10月以降より見直しが行なわれました。

メモ

生活に困窮した場合の社会保障には、生活保護の他、自治体が行っている貸付金や奨学金の制度などもあります。

する場合、他の交通機関による通院が極めて困難な場合で、維持・管理費が他からの援助・施策でまかなわれる見通しがある場合、③山間僻地に居住する者が自動車により通勤する場合には処分（減額）しなくてもよいことになっています（通達）。

こうしたトラブルは、結局は最低限度の生活を維持するための資産が、その人の事情も含めてどこまで許されるかという問題でもあります。

生活保護のトラブル解決法

生活保護の処分に不服の場合には、都道府県知事あてに審査請求ができます。また、審査の裁定に不服な場合には上級庁（厚生労働大臣）に再審査請求ができます。また、行政訴訟を起こすこともできます。法テラスなどの機関に相談するのもよいでしょう

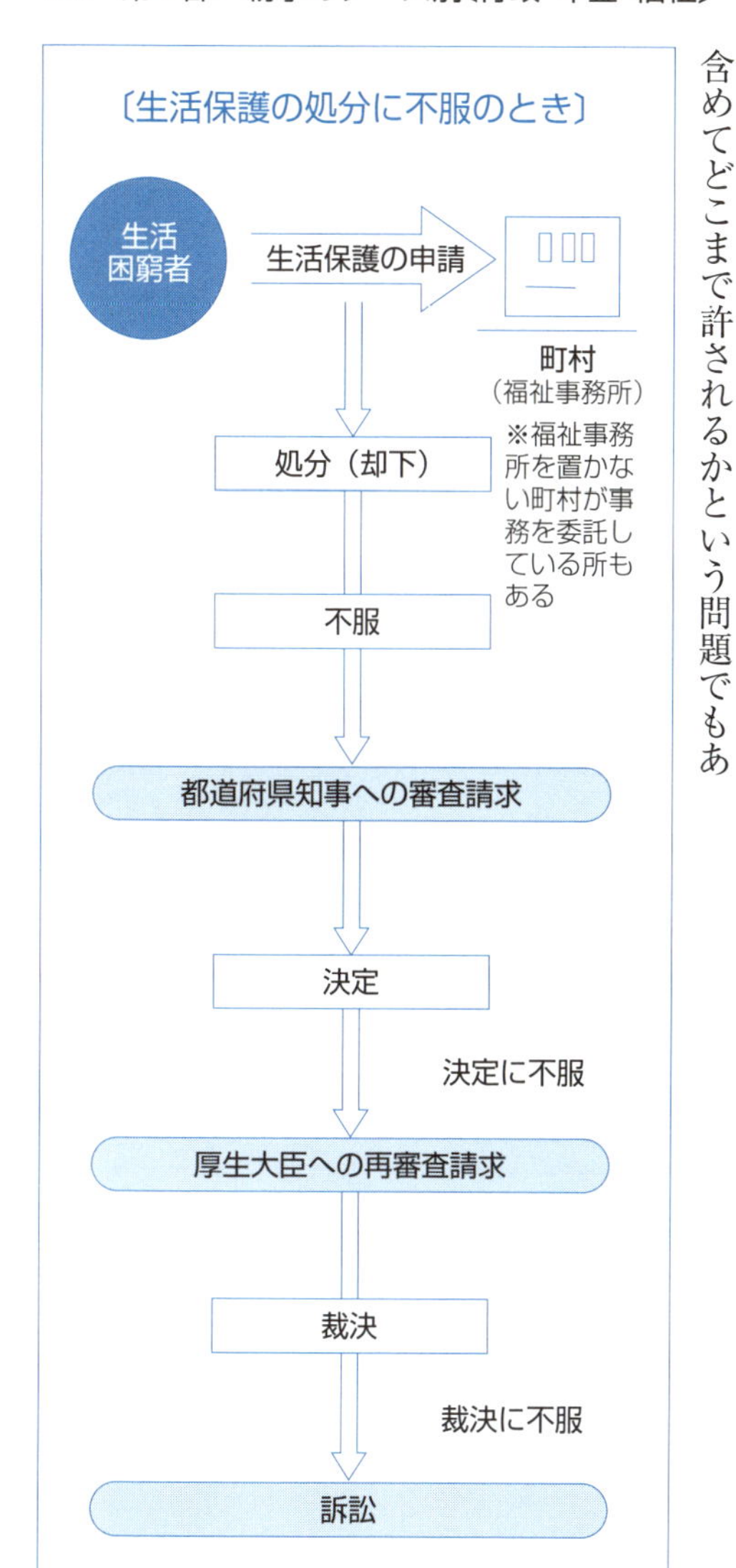

解決法

①疑問な点があれば、福祉事務所等で聞く。法テラスにも相談する。
②処分（申請の却下）などでは、その理由をただす。
③解決手段
　審査請求・再審査請求 ― 上記、図表参照
　行政事件訴訟⇨地方裁判所に提起する

相談&解決

行政に不服などのときの相談先・苦情申立先

行政に不服などのとき

行政は多岐に及びます。たとえば、税金については税務署、年金については厚生労働省、道路については国土交通省といった具合に、まずその行政がどこの役所の管轄かが問題です。ケースによっては、自治体（都道府県）が行っている場合もあります。

その行政をどこが行っているかを調べ、まず、そこに苦情申立をするとよいでしょう。地方自治体の行政は国が管理・管轄している場合も多く、この場合は、苦情申立が認められない場合には、国の省庁に苦情の申立ができます。

行政に不服なときの相談先

行政に関する苦情の申立先としては、総務省の「行政苦情１１０番」があります。また、各種の行政相談においては、総務大臣が委嘱した行政相談委員（全国や約５０００人）がいます。

ただし、「行政苦情１１０番」も「行政相談委員」による相談も、同じ行政上の機関（委嘱された人）であり、自ずからトラブルの解決には限界があると認識しておいた方がよいでしょう。最終的には、訴訟等による解決となりますので、難しい問題については、弁護士に相談するのがよいでしょう。

行政オンブズマン

オンブズマンは、代理人の意（苦情調査）で、役人や公務員の違法行為の見張り・行政官に対する苦情を調査処理する機関または人

ポイント

行政事件は、かつては道路建設のため土地の収用事件や公害絡みの事件などがありましたが、最近の裁判例を見ますと、固定資産評価審査決定取り消し請求事件（最高裁・平成25年7月12日）、差押え処分取り消し、国家賠償等請求事件（最高裁・平成25年7月12日）、文書提出命令申立一部認容決定に対する許可抗告事件（平成25年4月19日）、水俣病認定申請棄却処分取消等請求事件（最高裁・平成25年4月16日）など、事件は多様化しています。

のことです。官官接待やカラ出張など、公費の無駄使いなどの告発で有名になりました。

　なお、オンブズマンには、自治体の条例により制定されるものと、民間により任意に制定されたものとがあり、活動の内容もさまざまです。相談する前に、どのような内容の活動をしているのか、自分の苦情を取り上げてくれるのか、などについて調べておくとよいでしょう。


〔行政についての苦情・相談先と紛争解決機関〕
・法テラス（どこに相談してよいか分からないときなど）
〔法律相談〕
・各地の弁護士会の法律相談センター
〔相談・苦情申立等〕
・行政苦情 110 番　☎ 0570-090110
・各地の行政相談委員・総合行政相談所
〔行政オンブズマン〕
・条例により設立されたオンブズマン
　各自治体で確認のこと
・民間のオンブズマン
　さまざまなオンブズマンが存在します
　（例）全国市民オンブズマン連絡会議
　☎ 052-953-8052

紛争解決手続き

　行政事件の最終的な解決手続きとしては、訴訟による解決法があります。

　行政がらみの事件といっても、役所の公務中の交通事故などは、個人同士の損害賠償事件と変わりはなく、これは民事訴訟です。

　行政事件は、①抗告訴訟、②当事者訴訟、③民衆訴訟、④機関訴訟の４つがあり（160ページ参照）、行政事件訴訟法が適用になります。

　つまり、こうした行政事件においては、行政事件訴訟法という民事訴訟法とは別の手続きで訴訟が行われます。したがって、民事訴訟とは異なる訴訟手続きとなりますので、弁護士に相談するのがよいでしょう。

　なお、弁護士に知り合いがいなければ、弁護士会などの法律相談センターなどを利用するとよいでしょう。なお、行政オンブズマンにおいて、行政に関するトラブルのあっせんを行っている機関もあります。

●公的オンブズマン
　一部の自治体は条例等を定めて「オンブズマン」制度を定めているところもあります。日本で最初にできたのは、１９９０年に市民オンブズマン条例を制定した川崎市です。

　なお、国分寺市等にはオンブズパーソン制度があります。これは、地方行政や法律の専門家であるオンブズパーソンが、本人に変わって苦情を調査し、必要な場合は、市の機関に対して業務の内容を是正するよう勧告したり、意見表明を行います。

　なお、「行政苦情１１０番」などでは、トラブル解決のあっせんが行われています。

◆クーリング・オフ制度

■クーリング・オフ制度とは

訪問販売等において、セールスマンの言葉巧みな売り込みに乗せられて、つい商品を購入してしまい、後で購入したことを悔やむ場合があります。

こうした場合のために、頭を冷やす期間を設け、この期間はいつでも契約の解除ができる制度がクーリング・オフと呼ばれるものです。この期間は訪問販売においては、契約でクーリング・オフができることを告げられてから8日間（契約日も含む）となっています。ただし、クーリング・オフは、原則としてすべての商品・役務が対象となりますが、対象とならない商品や役務もあり、また、3000円未満の現金取引はクーリング・オフの適用はありません。

なお、通信販売には、クーリング・オフの適用はありませんが、返品特約に関する表示（記載）がない場合には購入者が商品等を受け取った日から8日以内は契約の撤回（解除）ができます。

■クーリング・オフの活用

購入したことを悔いた場合には、まず、クーリング・オフにより契約を解除してください。契約は無条件に解除することができ、支払った代金は戻ります。また、違約金などの支払いは不要です。

クーリング・オフ期間が過ぎている場合には、民法や消費者契約法などに照らして契約が無効でないか、また、詐欺や強迫による契約で取消しができないかなどを検討してください。

悪質な業者による販売は、ほとんどの場合、無効や取消しにより契約はなかったものとなりますし、損害賠償（慰謝料）の請求ができる場合もあります。

なお、左に内容証明の例を掲げましたが、「特定記録郵便」や「簡易書留」を利用するという方法もあります。

▼内容証明によるクーリング・オフの告知文

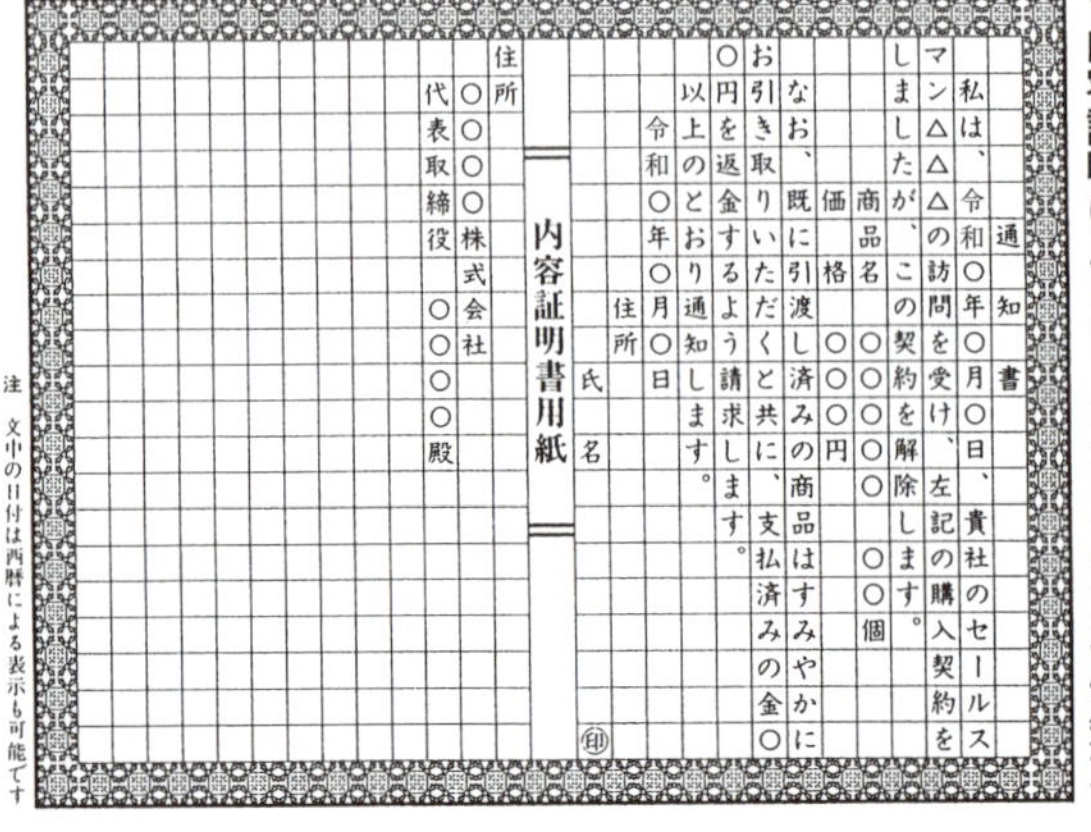

通知書

私は、令和○年○月○日、貴社のセールスマン△△△の訪問を受け、左記の購入契約をしましたが、この契約を解除します。

商品名　○○○○○　○○個

価格　○○○○円

なお、既に引渡し済みの商品はすみやかにお引き取りいただくと共に、支払済みの金○○円を返金するよう請求します。

以上のとおり通知します。

令和○年○月○日

住所

氏名　㊞

住所

○○○○株式会社

代表取締役　○○○○殿

内容証明書用紙

注　文中の日付は西暦による表示も可能です

第3部

各種の相談所&示談・調停・訴訟など紛争解決法・専門家の活用の仕方

♣紛争解決には法律知識は不可欠です。独りよがりや間違った知識は、かえって紛争を激化させます。こうした場合、的確な相談所を利用することで、紛争の予防や紛争解決がぐっと近くなります。

また、最近ではＡＤＲ（裁判外紛争解決手続）機関も多く誕生し、ＡＤＲ機関を利用することにより、紛争のケースによっては、費用も安く（無料もある）、紛争解決も早くなります。ＡＤＲ機関によるあっせん・仲裁も多く行われています。

【内容】相談所の紹介／示談・調停・訴訟などの紛争解決法／弁護士・司法書士などの専門家の活用法

第1章 相談・あっせん・仲裁などの各種機関と専門家

●トラブルと法律相談の必要性

トラブルが生じた場合、まず、何が問題の本質なのかを検討しなければなりません。そのためには、自分にどういう権利・義務があり、また、相手方にどういう権利・義務があるかを把握しなければなりません。

しかし、権利や義務は法律上の問題であり、素人ではなかなか調べることが難しい場合もあります。法律相談所の専門家に相談することによって、そうした知識を容易に得ることができます。

法律相談所は大別すると、①弁護士会が行うもの、②国や都道府県などの自治体が行うもの、③その他の機関が行うもの、があります。いずれも、弁護士などの専門家が相談にあたりますが、相談だけでなく、あっせん・仲裁を行っている機関もあります。

●多様化する紛争解決法

近時、民事紛争は増加の一途をたどっています（17ページ参照）。トラブル解決の代表例は訴訟ですが、解決例の多くは示談によっています。

訴訟のメリットは判決に基づく強制執行ができる点です。しかし、相手に資力がない場合には、執行も空振りに終わります。一方、デメリットは、訴訟には時間や費用（弁護士費用含む）がかかることです。訴訟の迅速化の改革がなされていますが、現代のスピード化した時代感覚で言えば遅いと言わざるをえません。

●裁判外紛争解決のすすめ

最近では費用が安くて早い、裁判外紛争解決手続（ＡＤＲ）機関を利用してのトラブル解決が注目されています。あっせん・仲裁により、迅速な解決が図られています。

裁判外紛争解決手続は、各種の機関が運営しており、多種多様ですが、現在、多くの人が活用しています。

ただし、仲裁の裁定がなされますと、原則として、その仲裁裁定に従わなければならず、裁判の判決と同様の効果を持つことになります。また、原則として、訴訟をすることもできなくなりますので注意が必要です。

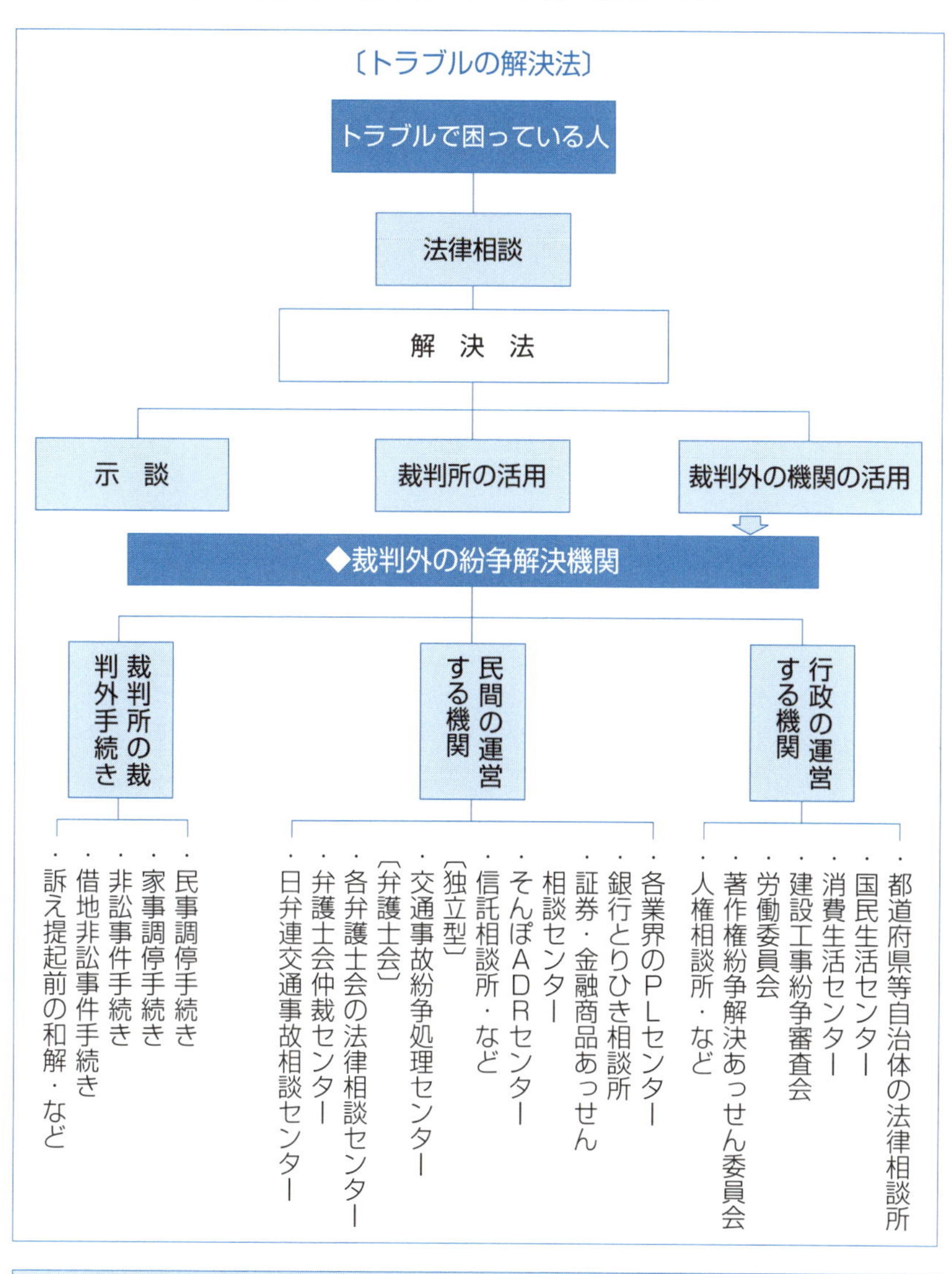

●総合法律支援法

平成16年の通常国会で「総合法律支援法」が成立しました。

この法律は、国民が裁判その他の法による紛争の解決のための制度の利用をより容易にするとともに弁護士等のサービスをより身近に受けられるよう総合的な支援をしようというものです。

具体的には「日本司法支援センター（通称＝法テラス）」が設立され、相談の受付け、司法過疎対策、民事法律扶助、公的刑事弁護、犯罪被害者支援の事業が行われています。

法テラス（日本司法支援センター）の相談

ポイント

法テラスはトラブルが起きて、どこに相談したらよいかわからないときなどの、最も初歩的で身近な相談機関です。また、弁護士費用などの立替え援助も行なっています。

法テラスとは

平成16年に成立した「総合法律支援法」は、全国どこでも法による紛争解決に必要な情報やサービスの提供が受けられる社会を目指して、制定された法律です。この法律により、日本司法支援センター（通称「法テラス」、以下同じ）が設立されました。

法テラスは独立行政法人で、平成18年10月2日より業務が開始され、すでに多くの人が利用しています。

法テラスの業務の概要

① 情報の提供

紛争の解決に役立つ法制度の紹介がなされます。また、法律サービスを提供する関係機関等の情報を集約して、無料で提供されています。

なお、情報提供業務では、個々のトラブルの内容についての法律判断がなされることはなく、解決方法や相談先の情報が提供されるだけです。

② 民事法律扶助

民事法律扶助は、従来、㈶法律扶助協会が行ってきた業務を法テラスが引き継ぐ形で行われています。

(1) 法律相談援助

資力の乏しく法律相談が必要な人に対して、弁護士・特定司法書士による無料法律相談。下記の援助を希望する場合にも、法律相談が必要です。

(2) 代理援助

メモ 裁判をする費用がないなどの場合は、民事法律扶助（本文参照）がうけられますので、相談してください。

裁判や調停、交渉などで専門家の代理が必要な場合に、弁護士・認定司法書士を紹介し、その費用の立替えが行われます。ただし、援助を受けるためには、審査があります。

⑶　書類作成援助　自分で裁判を起こす場合に、裁判所に提出する書類の作成を行う弁護士・司法書士を紹介し、その費用の立替え。援助を受けるための要件は、⑵の代理援助の場合と同様です。

なお、⑵⑶の援助は、あくまで立替えですので、契約に従って返済していくことになります。

③　その他の業務

その他の業務としては、⑴犯罪被害者の支援、⑵国選弁護士確保等業務、があります。

悩まずに、まずは「法テラス」に電話を

法テラスでは、コールセンターを設けて、全国からの問い合わせに応じています。ここでは、紛争解決手続きや解決機関の紹介などの業務が行われています。ただし、紛争について、法律的にどうなるかなどの、法律相談に応じるものではありませんので注意してください。電話をすれば、解決の糸口は確実に得ることができます。

また、民事法律扶助を受けたい場合も、まず、相談してください。

●裁判所のインターネットによる情報提供

裁判所はインターネットによる情報の提供を行っています。

情報の提供は幅広く、裁判に関する情報（最近では裁判員制度など）や最近の判例、裁判手続き、各地の裁判所の所在地などの情報が掲載されています。

訴訟の提起や調停等の管轄裁判所も分かりますし、手続きの仕方や申立書などの書式も掲載されています。

〔法テラス連絡先〕

本部	☎0503383-5333
（コールセンター）	☎0570-078374
札幌	☎0570-078388
宮城	☎0570-078369
福島	☎0570-078370
山形	☎0570-078381
岩手	☎0570-078382
秋田	☎0570-078386
青森	☎0570-078387
東京	☎0570-078301
神奈川	☎0570-078308
埼玉	☎0570-078312
千葉	☎0570-078315
茨城	☎0570-078317
栃木	☎0570-078318
群馬	☎0570-078320
静岡	☎0570-078321
山梨	☎0570-078326
長野	☎0570-078327
新潟	☎0570-078328
愛知	☎0570-078341
三重	☎0570-078344
岐阜	☎0570-078345
福井	☎0570-078348
石川	☎0570-078349
富山	☎0570-078351
大阪	☎0570-078329
京都	☎0570-078332
兵庫	☎0570-078334
奈良	☎0570-078338
滋賀	☎0570-078339
和歌山	☎0570-078340
広島	☎0570-078352
山口	☎0570-078353
岡山	☎0570-078354
鳥取	☎0570-078357
島根	☎0570-078358
香川	☎0570-078393
徳島	☎0570-078394
高知	☎0570-078395
愛媛	☎0570-078396
福岡	☎0570-078359
佐賀	☎0570-078361
長崎	☎0570-078362
大分	☎0570-078363
熊本	☎0570-078365
鹿児島	☎0570-078366
宮崎	☎0570-078367
沖縄	☎0570-078368

（主なもののみ）

❷ 弁護士会の法律相談センター

ポイント
トラブルが拡大する前に早めに相談しましょう。また、紛争予防のためにも相談所を活用してください。

◇弁護士会の法律相談所

弁護士会は各都道府県に1か所以上（複数は東京と北海道）あり（次ページ参照）、法律相談センターでは、金銭トラブル、借地借家問題、相続、離婚、親子、借金、不動産売買、医療問題、労働問題、民事暴力介入事件、刑事事件など、あらゆる法律相談に応じています。トラブルは長引けば長引くほど解決が困難となる要素をはらんでいます。問題が大きくなる前に、相談するのがベストです。

相談は、各地の弁護士会所属の弁護士が当たり、通常は弁護士会館の中の一室で行われます。事前に電話等で連絡をして、決められた時間に行くようにしてください。また、相談は通常30分ですので、要領よく質問するために、紛争の要点などを整理して、質問事項はメモしておくとよいでしょう。

なお、相談は原則として有料で相談料は、

〔弁護士会の法律相談センター例〕

・法律相談センター総合受付（東京霞が関相談センターの例）
☎03-3581-1511（予約電話受付）

〔一般相談〕民事、行政、刑事問題など法律全般の相談。
相談時間 30 分・相談料金 5500 円 （消費税含む） 延長 15 分につき 2,750 円）
受付時間　月曜日から金曜日（休日除く）の午前 9 時 30 分～午後 4 時 30 分

〔電話無料相談〕都内からのみ☎0570-200-050

〔借金電話相談〕☎0570-071-316

〔民事介入暴力相談〕民事介入暴力被害者救済センター
（例：東京弁護士会・☎03-3581-3300）

〔成年後見相談〕成年後見センター
（東京三弁護士会合同・☎03-3581-9110）

メモ
相談所では相談員（弁護士など）を選ぶことはできません。いくつか相談所を回って、気に入った相談員と相談するのも方法です。

▼ひまわりお悩み110番
弁護士会では、「ひまわりお悩み110番」を開設しています。左記に電話をすると近くの弁護士会につながります。
☎0570-783-110

30分５５００円（消費税含む）です。

東京の法律相談センターの例

東京について紹介しますと、東京には、東京弁護士会、第一東京弁護士会、第二東京弁護士会の３会による法律相談窓口の法律相談センター総合受付が設けられています。

ここでは、法律相談についての適切な相談システムの案内が行われています。

また、（公財）日弁連交通事故相談センター（無料87ﾍﾟｰｼﾞ参照）、日本司法支援センター＝法テラスについては、180ﾍﾟｰｼﾞを参照してください。

〔全国の弁護士会の所在地・一覧〕

弁護士会名	所　在　地	電　話
札　幌	札幌市中央区北１条西10丁目 札幌弁護士会館	☎011(281)2428
函　館	函館市上新川町 1-3	☎0138(41)0232
旭　川	旭川市花咲町 4	☎0166(51)9527
釧　路	釧路市柏木町 4番 3 号	☎0154(41)0214
仙　台	仙台市青葉区一番町 2-9-18	☎022(223)1001
福島県	福島市山下町 4-24	☎024(534)2334
山形県	山形市七日市町 2-7-10 NANABEANS ビル 8 階	☎023(622)2234
岩　手	盛岡市大通り 1-2-1　岩手産業会館本館（サンビル）2 階	☎019(651)5095
秋　田	秋田市山王 6-2-7	☎018(862)3770
青森県	青森市長島 1-3-1 日赤ビル 5 階	☎017(777)7285
東　京	東京都千代田区霞が関 1-1-3	☎03(3581)2201
第一東京	東京都千代田区霞が関 1-1-3	☎03(3595)8585
第二東京	東京都千代田区霞が関 1-1-3	☎03(3581)2255
神奈川	横浜市中区日本大通り 9	☎045(211)7707
埼　玉	さいたま市浦和区高砂 4-7-20	☎048(863)5255
千葉県	千葉市中央区中央 4-13-9	☎043(227)8431
茨城県	水戸市大町 2-2-75	☎029(221)3501
栃木県	宇都宮市明保野町 1 番 6 号	☎028(689)9000
群　馬	前橋市大手町 3-6-6	☎027(233)4804
静岡県	静岡市葵区追手町 10-80	☎054(252)0008
山梨県	甲府市中央 1-8-7	☎055(235)7202
長野県	長野市妻科 432	☎026(232)2104
新潟県	新潟市中央区学校町通一番町 1	☎025(222)5533
愛知県	名古屋市中区三の丸 1-4-2	☎052(203)1651
三　重	津市中央 3-23	☎059(228)2232
岐阜県	岐阜市端詰町 22	☎058(265)0020
福　井	福井市宝永 4-3-1 サクラＮビル 7 階	☎0776(23)5255
金　沢	金沢市丸の内 7 番 36 号	☎076(221)0242
富山県	富山市長柄町 3-4-1	☎076(421)4811
大　阪	大阪市北区西天満 1-12-5	☎06(6364)0251
京　都	京都市中京区富小路通丸太町下ル	☎075(231)2378
兵庫県	神戸市中央区橘通 1-4-3	☎078(341)7061
奈　良	奈良市中筋町 22 番地の 1	☎0742(22)2035
滋　賀	大津市梅林 1-3-3	☎077(522)2013
和歌山	和歌山市四番丁 5 番地	☎073(422)4580
広　島	広島市中区上八丁堀 2-73	☎082(228)0230
山口県	山口市黄金町 2-15	☎083(922)0087
岡　山	岡山市北区南方 1-8-29	☎086(223)4401
鳥取県	鳥取市東町 2-221	☎0857(22)3912
島根県	松江市母衣町 55-4 松江商工会議所ビル 7 階	☎0852(21)3225
香川県	高松市丸の内 2-22	☎087(822)3693
徳　島	徳島市新蔵町 1-31	☎088(652)5768
高　知	高知市越前町 1-5-7	☎088(872)0324
愛　媛	松山市三番町 4-8-8	☎089(941)6279
福岡県	福岡市中央区城内 1-1	☎092(741)6416
佐賀県	佐賀市中の小路 7-19	☎0952(24)3411
長崎県	長崎市栄町 1-25 長崎 MS ビル 4 階	☎095(824)3903
大分県	大分市中島西 1-3-14	☎097(536)1458
熊本県	熊本市中央区京町 1-13-11	☎096(325)0913
鹿児島県	鹿児島市易居町 2-3	☎099(226)3765
宮崎県	宮崎市旭 1-8-28	☎0985(22)2466
沖　縄	那覇市松尾 2-2-26-6	☎098(865)3737

❸ 弁護士会の紛争解決センター

弁護士会に紛争解決センターがある

紛争解決センターは一部の弁護士会が運営しており、民事事件の全般について、申立てによりトラブルの和解・仲裁の判断を行います。

紛争解決センターの紛争処理の内容

手続きの流れの概略は、法律相談（直接申立てもできる）→紛争解決センターでの受付→和解の成立・仲裁の合意となります。和解（当事者双方の合意）で解決する場合には、和解契約書が作成されます。

また仲裁は、仲裁人（弁護士）の判断にしたがって紛争を解決してよいという双方の合意ができた場合に（合意ができない場合は不成立で他の方法を考えることになる）、仲裁

ポイント

仲裁法により、仲裁に合意して、仲裁採決がなされると、原則その判断に従わなければなりません。

メモ

仲裁は比較的安く短時間に解決する方法ですが、仲裁判断に対して不服申立ができないので、注意が必要です。

〔紛争解決センターの手続きの流れ〕

紛争当事者
→ 法律相談 / 直接申立て
→ 仲裁センターで受付
→ 仲裁のための期日（出席）
→ 仲裁合意 → 仲裁判断
→ 和解成立 → 和解契約書
→ 和解不成立 → 弁護士あっせん

成立手数料（早見表抜粋・消費税込み）
（東京弁護士会紛争解決センターの例）

解決額が	
10万円	8,800円
20万円	17,600円
30万円	26,400円
50万円	44,000円
500万円	330,000円
1,000万円	495,000円
1,500万円	660,000円
3,000万円	990,000円

※当事者の負担割合は、当事者の話合い、あっせん人、仲裁人の決定で定まる。

人が仲裁判断を下します。

この仲裁判断は確定判決と同じ効力があり、仲裁判断書で強制執行もできます（執行判決が必要）。ただし、仲裁判断ではこの判断の内容が不服でも、不服申立てができませんので注意が必要です。通常、3回程度の期日で解決がなされるよう努力がなされますので、早期解決が可能です。

手数料は東京弁護士会の紛争解決センターを例にとれば、申立時に1万1000円、仲裁の日に期日手数料として5500円、成立手数料を解決額に応じて、当事者双方が支払います（前ページ表参照）。弁護士に依頼して訴訟をする場合に比べると割安になっています。

〔紛争解決（仲裁）センター・抜粋〕

仲裁センター名	電話番号
札幌弁護士会紛争解決センター	☎011-251-7730
仙台弁護士会紛争解決支援センター	☎022-223-1005
山形県弁護士会示談あっせんセンター	☎023-635-3648
福島県弁護士会示談あっせんセンター	☎024-534-2334
東京弁護士会紛争解決センター	☎03-3581-0031
東京弁護士会法律相談センター・電話無料相談	☎050-200-050
第一東京弁護士会仲裁センター	☎03-3595-8588
第二東京弁護士会仲裁センター	☎03-3581-2249
神奈川県弁護士会紛争解決センター	☎045-211-7716
埼玉弁護士会示談あっせん・仲裁センター	☎048-710-5666
群馬弁護士会紛争解決センター	☎027-234-9321
静岡県弁護士会あっせん仲裁センター	☎054-252-0008
富山県弁護士会紛争解決センター	☎076-421-4811
愛知県弁護士会紛争解決センター	☎052-203-1777
金沢弁護士会紛争解決センター	☎076-221-0242
公益社団法人民間総合調停センター（大阪）	☎06-6364-7644
京都弁護士会紛争解決センター	☎075-231-2378
兵庫弁護士紛争解決センター	☎078-341-8227
奈良弁護士会仲裁センター	☎0742-22-2035
滋賀弁護士会和解あっせんセンター	☎077-522-3238
和歌山弁護士会紛争解決センター	☎073-422-4580
広島弁護士会仲裁センター	☎082-228-0230
山口県弁護士会仲裁センター	☎0570-064-490
岡山弁護士会岡山仲裁センター	☎086-223-4401
愛媛弁護士会紛争解決センター	☎089-941-6279
福岡県弁護士会紛争解決センター（天神）	☎092-741-3208
熊本県弁護士会紛争解決センター	☎096-325-0913
鹿児島県弁護士会紛争解決センター	☎099-226-3765
沖縄弁護士会紛争解決センター	☎098-865-3737

※住所は「全国の弁護士会の所在地・一覧」（183ページ）参照。

●仲裁法の制定

仲裁法が制定され、平成16年1月1日から施行されています。

この仲裁法は、仲裁の手続きを定めたもので、この手続きによりなされた裁定は、原則として、判決と同様の効力を有するというものです。

なお、銀行とりひき相談所では、紛争について弁護士会の仲裁センターに申立を勧められるケースもあるようですが、訴訟等の裁判所を通して争うか、仲裁を活用するかは、十分検討してください。

❹ 行政が行っている法律相談所

ポイント

公的機関の相談では、時間の制約もあり、短時間の相談となります。要領よい相談が必要です。

国の法律相談所

国（行政）、例えば法務省が法律相談に応じてくれることはありません。各省庁は法案を作り、国会に上程したり、また、省令や通達を出したりして、法律と深く関わっています。こうしたことから、法律の内容について担当部局に問い合わせれば教えてくれます。

また、行政が直接あるいは間接的に運営する機関は結構あります。直接行っているものとしては**行政苦情110番**（後述）、**経済産業省消費者相談室**、**労働基準監督署**（総合労働相談コーナー）の解雇・労働条件をめぐる紛争に関する相手方への助言や指導、消費者ホットライン（消費者庁）などがあります。

さらに、間接的に運営しているものとしては、前にも触れましたが、**国民生活センター**、**労働委員会**、**建設工事紛争審査会**、**公害紛争調整委員会**、**人権相談所**、**著作権紛争解決あっせん委員会**などもあります（後述）。

国は許認可事業であれば、許認可した企業の監督権もあり、例えば消費者金融であれば、監督官庁は金融庁（各地の財務局）あるいは都道府県ですので、ここに苦情を申し立てることによって、該当する業者に対して改善の指導が行われたり、業務の停止・免許の取消しなどの処分がなされることになります。

苦情を申し立てることにより、トラブルの解決につながることも多くありますので、相談してみることです。

メモ 相談は無料なので、積極的に活用するとよいでしょう。

〔行政苦情110番〕 ☎０５７０－０９０１１０

行政苦情110番は総務省が行っており、国のしごと（独立行政法人・特殊法人含む）や許可法人の仕事、国の責任業務などについて、苦情や意見を受け付けています。ただし、助言やアドバイスはなされますが、あっせん・調停・仲裁はありません。

地方自治体の法律相談所

各都道府県や市区町村役場では、法律相談を市民のサービスの一環として無料で行っているところがあります。ただし、通常、トラブル解決のための示談のあっせんや仲裁をしてくれるものではありません。

トラブルが起きた場合、まず、こうした自治体の相談機関を利用して、法律的にはどこが問題でどういう解決法があるかなどの知識を得るとよいでしょう。

〔東京都の法律相談〕

東京都の相談は、「くらしの相談（都民の声相談窓口）」として行われています。相談項目は、都政一般相談、外国人相談、架空請求に関する相談・助言、消費生活相談、高齢者消費者被害相談、女性相談、貸金被害者相談などとなっています。交通事故相談は別途設けられていて、弁護士等が相談にあたり、希望があれば、示談のあっせんも行います。

また、具体的な法律相談は、市区役所で行なわれています。

なお、都道府県が運営する消費生活センター、労政事務所（名称は各自治体で異なる）などもあります。

〔東京都の法律相談〕

- 都民の声相談窓口（都政一般相談）
  相談日　月曜日～金曜日（祝日除く）
  午前9時～午後5時
  電話受付　☎03-5320-7725
- 交通事故相談
  相談日　月曜日～金曜日（祝日除く）
  午前9時～午後5時
  相談電話　☎03-5320-7733

※この他にも、労働トラブル（労政事務所）、消費者トラブル（消費生活総合センター）などの相談があります。
※各都道府県や市区町村の法律相談所については、最寄りの市区町村役場で確認してください。

●公的機関の相談所

国や自治体の法律相談所は、行政サービスの一環として、弁護士に嘱託して行われている場合がほとんどです。

したがって、相談時間も限られ、また、そのために回答も一般的なものが多く、個別の問題に突っ込んで相談することは難しいようです。また、弁護士でも難しいケースとなれば、即座に判断することはできない場合もあります。

後日、相談所で相談を受けた気に入った弁護士に相談するのもよいでしょう。

民間企業やボランティア団体による相談所

民間企業の相談窓口

民間の企業では、その企業が消費者相談室（**苦情相談窓口**）を置いている場合がありま す。トラブルの相手が企業の場合、苦情申立てによって、企業が対応して早期に解決する場合があります。

しかし、企業側がトラブル解決に応じるとは限りません。こうした場合、その職種の業界団体が、業務に関する苦情・トラブル解決の機関を設けている場合がありますので、ここに相談するのも一つの方法です。

業界団体には、**銀行とりひき相談所**、**そんぽADRセンター**、**信託相談所**などがあり、また、製造物責任法（PL法）の誕生によって、各業界の**PLセンター**が多く誕生していますが、PLセンターについては別項（88ページ）で解説しています。

こうした業界の相談機関は、企業側に判断が偏りがちと思われそうですが、業界の健全な発展のため、あるいは法律に基づいて設立されたものが多く、公正な判断がなされる場合がほとんどです。

例えば、（**公財）交通事故紛争処理センター**の運営資金の多くは損害保険会社が出資していますが、（公財）交通事故紛争処理センターの裁定に対しては、損害保険会社はその裁定を尊重する（従う）ことになっています。

民間機関のトラブルに対する対処法は、説明をするだけのものから助言、相談、和解のあっせん・調停、仲裁をするものまでさまざ

ポイント

民間にも、法律相談をするところは多くあります。ただし、その組織がどういうものかは、事前に調べてください。

なお、ADR法が創設され、民間機関が認証を受けることにより、報酬を得て和解の仲介業務ができるようになっています（253ページ参照）。

メモ

訴訟などを起こす場合には、専門家である弁護士（司法書士）に相談されることを勧めます。

までです。話し合いによる解決が図られるよう助力してくれます。

話し合いによる解決の見込みが立たない場合、弁護士会の紛争解決センターの利用が可能です。銀行とりひき相談所では、仲裁センターでの解決を勧めています。

ボランティア団体とNPO法人

法律相談所には、単なるボランティア団体のような存在もあります。

例えば、「○○**被害者の会**」といったものです。多重債務（借金）の問題で、自己破産者が急増しはじめたころ、自己破産した人自らが破産の方法などの相談に応じた「サラ金被害者の会」、その他に「犯罪被害者の会」などがあります。

こうした団体での相談は、お互いが理解しあえて、問題解決にも熱心です。また、通常は相談費用もかかりません。ただし、トラブルに付け込んだ示談屋的な存在には、十分、気を付けてください。なお、料金を取って相談を受けると、弁護士法違反で処罰されることになります。

「**NPO法人**」は知らない人もいるかと思いますが、これは特定非営利活動法人のことです。

この「NPO法人」の一つに「SOS総合相談グループ」というのがあります。この組織は、公認会計士、税理士、司法書士などの専門家からなる集団で、相談員が立ち合い当事者から話を聞いたり、相手方との交渉もしてくれます。ただし、1回目30分以内の相談は無料ですが、それを超えると会員以外の場合は有料になります。業務の内容は、トラブル解決のための相談、助言・アドバイス、他の機関への紹介などです。

（NPO法人SOS総合相談グループ連絡先
☎03－3291－4120）

（注：本書で紹介している相談機関と連携しているものではありません）

●お客様相談室

販売会社や製造会社には、「お客様相談室」などと言う、苦情相談の窓口があるところがあります。

まず、トラブルが生じた場合、こうした相談室を利用するのもよいでしょう。ここで問題が解決すれば、早くていちばんよいのですが、問題がないわけではありません。後日、そのことで再び問題があった場合、示談が成立していることで、請求を断られる可能性があります。示談は、原則として、やり直しはできないのです。

こうしたことがないように、示談をする場合も、一度は、示談前に法律相談を受けるとよいでしょう。

第2章 いろんな解決法を知っておこう

●ケース・バイ・ケースで解決法を…

トラブルの類型にもさまざまなものがあるように、法的な解決手段も、さまざまな方法が用意されています。

法的手段を段階的に述べると以下のようになります。

①**示談による解決**――当事者双方が話し合い、合意して解決することです。各種の相談所や示談あっせん機関（178ページ以下参照）を活用されるのもよいでしょう。

②**訴え提起前の和解による解決**――訴訟を起こす前に裁判所を通して和解することです。

③**調停による解決**――裁判所が中に入って双方の意見を聞き、調停案が提示されるというもので、これには民事調停と家事調停があります。

④**訴訟による解決**――訴訟による解決はトラブルを解決する最終手段だと思ってください。

⑤この他にも、紛争予防・解決に付随する手段として、**公正証書の作成**、**内容証明郵便**、**仮登記**、**供託**、**強制執行**、また、借地に適用される**借地非訟事件手続き**などがあります。

●時効には気を付けよう

時効には取得時効と消滅時効があります。取得時効は一定期間が経過することにより権利を取得するもので、消滅時効は一定の期間の経過に伴い権利が消滅するものです。紛争が長引いている場合には、債権者は時効の進行を止める手続きをとる必要があります。一方、時効期間が経過している場合には、債務者は時効を援用する旨を伝えることで、その債務から解放されます。

◆時効期間

債権者が権利を行使できることを知った時から5年、権利を行使できる時から10年。

※令和2年4月より改正民法が適用

（参考・旧法）

原則　民事債権10年

特則　1年　宿泊料・飲食料・立替金など

2年　生産者・卸売り商人・小売商人が売却した産物・商品の代価

3年　医師代・技師等の工事代金

〔各種のトラブルと解決方法〕　※刑事事件・少年事件除く

①　示談（当事者の話し合い）による解決

・示談書の作成（執行認諾約款のある公正証書にしておくと、金銭に関するものは訴訟なしに強制執行ができる）
・訴え提起前の和解（即決和解）による解決もある

②　調停・審判による解決

・民事調停・家事調停・家事審判がある
・調停調書や審判の決定（確定）は判決と同様の効果がある

③　訴訟による解決

・少額訴訟（訴訟価額が60万円以下）という方法もある
・判決の内容を履行しない場合には、強制執行ができる

※裁判所の決定を得る破産関連の手続きなどもある。

〔訴訟関連手続き〕①仮処分・仮差押えなどの保全処分
②強制執行（差押え・競売・配当）・仮執行
③公正証書・内容証明郵便など
④支払督促（金銭の支払いの場合）
⑤借地非訟事件手続き（借地権の譲渡など）

〔トラブル解決での注意点〕　法的手段による解決では、申立方法など、どうしても一定の知識が必要です。法律に照らし、自分の主張が妥当なものなのか、また、自分の主張を通すには、どうすればよいのか、など技術的な側面もあります。

本人が手続きを行う場合、相談などで専門家から知識を得ることが重要です。訴訟の目的物の価額が高額な訴訟の場合には、やはり、弁護士に依頼するほうがよいでしょう。

また、申立手続きなどで分からない場合には、裁判所で聞くとよいでしょう。

示談による解決法

◆トラブルは話し合いで解決できれば、最も望ましいことです。ただし、素人同士の話し合いでは後日、再びトラブルとなることもあります。

示談とは何か

示談という用語は、法律の条文にはありません。民法の定める和解契約（695条）の一種とされています。和解は紛争の当事者が話し合いにより、裁判所等の関与なしに紛争を解決する手段です。話し合いがまとまると、通常、示談書が作成されます。示談のメリットは、①訴訟手数料などの費用がかからない、②相手とのしこりが比較的残らない、③解決までの時間が比較的短時間で済む、などです。

示談交渉はどうするか

示談の交渉をする場合に、一方的に自分の主張ばかりでは問題は解決しません。訴訟では、請求の趣旨（どういう解決を望むのか）、および請求の原因（請求の理由）を訴状に記載させ、証拠書類などを検討して裁判所が判断します。示談でもこうした訴訟に準じた考え方をし、紛争の実情を明らかにすることにより、客観的に紛争が見えてきます。

「紛争の実情」とは、何についての示談かを限定することです。どの問題について解決するのかが明確でないと、示談の対象が不明確になります。別事件まで解決したことになっては困ります。

示談が成立した場合の効力

示談は、後になってその内容を変更することは原則としてできません。示談が成立すれば、示談の内容に従って双方が権利や義務を有することになり、約束を義務者が履行しない場合には、その示談書を証拠として訴訟を

ポイント

示談は、紛争当事者がトラブルについて話し合い、合意して解決する方法です。紛争の多くは、この示談で解決しています。

メモ

裁判やその他の方法での紛争の解決を容易にし、国民が弁護士等のサービスをより身近に受けられるよう「総合法律支援法」が制定されています。

具体的には、日本法律支援センター（法テラス）が設置され、相談窓口等の紹介、民事法律扶助・国選弁護の態勢整備、司法過疎対策、犯罪被害者支援、関係機関等の確保・強化などの業務が行われています（180ページ参照）。

起こし、勝訴判決を得て強制執行ができます。

示談書は公正証書にしておけば有利です。訴訟では有力な証拠となります。

示談では時効に気をつける

示談交渉中でも時効の進行はストップしないので、示談交渉が長引く場合には、時効が完成するのを防ぐ手立てを講じなければなりません。ただし、協議中に時効完成を猶予する制度が、改正民法で導入されました（151条）。

時効の中断に関しては、民法改正により大幅な変更がありました。以下に注意点を述べておきます。

①「時効の中断・停止」が「時効の更新・完成猶予」と改称された

②確定判決（と同じ効力を有するもの）と承認以外は、完成猶予に過ぎなくなった

③時効の制度が従前とは大きく変わったので、必ず今のルールがどうなっているか、確認しておく

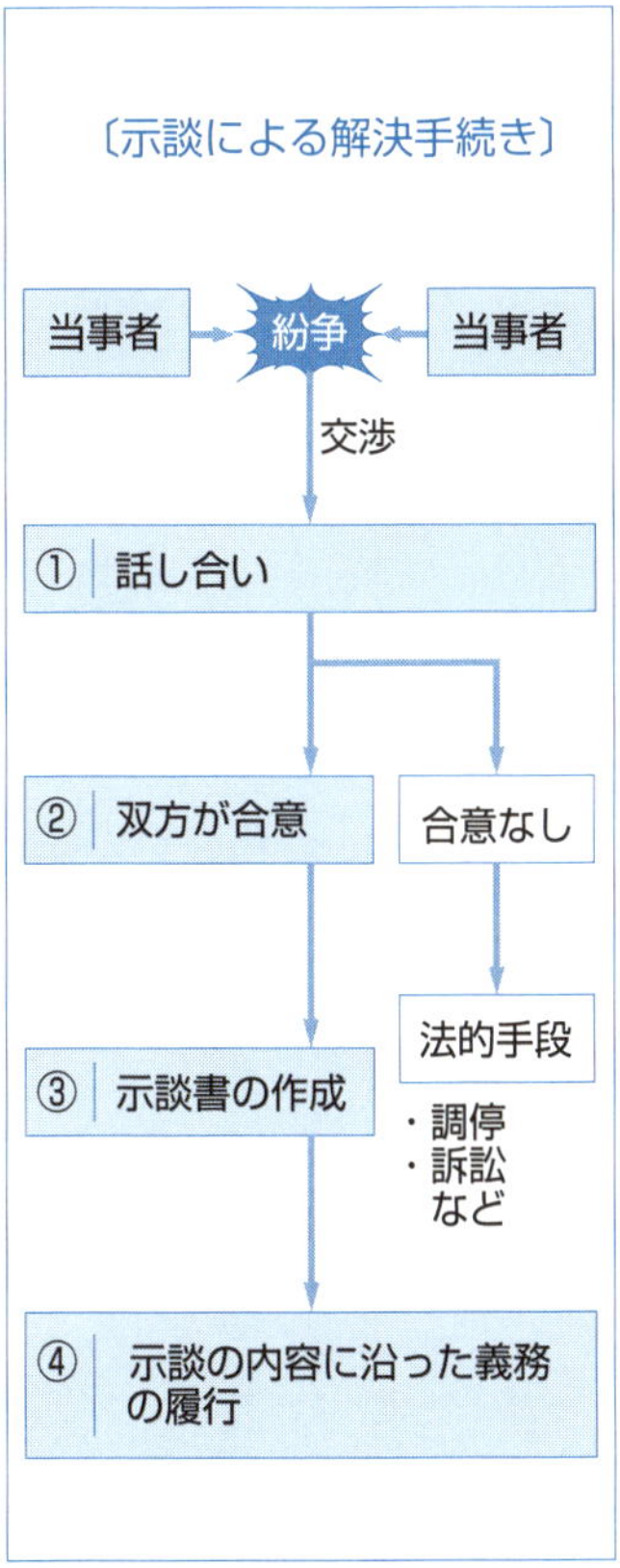

〔示談による解決手続き〕

当事者 → 紛争 ← 当事者

交渉

① 話し合い

② 双方が合意 ／ 合意なし

合意なし → 法的手段
・調停
・訴訟
など

③ 示談書の作成

④ 示談の内容に沿った義務の履行

▶示談書　（売買に関する紛争の場合）

示　談　書

都道府県市区町村番地
（甲）売主　甲野　太郎
都道府県市区町村番地
（乙）買主　乙野　二郎

甲と乙の間で、後記機械の売買について次のように示談が成立した。

1　甲は乙の主張する仕様書所定の機能の一部の欠陥を認め、売買代金の5%を減額すると共に、乙の要した修理代金の半分を負担する。
2　乙は代金総額から前項の金額を差し引いた金額を令和〇年〇月〇日までに現金で支払う。
3　甲、乙当事者間には、本件に関し、本示談書に記載した事項以外に何ら債権債務のないことを確認する。

令和〇年〇月〇日
都道府県市区町村番地
甲野　太郎　㊞
都道府県市区町村番地
乙野　二郎　㊞

ADR機関が行うあっせん・調停・仲裁

◆ADRとは、民間が行う裁判外紛争解決手続のことで、ADR法が施行され、裁判を行わず迅速な解決が期待されています。

ADR機関と業務

ADR（裁判外紛争解決手続）機関が行う業務には、トラブルに関する相談、あっせん、調停、仲裁があります。

〔あっせん〕　あっせんとは、第三者が紛争当事者の間に入って、争点を確かめ、助言をして、紛争が当事者の妥協によって解決されるよう世話をすることを言います。

あっせんにより、話し合いがつけば、通常は、示談書が作成されます。

〔調停〕　調停は、第三者の仲介によって、当事者の意見を聞いて、和解・示談が成立するように努力することとされています。また、労働関係調整法26条には、「調停委員会は、調停案を作り、これを当事者に提示して受諾するように勧告するもの」としていますが、必ずしも、実情はそうではなく、あっせんと調停の関係は明確ではありません。

調停案が受諾されれば調停は成立し、受諾されなければ、調停は不調となり、調停は終了します。

〔仲裁〕　仲裁は、当事者の双方が仲裁裁定に従うことを約束し、仲裁判断を仰ぐというもので、仲裁委員のなした裁定（判断）には、原則として当事者双方が従うことになります。したがって、仲裁裁定に不満だからということで、後日、不服の申立てをしたり、訴訟を起こすことは、原則としてできません。

ADR機関の活用

ADR（裁判外紛争解決手続）機関の活用

ポイント

ADRを活用すれば、民事手続きによらずに、迅速に紛争を解決できます。ただし、通常は有料です。

メモ

ADR法の施行により、認証制度がスタートし、法務大臣の認証を受けた民間事業者が誕生しています。

では、どのような紛争処理（解決）方法が用意されているかを確認してください。相談のみの場合もあれば、仲裁裁定を行う場合もあります。

また、（公財）交通事故紛争処理センターのように、損害賠償のあっせん案に対しては、被害者は不満であれば示談する必要はありませんが、保険会社は従うことになっています。

このようにＡＤＲ（裁判外紛争解決手続）機関と言っても、その解決法の内容はさまざまです。事前にパンフレットなどを取り寄せて検討するとよいでしょう。

また、ＡＤＲ機関は、弁護士会が運営するものから各種の業界団体が運営するものまでさまざまで、場合によっては、時間はかかっても訴訟により解決した方が気分的にすっきりする場合もあります。今日では、裁判所の審理期間も短縮される方向にあります。

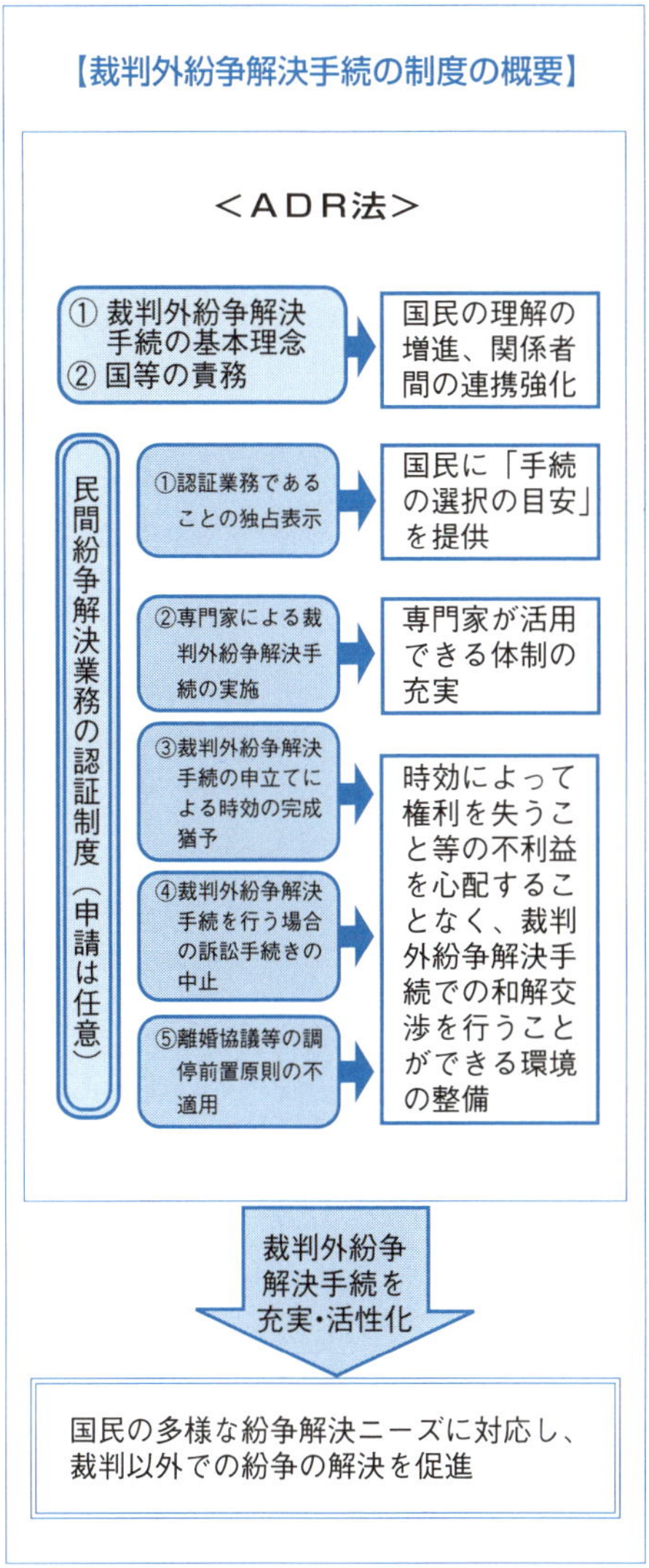

【裁判外紛争解決手続の制度の概要】

＜ＡＤＲ法＞

① 裁判外紛争解決手続の基本理念
② 国等の責務
→ 国民の理解の増進、関係者間の連携強化

民間紛争解決業務の認証制度（申請は任意）

①認証業務であることの独占表示 → 国民に「手続の選択の目安」を提供

②専門家による裁判外紛争解決手続の実施 → 専門家が活用できる体制の充実

③裁判外紛争解決手続の申立てによる時効の完成猶予
④裁判外紛争解決手続を行う場合の訴訟手続きの中止
⑤離婚協議等の調停前置原則の不適用
→ 時効によって権利を失うこと等の不利益を心配することなく、裁判外紛争解決手続での和解交渉を行うことができる環境の整備

↓ 裁判外紛争解決手続を充実・活性化

国民の多様な紛争解決ニーズに対応し、裁判以外での紛争の解決を促進

●ＡＤＲ法の施行

平成16年に交付されたＡＤＲ法（「裁判外紛争解決手続の利用の促進に関する法律」）が、平成19年4月1日に施行されました。この法律は、裁判外紛争解決手続の機能を充実することにより、紛争の当事者が解決を図るのにふさわしい手続を選択することを容易にし、国民の権利利益の適切な実現に資することを目的とするとしています。

この法律で最も重要な部分は、和解（調停あっせん）を行う民間事業者に、法務大臣が認証する制度を設けて、この業者が行う仲介業務には、時効の完成猶予、訴訟手続の中止等の特別の効果が与えられることです。

③ 訴え提起前の和解による解決法

◆示談の内容を訴え提起前の和解の申立てにより、裁判所で調書にしてもらっておくと、判決と同じ効果があり強制執行ができます。

ポイント
訴え提起前の和解は、通常、合意した内容を和解調書にするために用いられます。

訴え提起前の和解とは何か

訴え提起前の和解は、裁判外の和解あるいは即決和解とも言われます。これは財産上の争いについて、訴訟や調停によらずに、紛争当事者双方の合意による解決の見込みがある場合に、裁判所で和解をし、その内容を強制執行力を持つ和解調書にしてもらう手続きです。したがって、離婚などの身分上の紛争では活用することはできません。

なぜ、このような方法をとるのかと言えば、示談が成立しても、私製証書による示談書では、相手が示談した約束を守らなければ、結局は訴訟を起こして勝訴の判決を得てからでないと強制執行はできないからです。また、契約した内容が履行されない場合など、何らかのトラブル発生に備える場合には、金銭の支払については執行認諾文言のある公正証書により強制執行ができますが、その他の土地や家屋の明渡しなどについては強制執行をすることができません。

こうした場合、訴え提起前の和解の申立てにより和解調書が作成されると、この調書は判決と同様の効力があり、強制執行をすることができるからです。

訴え提起前の和解の手続き

紛争当事者の一方が、相手方の住所を管轄する簡易裁判所に、争いのある事柄について、請求の趣旨および原因と実情を記載して和解の申立てをします。別紙として、和解条項案を提出します。

メモ
裁判上の和解には、訴え提起前の和解の他にも、訴訟中になされる訴訟上の和解もあります。

裁判所は、和解期日を定めて当事者を呼び出し、当事者間に合意が成立すれば和解を成立させ、和解調書が作成されます。この和解調書は、確定判決と同一の効力を持ちます。

和解の申立費用は、手数料として印紙代2000円、それに郵券（裁判所によって異なる。東京簡易裁判所の場合相手方一名につき645円）が必要です。

なお、和解が成立しなかった場合には、和解手続きは終了しますが、当事者双方が出頭していて、訴訟で争うことを申し立てれば、訴えを提起したとみなして訴訟手続きに移行します。

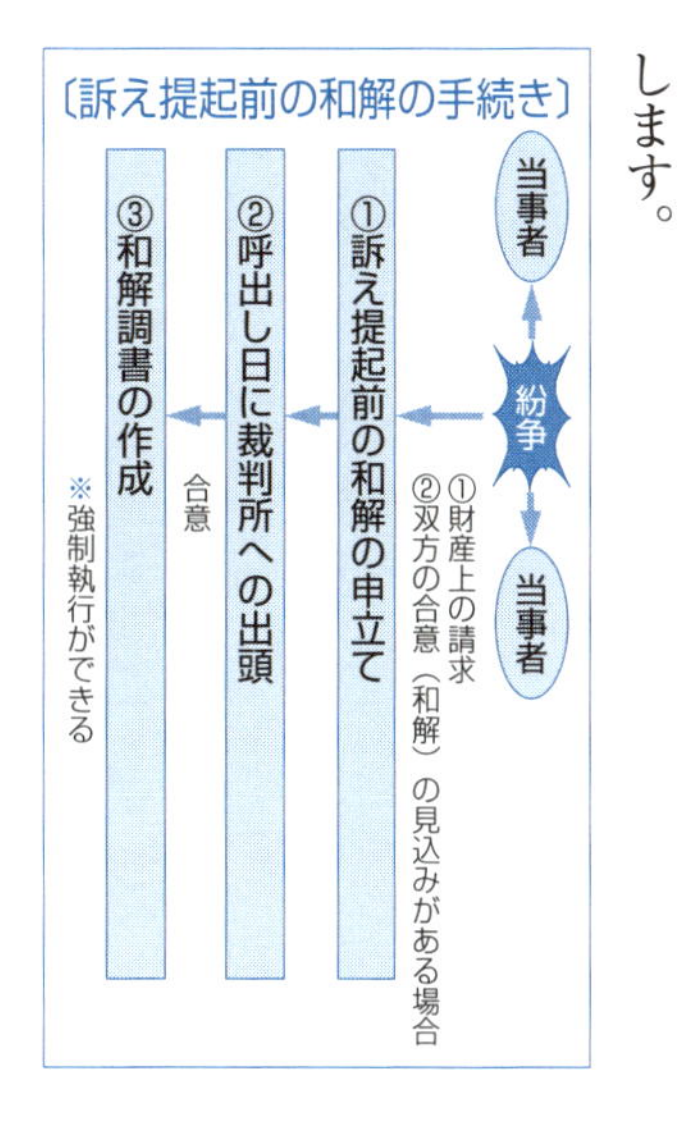

訴え提起前の和解申立書

収入印紙（2000円）

令和○○年○月○日

○○簡易裁判所御中

申立人　山　田　太　郎　㊞

貸金請求和解申立事件

〒○○○―××××　都道府県市区町村番地
申　立　人　山　田　太　郎
電話　○○－○○○○－○○○○
FAX　○○－○○○○－○○○○

〒○○○―××××　都道府県市区町村番地
相　手　方　乙　野　二　郎

請求の趣旨

別紙和解条項記載の通り和解を求める。

請求の原因及び争いの実情

1　申立人は令和○年○月○日，相手方に対し金100万円を期限同月末日限りの約束で貸し付けたが、返済を受けたことはない。
2　相手方はこれに対し，令和○年○月○日に30万円を支払ったと主張し，残債務及び支払い方法につき争いがある。
3　この度，双方の話し合いの結果，別紙和解条項記載の趣旨で和解成立の見込みがついたので本申立てに及んだ次第である。

附属書類

1　申立書副本　1通

和解条項案の内容と書き方

訴え提起前の和解申立書の請求の趣旨欄には、争いの内容（申立人の言い分と相手方の言い分）を書きますが、実務上は、「別紙和解条項記載のとおり和解を求める。」「別紙和解条項記載の趣旨により当事者双方に和解の勧告を求める。」などと記載し、和解条項案を別紙として添付する扱いとなっています。

和解条項案は、相手方および申立人の権利・義務関係を明確にし、個条書きで記載します。この和解条項案をもとに、和解調書が作成されることになります。

支払督促の申立による解決法

◆支払督促は貸金の回収などでは有効な手段です。ただし、相手方から異議の申立てがあると訴訟に移行します。

支払督促と何か

支払督促とは、貸金、立替金、賃金などの金銭および有価証券について相手方が支払わない場合に、申立人の申立てだけに基づいて、裁判所書記官が支払督促状を相手方に対して発布する略式の手続きです。

したがって、借家の明渡しとか不動産登記の請求などでは利用できません。また、書類の審査だけで発付されますので、審理のために裁判所に行く必要もありません。手数料も訴訟の場合の半額ですむ（これ以外郵便切手が必要）というメリットがあります。

ただし、相手方から異議の申立て（支払督促を受領して翌日から数えて2週間以内）があると、通常の訴訟に移行します。

ポイント

支払督促は、申立ての要件が整っていれば、相手方の主張も聞かずに一方的に発付されます。ただし、相手方が異議申立てをすれば、訴訟となります。

債務者から異議の申立てもなく支払いもない場合には、債権者はそれから30日以内に、仮執行宣言を付けてくれるよう申立てをします。仮執行宣言が付されると、直ちに強制執行（212ページ参照）をすることができることになります。この場合も、債務者は仮執行宣言付支払督促が債務者に送達され、これを受領した日の翌日から数えて2週間以内は異議申立てができます。

支払督促での注意点

債務者の主張も聞かずに支払督促が発令されるわけですから、異議を申し立てる機会の保障が欠かせません。そのため、送達が可能なことが要件で、裁判所の掲示板等に掲げて行う公示送達は許されません。

メモ

遠方の人に対して支払督促の申立てをし、異議申立てがあった場合には、その地まで裁判のために行かなければならなくなります。

申立書は簡易裁判所に用意されているところもありますので、問い合わせてください。

なお、東京と大阪の簡易裁判所ではコンピュータによる処理を利用することができ、一度に大量の申立てをする場合に適しています。このコンピュータ処理を利用するには裁判所の備付けの特別の申立用紙を使用します。

申立人あるいは相手方が会社の場合、その会社の、登記事項証明書（商業登記簿謄本）が必要です。法務局で入手してください。

支払督促の申立ての手続きはどうするか

支払督促の申立ては、相手方の住所地を管轄する簡易裁判所の書記官に対して行います。

申立ての際には、手数料（訴訟の場合の半分の額を収入印紙で納める。255ページ参照）と関係者への書類の送付のための郵便切手（東京簡易裁判所の場合120円切手および125円分の切手を貼った無地の封筒各一枚と郵便はがき1枚）が必要です。

用紙は簡易裁判所に用意されています。

〔支払督促の手続き〕

①支払督促の申立て（債権者）
相手方の住所地の簡易裁判所の書記官

↓

②裁判所から相手方への支払督促の発付

↓ 支払いがない　※2週間以内に異議の申立てがあれば訴訟へ

③裁判所へ仮執行宣言申立書の提出

↓

④仮執行宣言支払督促の発付

↓ ※2週間以内に異議の申立てがあれば訴訟へ

強制執行

支払督促申立書（※参考例）

貸金請求事件
当事者の表示　　　別紙当事者目録記載のとおり
請求の趣旨及び原因　別紙請求の趣旨及び原因記載のとおり
「債務者は、債権者に対し、請求の趣旨記載の金額を支払え」
との支払督促を求める。
□手形（小切手）訴訟による審理および裁判を求める。
　申立手続費用　金　　　　円
内　訳

申立手数料	円
督促正本送達費用	円
支払督促発布通知費用	円
申立書書記料	円
申立書提出費用	円
資格証明手数料	円

令和　　年　　月　　日
　住　　所：〒
（所在地）
　債権者氏名：
（名称及び代表者の
　資格・氏名）

（電話：　　　　　　　）
（FAX：　　　　　　　）

簡易裁判所　裁判所書記官　殿

受付印

価額		円
貼用印紙		円
郵便切手		円
葉書		枚
添付書類	□資格証明書	通
	□資格証明書	通
	□資格証明書	通

貼用印紙	円
郵便切手	円
葉書	枚

※当事者目録等省略

民事調停による解決法

◆調停は、裁判所を通して双方が譲り合い、話し合いがついた場合に成立するというものです。

ポイント

民事調停による解決は、裁判所を通しての話し合いによる解決法で、訴訟による判決よりは穏やかな解決法です。ただし、調停が不成立に終われば、訴訟などの他の手段を検討することになります。

民事調停とは何か

調停は紛争当事者が裁判所に調停の申立てをして、裁判所の仲介により話し合いで紛争を解決する手続きです。具体的には、裁判所に調停の申立てをし、調停期日に当事者が呼び出され、調停委員会（通常、裁判官1名、調停委員2名）の仲裁により話し合いが持たれ、合意が成立すれば調停調書が作成され、紛争を解決するというものです。

この調停には、民事調停と家事調停があります。民事調停では、家庭内の問題や刑事事件を除く、ほとんどの問題について、簡易裁判所に申立てをします。

民事調停の申立て

民事調停は、裁判所の仲介により話し合って紛争を解決する手続きですので、温和な解決法であり、費用も訴訟に比べて安くすむというメリットがあります。

民事調停は、簡易裁判所に申し立てます。申立書は日本工業規格A4判で、申立用紙および記載例が簡易裁判所に用意されています。

申立書には、手数料として印紙を貼ります。この手数料は調停を求める事項の価額により異なり、この価額が高くなればなるほど手数料も多くなります（次ページ参照）。この他、2600円分の郵券（東京簡裁）が必要です。

なお、「調停前の措置の申立て」をすることにより、現状の変更または目的物の処分の禁止、その他調停の内容である事項の実現を不能または著しく困難にする行為の排除を命

メモ 話し合いで解決することが困難と思われる場合、また困難な紛争については、初めから訴訟を起こした方がよいでしょう。

じてくれます。手続きは調停申立て後でなければなりません。

調停が成立すると、調停調書が作成され、確定判決と同一の効力を持ちますので、約束を守らないときには強制執行ができます。

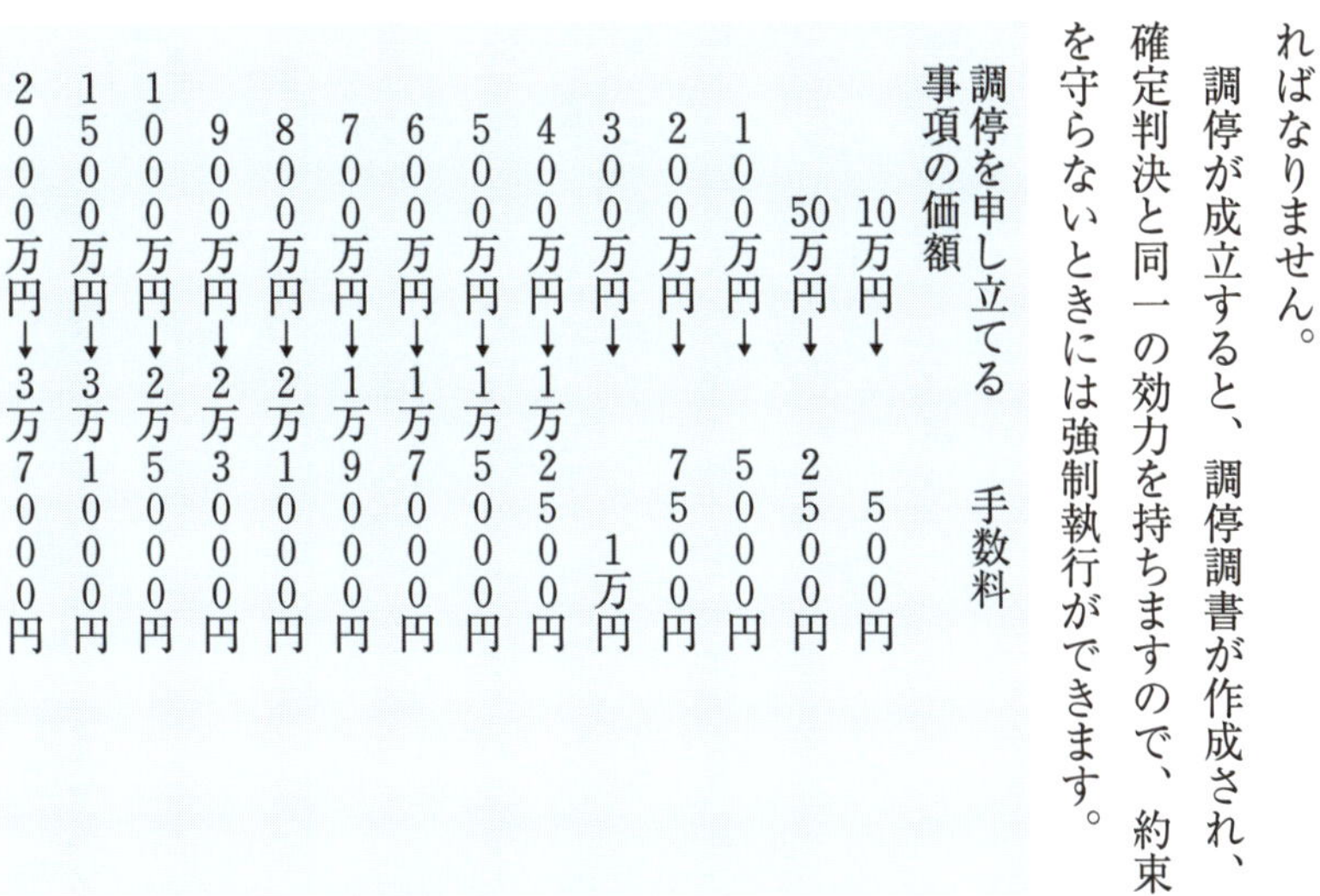

調停を申し立てる事項の価額	手数料
10万円↓	500円
50万円↓	2500円
100万円↓	5000円
200万円↓	7500円
300万円↓	1万円
400万円↓	1万2500円
500万円↓	1万5000円
600万円↓	1万7000円
700万円↓	1万9000円
800万円↓	2万1000円
900万円↓	2万3000円
1000万円↓	2万5000円
1500万円↓	3万1000円
2000万円↓	3万7000円

〔民事調停による解決手続き〕

当事者 → 紛争の発生 ← 当事者

↓ ※簡易裁判所にする

①調停の申立て

↓ ※呼出し状

②調停期日に出頭

↓

③話し合い（調停委員会）

↓ ※合　意（合意がなければ調停は不成立）

④調停調書の作成

調停調書は判決と同一の効力がある

◆民事調停の申立書　※東京簡易裁判所の書式による

調停事項の価額 ちょうよう印紙 予納郵便切手		受付印
調停申立書 ○○簡易裁判所御中		
作成年月日	令和○年○月○日	
申立人	〒　東京都○○区○○１丁目２番３号 山　田　太　郎　㊞ （電話番号　○○―○○○○―○○○○） （FAX　○○―○○○○―○○○○）	
相手方	〒　東京都△△区△△４丁目５番６号 山　野　春　男　㊞ （電話番号　△△―△△△△―△△△△） （FAX　○○―○○○○―○○○○）	
申立の趣旨	相手方は申立人に対して、100万円及びこれに対する平成○○年○月○日から支払済みまで年５分の割合による金員を支払うこと。	
紛争の要点	別紙記載のとおり	
上記のとおり調停を求めます。		
紛争の要点（下記のとおり） １　………………………… ２　………………………… ３　…………………………		添付書類 通 通

〔注〕申立書の用紙および添付書類は、事前に簡易裁判所で確認してください。

家事調停・審判による解決法

◆家庭内、身内のトラブルについては、家庭裁判所が調停あるいは審判で扱います。離婚などはいきなり訴訟を起こすことはできません（調停前置主義）。

家庭内のトラブルの解決法

家事事件は家庭裁判所が扱い、①調停だけで処理される事件（一般調停事件）、②調停でも審判でも処理できる事件、③審判だけで処理される事件（100ページ参照）があり、家事事件の内容によって、申立手続きや解決法も異なります。家庭裁判所には手続相談窓口がありますので、手続き等について相談してください。

家事調停による解決法

家事調停は家庭内の紛争について家庭裁判所を通じて話し合うものです。離婚などの人事に関するトラブル（一般調停事件）は、訴訟をしようと思っても、いきなり訴訟はできず、まず、調停が必要です（**調停前置主義**）。

調停の申立ては、原則として相手方の住所地を管轄する家庭裁判所か、当事者が合意した家庭裁判所にします。調停の申立ては、口頭あるいは書面ですることになっていますが、通常は書面でします。

申立書が受理されると、調停期日に呼出しがあります。調停期日には、調停委員会（裁判官1名、調停委員2名）による意見聴取等が行われ、仲裁が行われます。

こうして紛争の解決についての合意が行われると、調停調書が作成されます。この調停調書には、判決と同一の効力があり、強制執行（212ページ参照）をすることができます。

家事審判による解決法

調停と審判との違いは、調停が話し合いの場がもたれるのに対して、審判は話し合いの

ポイント

家事調停は、家庭裁判所の調停委員会で双方が話し合いにより問題を解決する手続きです。双方が合意して調停調書が作成されると、確定判決と同様の効力が生じます。

メモ

各家庭裁判所には、事件ごとの申立書式が用意されていて、記載の仕方についてのサンプルもあります。

また、家庭裁判所のホームページから申立書式をダウンロードすることもできます。

場はもたれず、決定という形で裁判所の審判が下されます。審判事件には、家事事件手続法の別表第１事件と別表第２事件があります（101ページ表参照）。

別表第１事件は、裁判所が判断（決定）を下します。別表第２事件は、調停でも審判の申立てでもよいのですが、家事審判官が調停がよいと判断した場合、調停に回されることがあり、調停が不成立になったときに、審判手続きに移り、審判がなされます。審判が確定すると判決と同一の効力があります。

申立手数料は、別表第１事件８００円、別表第２事件・一般調停事件は１２００円（101ページ参照）。この他に連絡用の郵券が必要です。

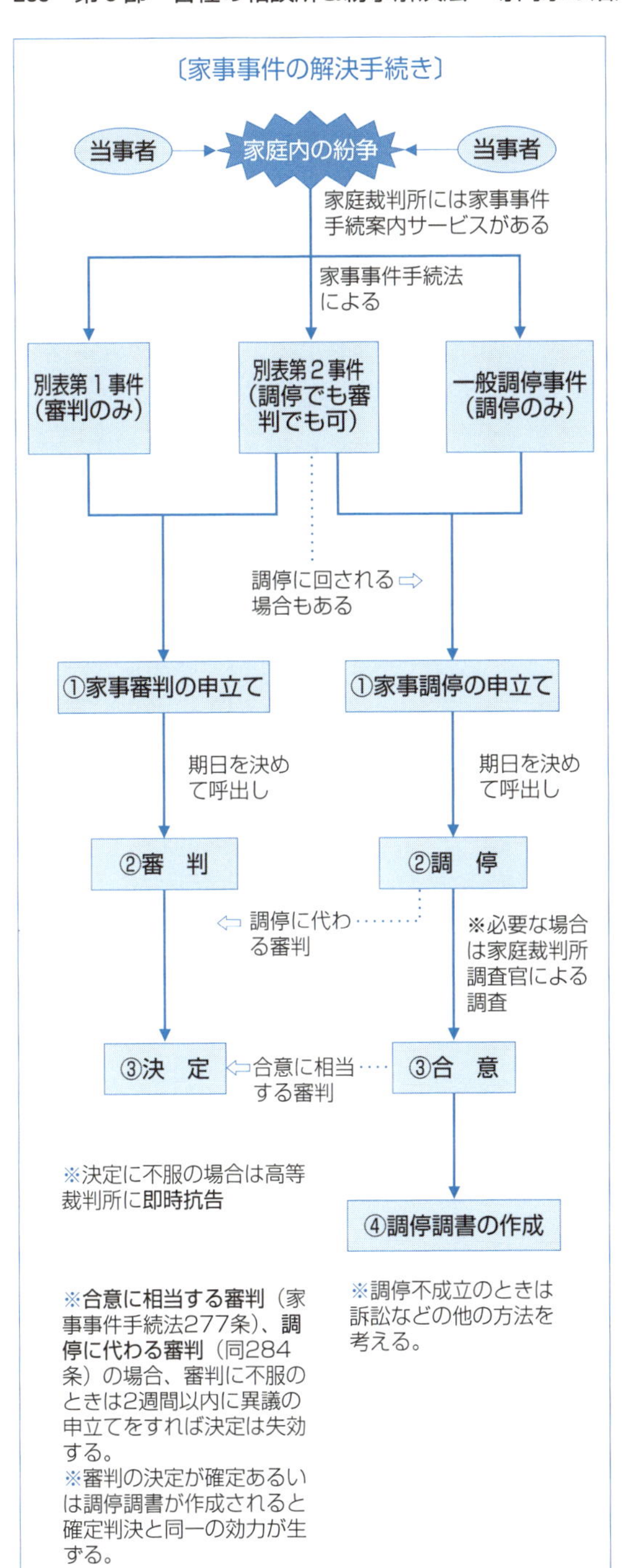

労働審判による解決法

◆労働者と事業主とのトラブル（解雇や賃金トラブルなど）を解決するための手続きとして、労働審判法が誕生しました。

ポイント

労働審判は、簡単に言えば、当事者が話合い、合意ができなければ、審判を下すという、簡易・迅速な手続なのです。

労働審判とは何か

労働審判は、個別労働関係の民事紛争を解決する手続です。したがって、労働者と事業主（会社など）との紛争を扱い、労働組合との紛争を扱うものではありません。

労働審判法は、こうした個別労働紛争に対して、裁判官と労働関係に関する専門的な知識を有する者が、事件を審理し、調停の見込みがある場合にはこれを試み、解決に至らない場合には解決をするための解決案（労働審判）を定める手続について定めた法律です（労働審判法は平成18年4月1日より施行）。

労働審判の手続の概略

労働審判の管轄は地方裁判所で、労働審判手続は、労働審判官１人（裁判官）と労働審判員２人（労働関係に専門的な知識を有する者）で構成された労働審判委員会が行います。

労働審判の申立があると、労働委員会は、３回以内の期日において、紛争に関する双方の言い分を聞き、争いになっている点を整理し、必要があれば証拠調べを行います。また、労働委員会は、審理の過程で話合いによる解決の見込みがあれば調停を試み、調停の可能性がない場合には審判を行うことになります。

労働審判は法に照らして公正に行われますが、柔軟で調整的な解決を図ることもできることになっています。例えば、解雇が無効とされる場合であっても、事案によっては事業主が一定の解決金を支払って労働関係を終了させるといった審判もできるとされています。

メモ　労働審判手続は、原則、3回の期日の審理で終わりますので、自分の主張や証拠書類の提出は第1回目の期日あるいは少なくとも第2回目の期日までにしなければなりません。したがって、準備を怠りなく事前にしておいてください。

労働者にとっては、この点、要注意でしょう。

ただし、この審判は、審判後2週間以内に異議の申立てがなされると失効し、訴訟に移行します。

なお、審判に対して異議の申立がなく確定すると、審判には判決と同じ効力があり、強制執行をすることができます。

労働審判の申立ての仕方

労働審判手続の申立ては、相手方の住所、居所、営業所もしくは住所の所在地を管轄する地方裁判所（労働審判法2条）に行います。

申立て用紙は裁判所に用意されていますので、窓口で相談してください。申立費用は調停の手数料と同じで（201ページ参照）、この他、所定の郵券が必要です。窓口で相談する際には、申立書の他にどのような書類が必要かも確認してください。

なお、労働審判の申立に際しては、一度は弁護士に相談するか、争う金額にもよりますが依頼するのもいいでしょう。

〔労働審判制度の概要〕

○労働審判制度の趣旨
・個別労働関係事件の増加への対応
・労働関係の専門的な知識経験をいかした迅速・適正な紛争解決の促進

労働者　事業主
紛争の発生
申立て
地方裁判所
○裁判官（労働審判官）1人と労働関係の専門的な知識経験を有する者（労働審判員）2人で組織する労働審判委員会で紛争処理
労働審判員　労働審判官　労働審判員
○原則3回以内の期日で審理し、迅速に処理
調停
第1回期日
第2回期日
第3回期日
調停の成立
事案の性質上、労働審判手続を行うことが適当でない場合
労働審判を行わず終了
労働審判
受諾（労働審判の確定）
異議の申立て（2週間以内）（労働審判は失効）
紛争の解決
訴訟への移行
・訴え提起を擬制

▶労働審判申立書　（退職金　申立書）

労働審判手続申立書

令和○年○○月○日

○○地方裁判所民事部　御中

申立代理人弁護士　　甲　野　太　郎　㊞

〒○○○－○○○○　東京都△△区□□○丁目○○番○号
申　立　人　　甲　山　一　郎
〒○○○－○○○○　東京都○○区××丁目○番○号□□ビル○階
甲野法律事務所
同代理人弁護士　　甲　野　太　郎
電　話　０３－○○○○－○○○○
ＦＡＸ　０３－○○○○－○○○○
〒○○○－○○○○　東京都△△区□□○丁目○番－○○○号

相　手　方　　乙　株　式　会　社
同代表者代表取締役　Ａ
電　話　０３－○○○○－○○○○
ＦＡＸ　０３－○○○○－○○○○

退職金請求労働審判事件

労働審判を求める事項の価額　　○○万○○○○円
ちょう用印紙額　　○万○○○○円

（1面のみ）

8 訴訟による解決法

◆紛争が解決しない場合には、最終的には訴訟による解決となります。勝訴の判決が出ると、これをもとに強制執行ができます。

訴訟とは何か

訴訟は、一口で言えば、判決によって解決を図る手続きです。

もう少し詳しく言えば、紛争の当事者からの申立てにより、裁判官が法廷で、双方の言い分を聞いたり、証拠を調べたりして、最終的には判決によって解決を図る手続きです。

訴訟は紛争を解決するための最終的な手段ですので、双方の言い分が違い、話し合いが困難な場合に活用するとよいでしょう。

訴訟手続きの流れの概要

訴訟は裁判所に対して、訴状を提出します。費用は手数料（255ページ参照）と5830円分の郵券（東京簡裁）が必要です。訴状が裁判所で受け付けられると、最初に法廷に出頭する期日（第1回公判）が決められ、訴えた人（原告）と訴えられた人（被告）の双方にその期日が通知されます。また、被告に対しては、訴状の副本が送られます。被告は、答弁書を裁判所に提出して、反論ができます。

第1回公判では、原告は自分の言い分を裁判官に伝える必要があります。証拠書類等があれば持参します（申立書に添付したものは不要）。裁判所は、当事者の言い分や証拠を調べて、判決をします。

判決に不服がある場合には、判決を受け取った日から2週間以内に、控訴をすることができます。この期間に控訴しないと、判決は確定し、原告の勝訴であれば、原告は強制執行ができます。

ポイント

訴訟はお互いの主張が法律に照らしてどちらが正しいかを裁判官に判断してもらう手続きです。

メモ 訴訟費用は以下のとおりです。

訴訟の目的の価額	手数料
100万円以下の部分	10万円までごとに1,000円
100万円超～500万円以下	20万円までごとに1,000円
500万円超～1,000万円以下	50万円までごとに2,000円
1,000万円超～10億円以下	100万円までごとに3,000円
10億円超～50億円以下	500万円までごとに1万円
50億円超	1,000万円までごとに1万円

　なお、訴訟の途中で、双方が裁判所で話し合いをして合意ができれば、裁判中に和解をすることもできます。裁判官が和解をすすめる場合も少なくありません。これを**裁判上の和解**と言います。

訴訟の申立てのしかた

　訴訟を申し立てる裁判所は、訴訟の目的物の価額が１４０万円以下の場合は簡易裁判所、その価額が１４０万円超の場合には地方裁判所です。なお、訴訟の目的の価額が60万円以下で金銭に関する紛争では、少額訴訟もあります（次項参照）。

　また、離婚などの家事事件手続きによらない家庭内の紛争（人事関係事件）については、調停前置主義がとられていて、調停をしないでいきなり訴訟を起こすことはできません。**人事訴訟**は家庭裁判所に提起します。

　なお、訴訟は勝訴するためには訴訟テクニックが必要ですので、高額の訴訟の場合には、弁護士に依頼したほうがよいでしょう。

〔訴訟による解決手続き〕

当事者 → 紛争 ← 当事者

↓

訴状の提出

↓

訴額140万円以下　／　訴額140万円超

※少額訴訟もある（次項参照）

簡易裁判所　／　地方裁判所

↓

公判（口頭弁論）
・原告・被告双方の言い分の主張
・証拠調べ

和解もできる

↓

判決 → 不服であれば控訴

※判決が確定すれば、強制執行ができる

▶訴状　（※最高裁判所参考書式より）

収入印紙
（　　円）

訴　　状

令和○年○月○○日

○○地方裁判所　御中
原告訴訟代理人弁護士　　甲　野　太　郎　㊞
〒○○○－○○○○　東京都△△区□丁目○番○号
原告　　甲　山　一　郎
〒○○○－○○○○　東京都○○区×丁目○番○号
□ビル○階
甲野法律事務所（送達場所）
上記訴訟代理人弁護士　　甲　野　太　郎
電　話　03－○○○○－○○○○
FAX　03－○○○○－○○○○
〒○○○－○○○○　東京都△△区□丁目○番○－○○○号
被　　　告　　乙　川　次　郎
保証債務履行請求事件
訴訟物の価額　　　　万円
ちょうよう印紙額　　　　円

第１　請求の趣旨

第２　請求の原因
１　……
２　……

証　拠　方　法
１　甲第１号証　……
２　甲第２号証　……

附　属　書　類　（以下略）

9 少額訴訟による解決法

◆訴訟の目的物の価額が60万円以下の場合は、原則として1回の審理で判決が出る簡易・迅速な少額訴訟の手続があります。

⊠少額訴訟とは何か

少額訴訟は、民事訴訟のうち、訴訟の目的の価額が60万円以下の金銭をめぐる紛争について、速やかに解決するための手続です。なお、被告側には通常の訴訟へ移行することを申し出る権利があります。また、少額訴訟は利用回数の制限（年10回まで）があります。

⊠少額訴訟の申立て手続はどうするのか

少額訴訟は簡易裁判所に、訴状（書面）を提出して行います。訴状は各簡易裁判所に定型用紙が用意されています。手数料は10万円ごとに１０００円で、予納郵券５２００円（東京簡裁）が必要です。

訴状が受理されると、第1回期日の指定がなされ出頭の連絡を受けることになります。訴えを受けた人（被告）には、訴状の副本、呼出し状、手続説明書などが送付され、その後、答弁書を提出します。

第1回期日（出廷）では、原則として、1回の審理で直ちに判決が出されますので、証拠書類や証人の準備などを怠りなくすることが重要です。主な証拠としては、契約書、領収書、覚書、交通事故の場合は事故証明、また、証人や当事者本人の供述があります。

なお、判決以外にも、相手方との合意で分割払いにするなどの和解もできます。また、少額訴訟の判決に対して不服がある場合には、異議申立てができます。異議申立てをすると、少額訴訟の判決をした同一の簡易裁判所で審理および裁判をすることになります。

ポイント
少額訴訟は、素人でもできる、簡易な貸金などの債権回収手続です。

メモ
本人が少額訴訟を提起する場合には、まず、簡易裁判所の窓口で相談するとよいでしょう。裁判所に備え付けの申立書などもここでもらうことができます。

ただし、通常の訴訟と異なり、少額訴訟の判決に対しては控訴することはできません（特別上告は可）ので注意が必要です。

手形（小切手）訴訟とは何か

手形や小切手が不渡りとなると、その手形を所持していても紙切れ同然です。こうした場合、早急に判決を得て、相手の財産に対して強制執行をしなければなりません。

その方法には、通常の訴訟による場合と手形訴訟により仮執行宣言付の判決を得て、強制執行をする場合とがあります。手形訴訟は証人尋問に制限があり、証拠は書証（約束手形や小切手を附属書類として添付）および当事者尋問に限られ、振出人より偽造・変造の抗弁がない限り1回で口頭弁論は終結します。

手形訴訟の手数料は手形金額を基準にして算出します。訴訟の申立から判決までに要する期間は約1～2か月程度で、通常の訴訟に比べて迅速です。ただし、偽造・変造の抗弁が出されると長引くことになります。

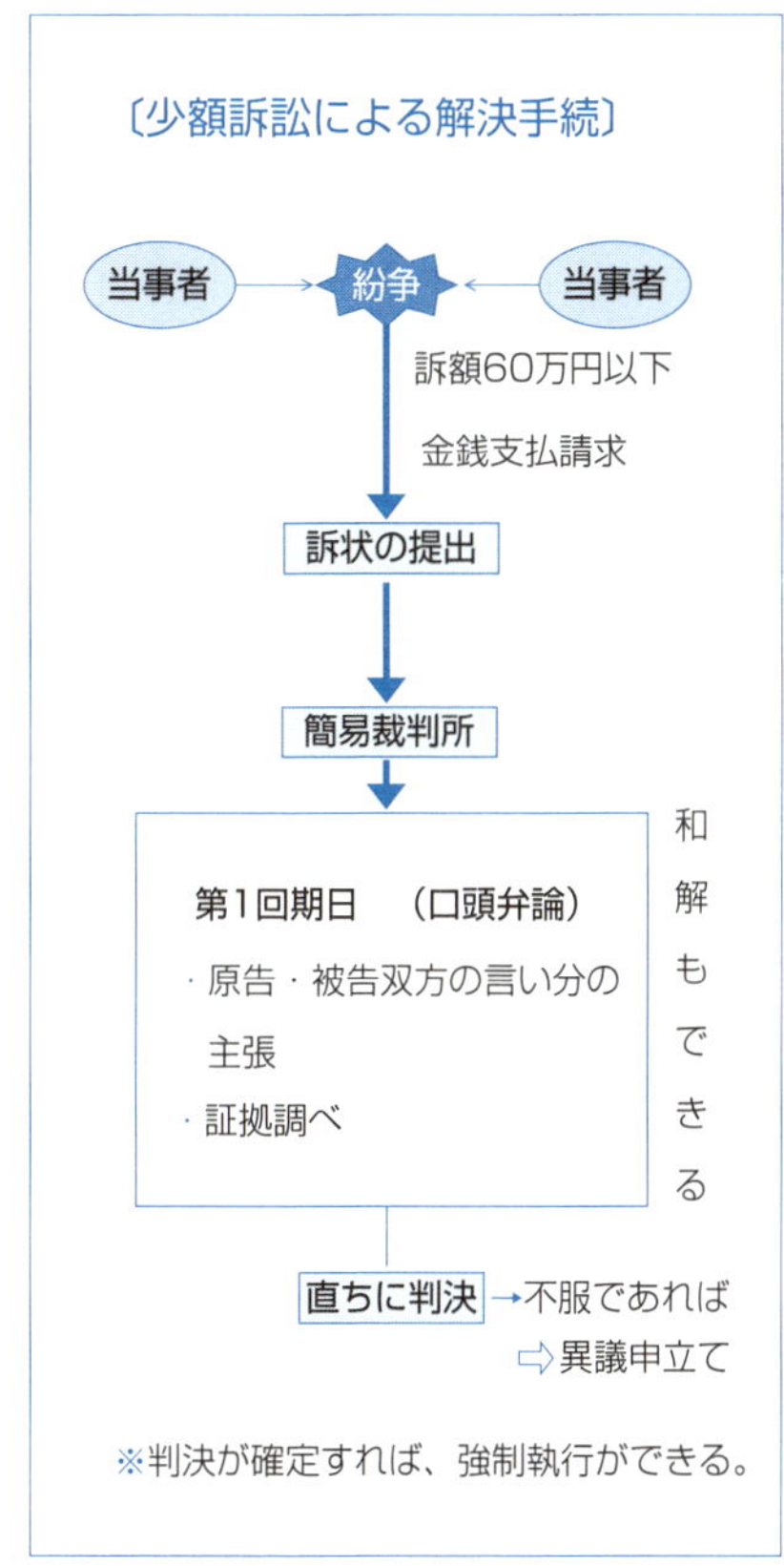

訴　　状

事件名　　貸金請求事件

□少額訴訟による審理及び裁判を求めます。本年、この裁判所において少額訴訟による審理及び裁判を求めるのは　　回目です。

簡易裁判所　御中　　　　令和　　年　　月　　日

原告（申立人）		〒 住　所（所在地） 氏　名（会社名・代表者名）　　印 TEL　－　－　　FAX　－　－
	送達場所等の届出	原告（申立人）に対する書類の送達は、次の場所に宛てて行ってください。 □上記住所等 □勤務先　名　称 〒 住　所 TEL　－　－ □その他の場所（原告等との関係　　　） 〒 住　所 TEL　－　－
		□原告（申立人）に対する書類の送達は、次の人に宛てて行ってください。 氏　名
被告（相手方）1		〒 住　所（所在地） 氏　名（会社名・代表者名） TEL　－　－　　FAX　－　－
		勤務先の名称及び住所 TEL　－　－
被告（相手方）2		〒　住　所（所在地） 氏　名（会社名・代表者名） TEL　－　－　　FAX　－　－
		勤務先の名称及び住所 TEL　－　－

訴訟物の価額	円	取扱者
貼用印紙額	円	
予納郵便切手	円	
貼用印紙	裏面貼付のとおり	

（2面省略）

仮処分・仮差押え（保全処分）の仕方

◆勝訴し強制執行したが相手に財産が何もなかった。これでは勝訴も意味がありません。こうしたことがないよう民事保全の手続きが必要です。

ポイント
財産の仮差押えなどでは、迅速な財産の把握が問題です。

メモ
保全処分が必要な事件は、弁護士に頼むことです。

保全処分とは何か

民事保全とは、仮差押えおよび仮処分の総称です。これは、民事訴訟の本案の権利の実現が不能または困難になることの防止、あるいは権利関係に争いがある場合に暫定的に法律関係を形成することを目的とするものです。

つまり、裁判で勝訴した場合に備えて、その権利を保全しておくための手続きです。あくまで仮の手続きですので、強制競売のように、最終的に財産を換価して配当まではしないのが原則です。

仮差押えとは何か

仮差押えは、金銭債権の将来の強制執行を保全するために、暫定的に債務者の財産を仮に差し押さえる手続きです。

したがって仮に差し押さえるだけで差押物件を換金することはできません。ただし、その物件が処分されても、勝訴判決を得て強制執行をすれば、仮差押え後にされた処分は無視され、強制執行手続きが開始されます。

仮処分とは何か

仮処分は、正式な裁判で結論が出るまで、現在の状態を維持（保全）し、財産の処分を禁止するなどの手続きです。

仮処分は、２つの種類があります。

①**係争物に関する仮処分**―金銭以外の権利について、将来の権利の実行を保全するために、現状の維持を命ずるもの。処分禁止の仮処分、占有移転禁止の仮処分、工事中止の仮処分など。

②仮の地位を定める仮処分――権利関係に争いがある場合に、仮の地位を定めて保護しようというもので、解雇に伴う社員としての身分の地位保全の仮処分などがある。この場合は、相手方の審尋が行われます。

仮処分や仮差押命令の申立により、裁判所から保全命令が出されると、執行の手続きをすることになります。この手続きは強制執行（212ページ参照）の場合とほぼ同様の要領です。

仮差押えと仮処分の注意点

保全処分の手数料は２０００円です。他に保証金を法務局に供託するように言われます。この保証金は裁判官が決めますが、被保全権利または保全の対象となるものの価格の１～３割程度です。

なお、仮差押えや仮処分は迅速性が要求され、そのための書類を作成することは、素人ではなかなか困難です。したがって、仮差押えや仮処分が必要な事件については、弁護士に依頼したほうがよいでしょう。

〔仮差押え・仮処分の手続き〕

①保全（仮差押え・仮処分）命令の申立て
→却下決定→即時抗告
②保全命令
―保全異議―保全取消し
保全執行の停止・取消しの申立て
③保全執行
※強制執行と同様の要領で行う。

〔申立ての注意点〕　保全処分の申立ては、本案事件を管轄する裁判所か目的物の所在地を管轄する裁判所にします。

また、申立書で、被保全権利（保全すべき権利の存在）および保全の必要性を明らかにしなければなりません。保全の必要性がないと認められれば、申立ては却下されます。

収入印紙

債権仮差押命令申立書

令和〇年〇〇月〇日

東京地方裁判所　民事第９部　御中

債権者代理人弁護士　　甲　　野　　太　　郎　㊞

当事者の表示　　別紙当事者目録記載のとおり
請求債権の表示　別紙請求債権目録記載のとおり

申　立　て　の　趣　旨

債権者の債務者に対する前記請求債権の執行を保全するため，債務者の第三債務者に対する別紙仮差押債権目録記載の債権は，仮に差し押さえる。

第三債務者は，債務者に対し，仮に差し押さえられた債務の支払をしてはならない。
との裁判を求める。

申　立　て　の　理　由

第１　被保全権利
…………
第２　保全の必要性
…………

証　拠　方　法
（略）
添　付　書　類
（略）

強制執行の仕方

◆強制執行は判決書などの債務名義（強制執行の原因となる証書）により、強制的に相手の財産から債権の回収をするなどの手段です。

強制執行とは何か

強制執行とは、文字通り相手が負う債務を履行しない場合に、強制的にその権利を実現する方法です。その手続きは、民事執行法で定められています。したがって厳格であり、当事者以外への影響が大きいことから、第三者の異議の申立ができる場合もあります。

強制執行には、①直接強制、②間接強制、③代替執行があります。執行は手続きが複雑で、専門家に依頼することをお勧めします。

強制執行の手続き

債権回収などの金銭問題で強制執行をするためには、まず、相手方の資産の調査をします。資産には、不動産・動産・債権（債務者の給料・預金・第三者への貸金など）などがあり、どの資産を対象にするかを決めます。

次に必要な書類を用意します。強制執行をするためには、①債務名義、②送達証明書、③執行文が必要です。

こうして書類がそろったら、強制執行の申立てをします。強制執行の申立先は、不動産執行（自動車含む）・債権執行の場合は地方裁判所（申立手数料は4000円）、動産執行の場合は執行官（申立手数料不要）です。

その後、裁判所は差押命令を出し、不動産・動産であれば差押え・競売・配当の手続きが行われ、また債権であれば、差し押さえてその債権から回収することになります。

各種の執行の手続き

①不動産の強制執行―不動産執行の対象とな

ポイント

強制執行とはどういうものかを理解しておいてください。その上で手続きについては、弁護士に依頼するとよいでしょう。

メモ　動産の執行では、経費も出ずに、空振りに終わることもあります。

なお、一定の差押禁止財産については、差し押さえることができません。

▼差押禁止動産

①生活に不可欠な衣服、寝具、家具、台所用具、畳・建具

②1カ月間の食料及び燃料

③標準的な世帯の必要生計費の2か月分…66万円

※給料等については、$\frac{3}{4}$が差押禁止債権（ただし、この額が33万円を超える場合は33万円）。なお、養育費等の請求の場合は$\frac{1}{2}$が差押禁止。

るものは、土地・家屋です。差し押さえる不動産を管轄する執行裁判所に強制競売の申立てをします。問題がなければ執行裁判所は競売開始決定をし、不動産を差し押さえ、その旨を登記します。その後入札等の方法により売却・換金し、債権者に支払われます(配当)。

②**担保権（抵当権）の実行による不動産競売**―金銭消費貸借契約などで抵当権を設定していて返済がなされないなどの場合には、担保権を実行する不動産競売手続きが必要です。この手続きは、①の債務名義に基づく強制競売の手続きとほぼ同様です。なお、担保不動産収益執行もあります（下欄参照）。

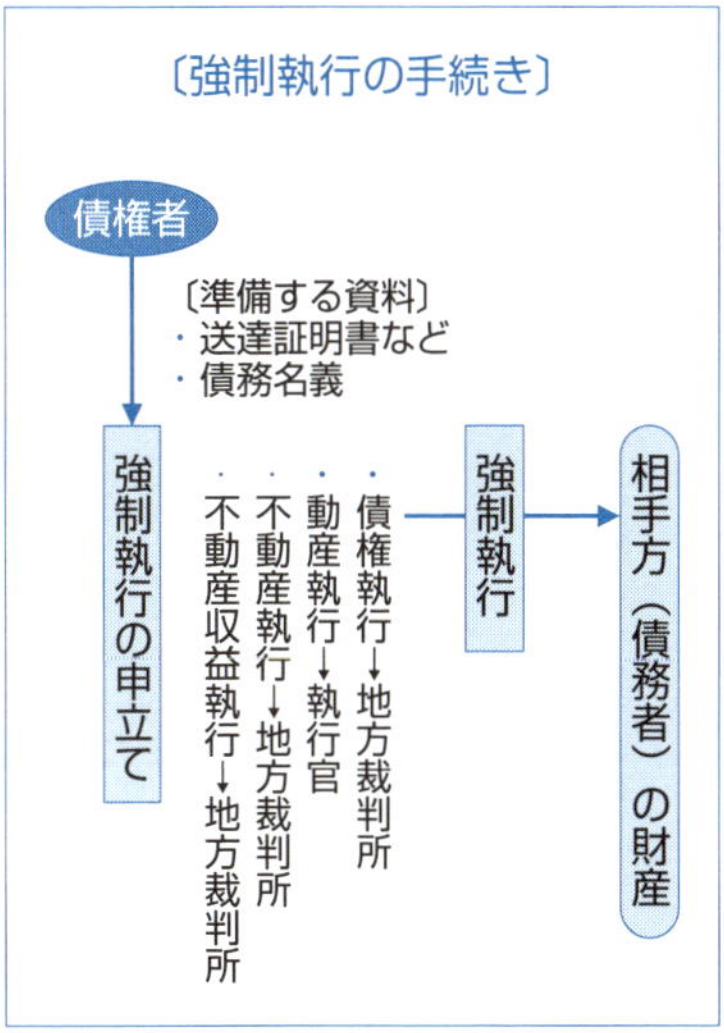

③**不動産の強制管理**―強制管理は、債務者の不動産を管理し、その不動産によって得られる収益を債務の弁済に当てる執行方法です。なお、平成15年の民事執行法の改正で、担保不動産収益執行の手続きが創設されています。

④**動産の強制執行**―動産とは、身近な例では、家財道具などですが、株券や手形・小切手などの有価証券で裏書きが禁止されていないものも対象となります。動産に対する執行の申立てがあると、その動産は差し押さえられ、これを換価して配当等の手続きにより、債権者に分配されます。

⑤**債権に対する強制執行**―債権には債務者の預貯金、第三者への貸付金、給与などがあります。このうち、給与に対する執行は多く行われています。債権の執行の申立先は、相手方の住所地を管轄する地方裁判所で、債権差押命令の申立書を提出します。

〔強制執行の手続き〕

●**担保不動産収益執行**
不動産の果実（賃料収入などの不動産収益）については、以前は抵当権の効力は及ばず差押え後に及ぶとされていましたが、平成15年の民法等の改正により、「その担保する債権の不履行があった場合には及ぶ」（民法371条）ことになりました。

したがって、債務の不履行があった場合には、従来どおりの差押えをして競売する方法に加えて、担保不動産収益に対して執行する方法（例えば、アパートを抵当にとっていた場合に、アパートの賃料収入に対して執行するなど）が新たに加わったことになります（施行は平成16年４月１日）。

借地非訟事件手続き

◆増改築や建替えに地主の承諾が得られない場合には、地主の承諾に代わる許可を、裁判所に申し立てることができます。

借地非訟事件手続きによる解決

非訟事件手続きとは、民事上の生活関係を助け、また監督するために、裁判所が直接かつ後見的作用を営むための手続きで、その実質は行政作用と見られています。

借地非訟事件手続きは、前記の趣旨により、借地の紛争解決のために、地主と借地人の利害調整のために設けられた手続きで、増改築や借地条件の変更などで、地主が承諾しない場合に、裁判所の許可を得て、地主が承諾したのと同じ効果(地主の承諾に代わる許可)を持たせるものです。

借地非訟事件手続きを申し立てる場合に、一定の事項を記載した申立書が要求されます。

通常の民事訴訟では、当事者が主張していない事実や訴えていない事項をもとに判決を出すことができませんが、この手続きでは、裁判所に広範な裁量が認められ、審理は非公開で行われます。

借地非訟事件手続きの申立て

以下の場合に申立てができます。

①借地条件変更申立て（借地借家法17条1項・5項）

②増・改築許可申立て（17条2項・5項）

③借地契約更新後の再築許可の申立て（18条）

④建物の譲渡に伴う土地賃借権譲渡・転貸借許可申立て（19条1項・7項）

⑤競売・公売に伴う土地賃借権譲受許可申立て（20条1項・5項）

こうした紛争で、地主の承諾がない場合に、

ポイント

借地条件の変更、借地権の譲渡や借地の転貸についての地主の承諾に代わる許可、借地上の建物の増改築の許可や借地契約更新後の建物再築の許可に関するトラブルの裁判は、通常の民事訴訟手続きではなく、借地非訟事件手続きで行われます。

メモ

裁判所の裁量が認められ、許可の条件として金銭の支払いを命じられる場合もあります。

裁判所が地主の承諾に代わる許可を与えるものです。

借地非訟事件手続の申立て

借地非訟事件の申立ては、原則として当該土地を管轄する地方裁判所に対して書面で行います。申立書には、当事者、申立ての趣旨、借地契約の内容等、申立ての理由、当事者間の協議の概要、付随処分に対する意見・希望などを記載します。

付属書類としては、当事者目録、土地・建物目録、証拠目録が必要です。また、賃貸借契約書、土地登記簿謄本、土地の固定資産評価証明書、当事者が会社であれば商業登記簿謄本などの書類が必要です。

申立て後の手続きの流れ

当事者より借地非訟事件手続きの申立てがあると、裁判所は積極的に借地関係に介入し、解決を図ります。具体的には、借地人には地主の承諾に代わる許可を与え、地主に対して一定額を給付することなどの命令をします。

〔借地非訟事件手続き〕

借地非訟事件

〔下記の事項で地主が許可しない場合〕
①借地条件変更
②増改築
③借地契約更新後の建物再築
④土地賃借権譲渡・転貸借
⑤競売・公売に伴う土地賃借権譲受

↓

①借地非訟事件手続きの申立て

↓

地方裁判所
※合意があれば借地の所在地の簡易裁判所

↓

②地主の承諾に代わる許可
地主に対して一定額の給付を命じる・など

増改築許可申立書
（借地借家法第17条第2項）

印紙

○○地方裁判所○○支部
○○簡易裁判所　御中

管轄の合意（簡易裁判所に申し立てるときに記載）
　1　合意の日　　令和　年　月　日
　2　合意の方式　□　書面　□　口頭

令和　年　月　日

申　立　人
□　本　　　人
□　代　表　者　　　㊞
□　代理人弁護士

借地権の目的の土地の価額（数筆あるときはその合計額）
　　金　　　　円
上記金額の10分の3
　　金　　　　円
　　貼用印紙　円
　　予納郵券　円
添付書類
　1　申立書副本　　　通
　2　委任状　　　　　通
　3　資格証明書　　　通
　4　固定資産評価証明書　通
　5　用途地域証明書　通
　6　現場付近の地図　通
（以下略）

借金整理の手続き

◆借金の整理方法としては、①任意整理、②特定調停、③民事再生、④自己破産、の4つの方法があります。

任意整理による借金の整理法

任意整理は、裁判所が介入せずに、債権者と債務者双方が合意して整理を行う方法です。弁護士の行う任意整理は、借金の総額を確定し、利息制限法による金利で過去の支払分を計算し直して借金総額を縮小し、2～3年の分割払いで支払うというものが多いようです。

なお、前記の計算をした結果、完済となり余りが出る場合には、その余りの分を**過払金として返還請求**ができます。

特定調停による借金の整理法

特定調停による整理は、裁判所を通してする債務整理です。前記の利息制限法の金利で計算をし直し、減額して分割返済をします。

特定調停は、支払不能に陥るおそれのある場合に申立てが可能で、通常、簡易裁判所に申し立てます。簡易裁判所で話し合いが持たれ、双方が合意すれば、調停成立です。合意ができなければ、調停は不成立に終わり、他の借金整理法を考えなければなりません。

申立手数料は目的の価額の算定が困難なことから、相手方一社（名）ごとに５００円の収入印紙とするところが多いようです（郵券も必要）。

民事再生による借金整理

民事再生は、債務者の経済的再生を図ることが目的で、減額した返済金を一定期間返済（返済計画）することにより、その余の債務を免除するというものです。個人再生には、①小規模個人再生、②給与所得者等再生があ

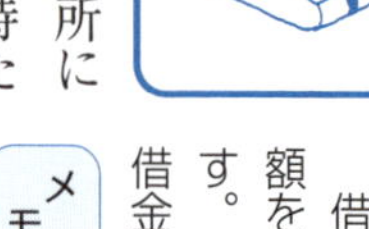

ポイント

借金整理では、借金の全額を確実に整理することです。一部でも残れば、また、借金は膨らみます。

メモ

▼貸金業法等の改正・施行

改正貸金業法が平成22年6月18日に完全施行されました。この改正により利息制限法を超える部分の利息は無効となり、また、出資法の改正により年率20％を超える金利の約束をすると処罰されます。

〈利息制限法の上限金利〉

元本の額が10万円未満……年2割（20％）

元本の額が10万円以上100万円未満……年1割8分（18％）

元本の額が100万円以上……年1割5分（15％）

り、また、③住宅ローン特約条項（住宅ローン返済期間の猶予など）があり、それぞれ申立てができる要件が定められています。

この手続きは、再生計画案を地方裁判所に提出して、認可を得て、再生計画のとおり返済し、残りの債務は免除を受けるものです。将来の収入が見込めない人、債務の総額が5000万円（住宅ローン等の担保債務を除く）を超える人などの場合は、この手続きを利用することはできません。前記③を流用して住宅を失うことなく再生できます。

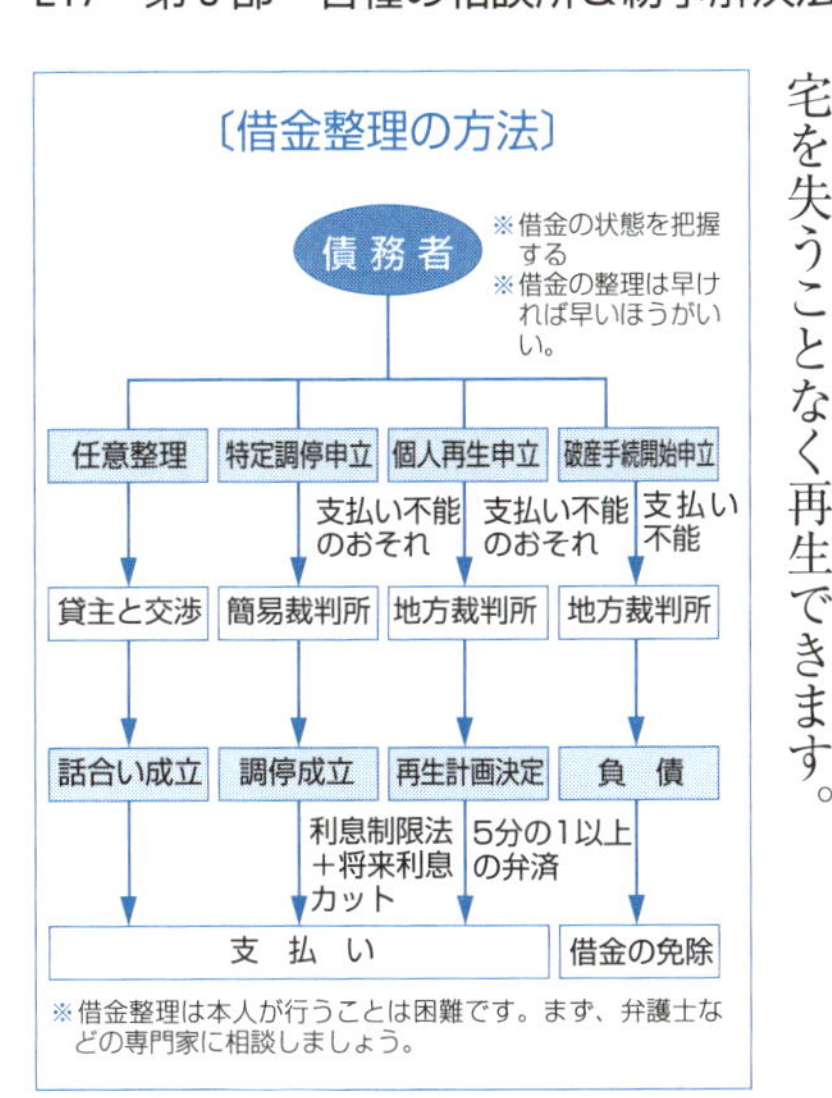

申立手数料は1万円ですが予納金や郵券も必要です。申立てる裁判所で確認のこと。

自己破産による借金の整理法

破産とは、債務者（借金している人）が経済的に破綻し、債務を完全に弁済することができなくなった場合（支払不能）に、債務者の生活に欠くことのできないもの（差押禁止財産）を除く全財産をお金に換え、すべての債権者に対して債権額に応じて公平に弁済することを目標とする裁判上の手続きを言います。

債務者自らが申し立てる破産を自己破産と言い、中でもクレジット・消費者金融等の利用者などの破産を消費者破産と呼びます。手続きは、まず地方裁判所に破産手続開始・免責の申立をし、その後、破産手続開始の決定、免責という過程を経て借金が免除されます。

申立手数料は1500円（免責申立手数料含む）でこの他に予納金・郵券が必要です。財産がなく破産手続費用も出ない同時破産廃止では全部の費用が3万円程度です。

●会社の債務整理の場合

会社の経営状態がうまくいかず、借金で倒産あるいは倒産しそうな場合に、以下の手続きがあります。

①任意整理による再生・解散

〔再建型〕

②特定調停の申立て

③民事再生の申立て

④会社更生の申立て

〔清算型〕

⑤破産の申立て

⑥特別清算

再建できるか否かなどにより、どの手続きをとるかが決まります。具体的には、資産・負債の内容、再生する場合には、再生計画が重要となります。

公示催告の手続き

◆株券や手形などを紛失した場合には、公示催告の申立てをして、一定期間後に除権決定を得ることにより権利を失効させることができます。

ポイント

手形などの有価証券が盗難や紛失したときには、すぐに警察に届出て、関係者にも通知をし、公示催告・除権判決の手続をとるとよいでしょう。

公示催告とは何か

公示催告は、請求または権利の届出をなさしめるための裁判上の手続です。その旨官報公告され、一定期間内に届出がない場合には、その権利が失権するというものです。

具体的には、手形・小切手などの証券を喪失した場合に、この手続により、公示催告の官報掲載を経て除権決定がなされ、証券の再発行などが行われます。

公示催告の手続き

有価証券無効宣言公示催告の申立は、手形・小切手の場合には支払地、株券の場合には株券発行会社の本店所在地を管轄する簡易裁判所に申立てます。

書式や記載例などが簡易裁判所に通常は用意されていますので、これを使用します。

申立があると、裁判所はその内容を審査し、その証券について官報に公告し、公示催告期日（2か月以上先）までに、裁判所に権利の届出と証券の提出をするように求めます。

なお、株券については、「株券失効制度」が設けられています。また、会社法では、株券不発行が原則となっています。

除権決定による無効の宣言

公示催告の官報掲載後、公示催告期日に裁判が行われ、裁判所が理由があると認めたときは、証券の無効を宣言する除権決定をします。

この除権決定によって、申立人は証券の再発行を受ける手続きをとるなどの権利行使ができることになります。再発行されるまでの

メモ

公示催告は、官報に公告する必要から、除権決定を得るまでには、一定の期間がかかります。

期間は、申立後およそ５～６か月です。

公示催告の申立て

申立書は簡易裁判所に用意されていますので、窓口でお聞きください。

①申立書には、以下の添付書類が必要です。

(1)約束手形の振出等証明書
(2)遺失届または盗難届受理証明書または上申書
(3)当事者目録
　資格証明書（会社の場合）
(4)代理人申請の場合には委任状

②費用

(1)申立手数料１０００円（収入印紙）
(2)予納郵券　東京簡裁２１９７円
(3)官報掲載料　東京簡裁の場合、手形一枚の場合２万９１４円。

約束手形の数・種類が多く原稿が長文のときは当然掲載料は変わる。

なお、(2)(3)については、申立先の簡易裁判所にお尋ねください。

〔公示催告手続〕

①有価証券無効宣言公示催告の申立
↓（簡易裁判所）2～3週間
②公示催告決定
↓
③公示催告期日通知書送達
↓約1か月
④公示催告の官報掲載
↓2か月以上
⑤公示催告期日（出頭）
↓※除権決定の言渡日　有価証券の無効宣言　約1か月
⑥除権決定の官報掲載

※証券の再発行などの手続きがとれる。

公示催告申立書

収入印紙

令和○年○月○日

○○簡易裁判所　御中

住所
申立人　甲野　太郎　㊞

申立の趣旨
別紙目録記載約束手形について公示催告を求める。

申立の理由
申立人は別紙目録記載の約束手形の最後の所持人であるが，令和○○年○○月○○日，……において盗難にあい，同約束手形を喪失し，現在まで発見できないので，除権決定を求めるため公示催告の申立をする。

添付書類
1. 約束手形振出証明書
2. 盗難届受理証明書
3. 資格証明書

※添付書類省略

㊟　申立用紙は裁判所に用意（裁判所で異なる）されているところもあります。

内容証明郵便の出し方

◆催告状などは内容証明郵便で出すとよいでしょう。相手に出したことやその手紙の内容が証明されます。

ポイント
法律的に意味のある書状は、後日の証拠のためにも内容証明郵便で出すのがよいでしょう。配達証明付とすべきでしょう。

内容証明郵便とは

内容証明郵便は、何月何日に、誰から誰へ、こういう内容の手紙を出した、ということを郵便局が証明してくれるものです。したがって、通常のやり取りではあまり意味がありません。場合によっては、話し合いがかえってこじれる場合もありますので、注意が必要です。一定の法律効果（契約解除など）を発生させるような場合には内容証明郵便にします。

紛争の相手に対して内容証明郵便で催告

通常、紛争の解決は、まず相手との交渉から始まります。抗議や電話の通知あるいは簡単な話し合いで紛争が解決する場合もあるでしょう。しかし、相手に言い分がある、請求を認めるつもりがない、履行できない状況にある場合は、紛争はこじれることとなります。

こうした場合、法的手段をとることになりますが、相手への請求を書面に残しておくと、後日の証拠として重要となる場合があります。たとえば、金銭の貸借の紛争では、一定の期間後に支払うようにとの催告状を発送します。催告状は内容証明郵便にするとよいでしょう。

内容証明郵便の書き方

内容証明の用紙は、文房具屋等に売っていますが、ワープロやパソコンで入力し、白紙に印刷してもかまいません。これを原則として3通作成し、差出人と受取人の住所氏名と年月日を明記します。同一の住所・氏名を記載した封筒と共に集配郵便局に差し出すのです。

ただし、1枚の紙に書くことのできる字数

メモ
内容証明郵便による催告は時効完成猶予の効果が、6か月間はありますが、その後、再度、内容証明郵便で催告状を出しても効果はなく、再び時効は進行します。

の制限があり、点やマルも一字になります。

縦書の場合、1行20字以内、1枚に26行以内で、1枚の紙に書ける文字数は520字です。

一方、横書きで出したいという場合は、

・1行20字以内、1枚につき26行以内

・1行13字以内、1枚につき40行以内

◆ 内容証明のサンプル（貸金請求書の例）

貸金請求書

私は、貴殿に対し、令和〇年七月一日金五〇〇万円を、利息年一割、返済期令和〇年一二月三一日の約束でお貸ししました。しかし返済期を過ぎておりますが、いまだに返済していただいておりません。

つきましては、本書面到達後七日以内に、金五〇〇万円及びこれに対する令和〇年七月一日から完済まで年一割の割合による利息をお支払い下さいますように、ご請求申し上げます。

令和〇年二月一日

東京都〇〇区××一丁目二番三号

通知人　△△△△㊞

東京都豊島区池袋二丁目二番二号

被通知人　××××殿

内容証明書用紙

・1行26字以内、1枚につき20行以内

のいずれかのスタイルで書きます。字余りがあれば1字加入の訂正印が必要となります。

文面が用紙の2枚以上になる場合には、ホッチキスや糊で綴じて、つなぎ目に差出人のハンコを押します。これを割印または契印と言い、三文判でもかまいません。

書き方で注意することは、手紙ならどんな文字も記号も自由に使えますが、内容証明の場合には使える文字や記号について制限があります。漢字、片仮名、平仮名はOKです。アルファベットは個人名、会社名、地名などの固有名詞以外は使用禁止です。数字は算用数字も漢数字も使えます。

句読点も使えますが、1文字として計算されます。単位記号（m、kgなど）も使えます。カッコなども使え、カッコは上下（横書きでは左右）合わせて一文字の計算です。その他、一般に記号として使われているもの、たとえば、＝、＋、－、×、％なども使えます。

●内容証明郵便の出し方

内容証明郵便を取り扱っている郵便局は、集配郵便局、特定郵便局（特に指定した無集配郵便局）です。

同文のものを3通（受取人が1人増えるごとに1通プラス）と差出人、受取人の住所氏名を書いた封筒を受取人の数だけ窓口へ持っていって提出します。

内容証明郵便の料金は、通常の郵便料金84円（25グラムまで）に加えて、

・内容証明料…1通につき440円（1枚増えるごとに260円を加算）

・書留料金…435円

・配達証明付にする場合には、320円

以上合計1279円が必要です。

公正証書の作成の仕方

◆公正証書は公証人に頼んで作成してもらう証書（契約書など）です。
公証人は公証（人）役場で執務しています。

ポイント
公正証書にしておくと、後日の強力な証拠となります。また、相手に対するプレッシャーともなります。

メモ
公正証書の作成には代理人が行く場合もあります。その場合は通常、契約書の覚書を作成して行きます。

公正証書とは

公正証書は、一口で言えば、公証人が作成する書類のことです。公証人は裁判官や検事の経歴を持つ人が多く、法律の専門家で、依頼者から内容を聞いて公正証書を作成します。したがって、争いになった場合に、証拠として強力です。

また、金銭の一定額の支払いについては、執行認諾約款（公正証書に一般に記載されている「債務者は本契約の金銭債務を履行しないときは、ただちに強制執行に服する」という文言）がある場合、勝訴の確定判決などの必要はなく、強制執行ができます。

公正証書の作り方

公正証書は公証役場で作ってもらいます。公証役場が分からないときには法務局・その支局・出張所に問い合わせれば教えてくれます。当事者が出向いて作成してもらう場合には、どこの公証役場でもかまいません。

公正証書は、当事者が直接出向いて作成してもらうのが望ましいのですが、代理人によって公正証書の作成をすることもできます。

一般の人は公証人と面識がないでしょうから、本人であることを証明するために印鑑証明書（自動車運転免許証、外国人登録証明書、パスポートでも可）が必要となります。実印も用意します。公証役場に事前に連絡して、必要書類を確認しておくとよいでしょう。

公証役場では、事務員に公正証書を作成して欲しい旨を告げます。そうして、日時を改めて、公証人と面接し嘱託の内容について話すのが普通です。時間が限られていますので、事前に公正証書にする内容についてはメモ書きで要点を整理しておくとよいでしょう。簡単な内容であれば、その日のうちに公正証書を作成してくれることもありますが、通常は日を改めて、公正証書を作成することになります。

なお、金銭貸借契約などで当事者が2人の場合、公正証書は正本と副本の2通を交付してくれますが、強制執行は正本でなければできませんので、債権者（貸した側）が正本を受け取るようにしてください。

公正証書作成の手数料は255ページ表参照。

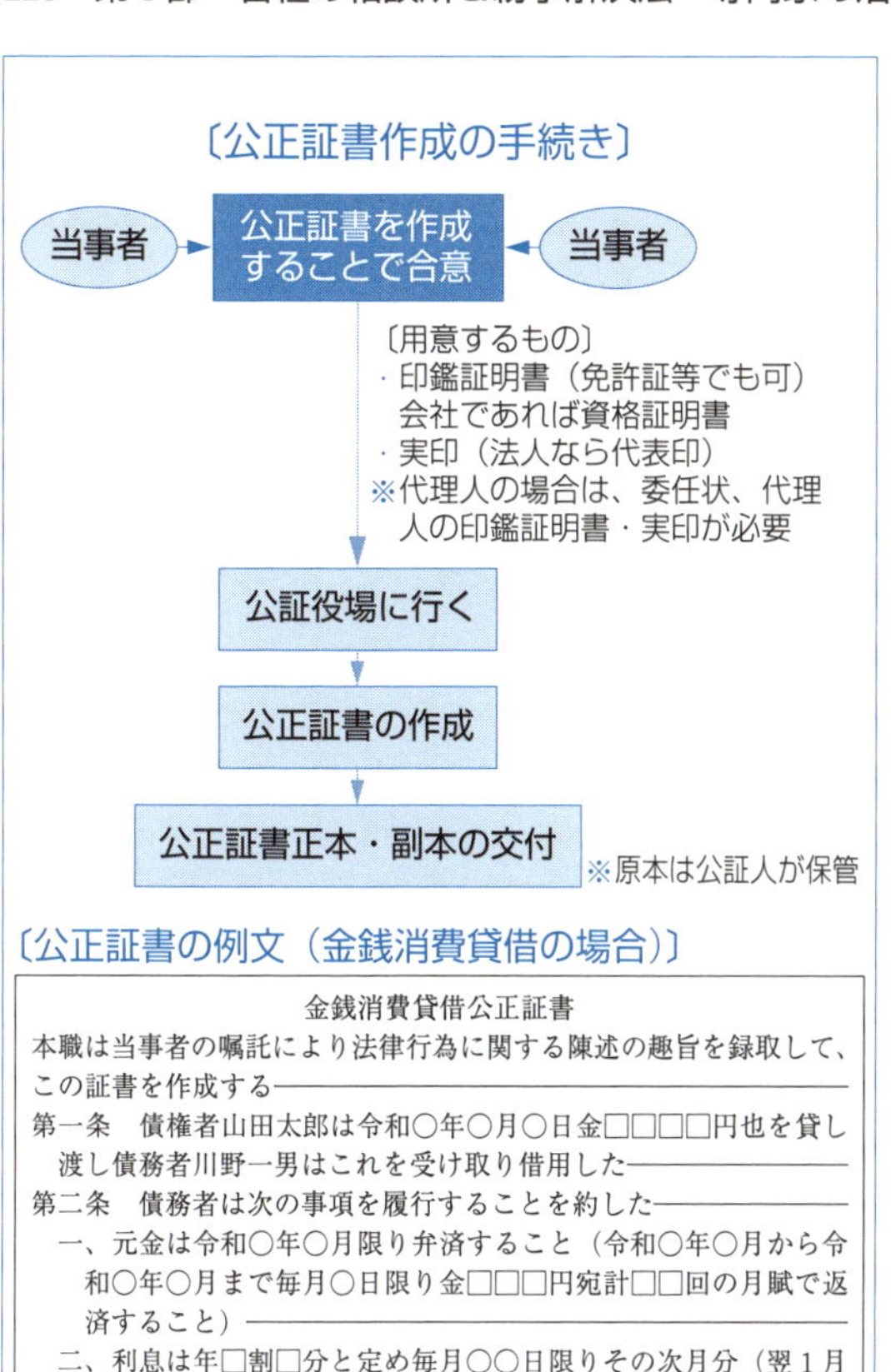

〔公正証書の例文（金銭消費貸借の場合）〕

金銭消費貸借公正証書

本職は当事者の嘱託により法律行為に関する陳述の趣旨を録取して、この証書を作成する――

第一条　債権者山田太郎は令和○年○月○日金□□□□円也を貸し渡し債務者川野一男はこれを受け取り借用した――

第二条　債務者は次の事項を履行することを約した――

一、元金は令和○年○月限り弁済すること（令和○年○月から令和○年○月まで毎月○日限り金□□□円宛計□□回の月賦で返済すること）――

二、利息は年□割□分と定め毎月○○日限りその次月分（翌1月分）を支払うこと――

三、期限後または期限の利益を失ったときは以後完済に至るまで日歩金□□□の遅滞損害金を支払うこと――

四、左記の場合には債権者からの通知催告がなくとも当然期限の利益を失い直ちに元利金を完済すること――

⑴（割賦金、利息）を期限に支払わないとき――

⑵ 他の債務に付強制執行を受けたとき――

⑶ 他の債務につき競売、破産又は和議の申立があったとき――

第三条　債務者は本契約による金銭債務を履行しないときは直ちに強制執行に服する旨陳述した――

（以下略）

●公正証書による強制執行

本文でも述べたように金銭貸借で公正証書に執行認諾約款がある場合には、裁判で勝訴の判決（債務名義）を必要とせず、強制執行ができます。

執行文の付与（執行していいですよというお墨付き）は、公証人が発行しますので、公正証書を作成した公証役場に行くとよいでしょう。

その後、どういう財産を差し押さえるか、手続きをどうするかなどは、裁判所を通してする強制執行の場合と同様です。

供託の手続きの仕方

◆債権者が弁済を拒否した場合などに供託して債務を免れる手段に使われるのが供託（弁済供託）です。

ポイント

争いがあり、借金の返済や地代家賃などの受領を拒否された場合など、供託すれば債務不履行の責任を追及されることはありません。

メモ

供託手続きの手数料は無料です。供託金にはわずかですが利息もつきます。

供託とは何か

供託は、金銭などを供託所（法務局、地方法務局、その支局・出張所）に提出して、一定の法律上の目的を達成しようというものです。

多い例で言えば、家賃の値上げで家主と借家人の話し合いがつかず、家賃の受領を家主が拒否する場合があります。借家人はこれ幸いと家賃を支払わないでいると、家賃滞納で借家契約を解除されないとも限りません。こうした場合、相当と思われる家賃相当の金額を供託しておけば、契約解除されることはないのです。

供託の種類

供託には、以下のものがあります。

①**弁済のためにする供託（弁済供託）**⇩供託する所は、債務履行地に所在する供託所

②**担保のためにする供託（保証供託）**
・裁判上の保証供託⇩供託する所は、担保を立てることを命じた裁判所または執行裁判所の所在地を管轄する地方裁判所の管轄区域内の供託所
・営業上の保証供託⇩供託する所は、主たる営業所または事務所のもよりの供託所
・税法上の担保供託

③**強制執行のためにする供託（執行〈補助〉供託）**⇩供託する所は、債務履行地の供託所

④**保管のための供託（保管供託）**

⑤**没収の目的物の供託（没収供託）**

詳細については、最寄りの供託所（法務局）で確認してください。また、供託書や関連の書類は供託所に用意されています。

供託の手続きに必要なもの

以下の書類等が必要です。

①供託書⇩供託所に備えつけてあります。
②供託通知書⇩供託所に備えつけてあります。
③印鑑⇩実印・認印、どちらでも構いません。
④資格証明書⇩請求者が会社法人の場合、作成後3か月以内のもの 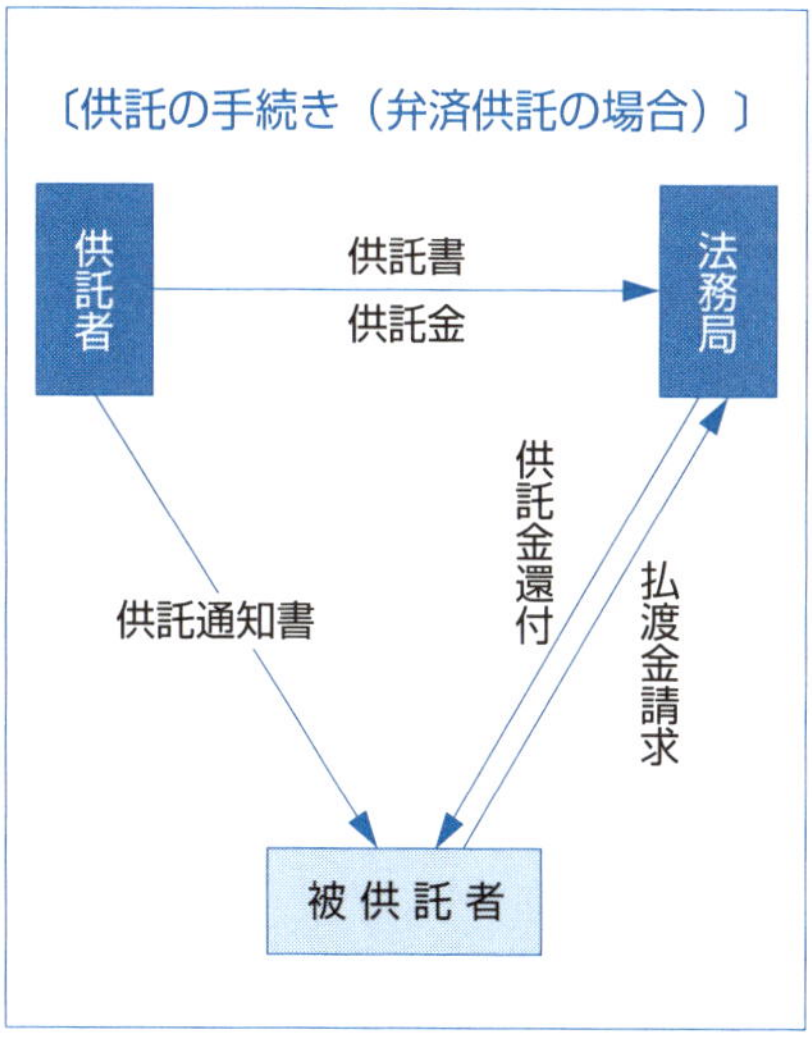
⑤委任状⇩代理人がする場合
⑥供託金⇩契約金額。地代家賃の場合は、相当と思われる額
⑦封筒⇩弁済供託等通知を要するとされている場合
⑧郵便切手⇩弁済供託等通知を要するとされている場合

〔供託の手続き（弁済供託の場合）〕

供託者
供託書
供託金
法務局
供託通知書
供託金還付
払渡金請求
被供託者

供託金の払渡請求

供託金の払渡請求には、被供託者（債権者など）からの還付請求と、供託後に供託原因が消滅したり、供託が無効となった場合の供託者からの取戻請求とがあります。

なお、地代家賃のトラブルなどでは、被供託者が還付請求をすると、供託者が供託した金額の地代家賃を認めたのではないかという問題があります。この場合、借地・借家人に対して「賃料の一部として受け取る」旨の内容証明郵便を出し、かつ払渡しを受ける際に出す払渡請求書の備考欄に「賃料の一部として受領する」と記載しておくとよいでしょう。

●給料の差押えと供託

従業員が消費者金融などから借金をし、返済ができなくなった場合、債権者（貸主）が、会社から支払う給与を差し押さえてくる場合があります。ただし、給与は法定控除額を控除した残額の4分の1（同残額の4分の3に相当する額が33万円を超えるときは、その超過額）しか差押えはできません。また、養育費などの場合は2分の1まで差押えができます。

この場合、裁判所からの債権（給与）差押命令が送達されますと、会社はその従業員に対して差し押さえられた部分の給与の支払いをすることを禁じられます。そして、会社は差押債権者に支払うか、供託するかしかありません。

また、他にも差し押さえた債権者がいて競合した場合には、差押債権者は会社から直接取立をすることはできなくなり、会社は供託しなければなりません。

第3章 各種の専門家を上手に活用しよう

●まずは専門家に相談しよう

法律トラブルは、法律知識がなくて、お互いが自分の主張を繰り返しているだけでは解決しません。では、訴訟で解決すると言っても、手続きは法律で厳格に定められており、素人が訴訟をすることは大変です。

こうした場合、専門家に相談するとよいでしょう。

法律関係の専門家としては、弁護士、司法書士などがあり、また、法律関係のある分野の専門家として公証人（証書の作成など）、公認会計士・税理士（税務関係）、不動産鑑定士・土地家屋調査士（不動産関係）、行政書士（官公庁へ出す書類作成など）などがあります。

●各種の専門家への頼み方

弁護士などの法律の専門家については、親しい知り合いがいればその人に頼むのがベターです。法律問題では、お互いに信頼関係がなければ、トラブルの解決はうまくいかないからです。

こうした知り合いがいなければ、捜すことになりますが、専門家の団体で、まず、相談をしてみるのもよいでしょう。そして、そこで気に入った人がいれば、その人に依頼すればよいのです。これは、無料の公的機関の相談所でもかまいません。

●専門家への相談・依頼の費用

弁護士などの専門家に相談すると思うと、いくら費用をとられるかも知れない、と考える人もいるでしょう。しかし、各専門家の報酬は、おのずと一応の基準があります。例えば、弁護士の法律相談は、30分５５００円程度です（消費税込み）。また、とりあえずは、都道府県などの法律相談所で無料の相談を受ける方法もあります。

ただし、専門家の費用は一般の人からすれば、決して安いものではないでしょう。これは、高度な知識を有している人に対する報酬ですから仕方のないことですが、依頼などでは事前に費用については確認しておくことが大切です。なお、各種の専門家の費用等については、次ページ以降の各専門家の項で解説します。

1 弁護士の仕事と頼み方・費用

▼弁護士は法律全般のエキスパート

弁護士とは何か

弁護士とは、司法試験に合格して、弁護士会に登録している法律のエキスパートです。弁護士の仕事は、一口で言えば、法律的な問題全般（以下で記載）を扱います。

①訴訟事件――民事裁判の代理人や刑事裁判の弁護人となります。

②行政庁に対する不服・審査請求――行政のした処分に対して不服を申し立てたり、その上級庁に対して審査を申し立てるときの代理人となります。

③その他――非訟事件や知的所有権関係の仕事や税務関係の仕事も行います。

④法律相談――法律全般の相談を受けます。

弁護士の行う業務は広範囲です。

弁護士への相談・頼み方

法律問題が生じたとき、親戚や友人・知人に弁護士がいれば、その人に相談するのがよいでしょう。しかし、多くの場合、親戚等には弁護士がいないでしょうから、弁護士会や自治体の法律相談所などでまず相談をし、その後、依頼するかどうかを決めるとよいでしょう。緊急の場合（財産を差し押さえられた）は、そんなことを言ってられませんので、弁護士会で相談してください。

弁護士の相談・依頼の費用

弁護士の報酬については、弁護士報酬等基準額が定められていましたが、弁護士報酬の自由化により、この規定は平成16年3月末をもって廃止されました。

したがってそれ以後は、各弁護士が報酬については決めることになっていますので、依頼する前に報酬については確認・相談しておく必要があります。

〔データ〕
- 日本弁護士会連合会　東京都千代田区霞が関1-1-3 ☎03-3580-9841
- 各地の法律相談センター（各弁護士会）
- 日弁連交通事故相談センター（弁護士による無料電話相談　0570-078325）
- 犯罪被害者支援窓口（各弁護士会）
- 弁護士会の紛争解決センター（184ページ参照）
- 指定住宅紛争処理機関（各弁護士会に紛争処理を申請）
- 日本知的財産仲裁センター（日本弁理士会が共同設立、本部☎03-3500-3793）

2 公証人の仕事と頼み方・費用

▼契約書を公正証書にする場合などに利用

公証人とは

公証人とは、判事や検事、弁護士の中から法務大臣が任命し、指定された法務局または地方法務局管轄内の公証（人）役場で執務する国の機関です。

公証人の主な仕事は、①証書（公正証書）の作成、②私署証書の認証です。具体的には、金銭貸借等公正証書の作成、承認・許可・同意の証書の作成、委任状の作成、公正証書遺言の作成、などがあります。

契約などを公正証書にする場合には、契約当事者双方が公証（人）役場に行って、公証人に証書の作成を依頼します。そのためには、あらかじめ当事者同士で契約書の内容を決めておく必要があります。

代理人による作成もできますが、委任状は白紙委任状ではダメで、委任する内容および公正証書にすることを委任する旨の記載が必要です。公正証書の作り方については222ページを参照してください。

なお、契約書を公正証書にする場合には、どこの公証（人）役場で作成してもかまいませんが、会社を設立する場合には、公証人による定款の認証が必要で、これは会社の本店所在地を管轄する法務局所属の公証人に頼まなければなりません。

公正証書遺言も、どこの公証（人）役場に出向いて作成してもらってもかまいませんが、出張し作成してもらう場合、管轄区域内の公証人でなければなりません。

公証人の費用

公証人の手数料については規定があります。手数料の概略については、238ページを参照してください。

〔データ〕

・日本公証人連合会　東京都千代田区霞が関１丁目４番２号大同生命霞が関ビル５F
☎03-3502-8050

最寄りの公証役場は、法務局でお尋ねください。

（公正証書の利点）

①本人の確認がなされ、法令違反や無効な法律行為でないことが確認される。
②原本が保管されるので偽造や変造がしにくく、紛失した場合、再交付の請求ができる。
③金銭に関する契約では、強制執行認諾約款がある場合には、裁判をしないで強制執行ができる（212ページ参照）。

3 執行官の仕事と頼み方・費用

▼執行官は最高裁判所が任命する

執行官とは

執行官は、各地方裁判所に置かれ、法律で定める裁判の執行、裁判所が発する文書の送達、その他の事務を行います（裁判所法62条）。

裁判の執行とは、裁判で出された判決が実現されない場合に、強制的に実現することで、強制執行と言います。

例えば、金銭貸借で借金の返済ができない場合に、貸主は判決を得て借主の貴金属を差し押さえ、競売して配当（返済）を受けることができますが、この場合の財産の差押え・競売・配当などの手続きをする人が執行官です。

執行機関は執行官だけでなく、執行裁判所の場合もあります。この違いは、執行官が行う執行は動産（貴金属や家財道具など）などであるのに対して、執行裁判所は慎重な手続きを要する不動産執行などを行います。

なお、執行官は、職務を遂行する際に抵抗を受ける場合には、その抵抗を排除するために、警察の援助を求めることができる等の、強い権限が認められています。

したがって、執行では、執行の対象（動産・不動産・債権など）によって申立先が異なることになりますので、注意が必要です。

執行官の手数料

執行官は裁判所の職員ですが、事件の当事者から手数料を受け、それを収入としている点で他の裁判所職員とは異なります。手数料が一定額に達しないときには、国庫から補助されます。

手数料の額は、「執行官の手数料及び費用に関する規則」（最高裁判所規程）で定められています。主な手数料については、254ページを参照してください。

〔データ〕
・執行官　各地方裁判所に置かれている。
・執行官の手数料⇨254ページ参照

4 司法書士の仕事と頼み方・費用

▼司法書士は簡易裁判所の訴訟等も扱う

司法書士とは何か

司法書士とは、司法書士試験に合格して、各地の司法書士会に登録している人です。

司法書士の業務は、「他人の依頼を受けて、次に掲げる事務を行うことを業とする」（司法書士法3条）とされています。

①登記または供託に関する手続きの代理
②法務局・地方法務局への提出書類の作成（不動産登記や商業登記の申請など）
③法務局または地方法務局の長に対する登記または供託に関する審査請求の手続きの代理
④裁判所または検察庁に提出する書類の作成
⑤前各号の事務について相談に応じること
⑥簡易裁判所における様々な手続きの代理

認定司法書士は、簡易裁判所での民事訴訟手続き（少額訴訟含む）、訴え提起前の和解（即決和解）の手続き、支払督促の手続き、証拠保全の手続き、民事保全の手続き、民事調停の手続きができます。ただし、上訴の提起、再審および強制執行に関する手続きは除外。

⑦裁判外での和解の代理や相談

認定司法書士は、裁判外において当事者の代理人となって内容証明による催告や示談交渉を行ったり和解に応じたりします。また、紛争性のある事件の相談に応じることもできます。

司法書士の費用

従前は司法書士についての報酬規程がありましたが廃止となり、各司法書士が自由に定めることができるとされています。自由といっても、会則で、その額や算定方法・諸費用を明示し、依頼者との合意によって決定することになっています。なお、報酬で問題となった場合は、紛議調停の申立てを所属する司法書士会にできます。

〔データ〕
・日本司法書士会連合会　新宿区四谷本塩町4番37号 司法書士会館　☎03-3353-9191
・各都道府県の司法書士会（各都道府県に50か所、司法書士総合相談センター）（関連センター等）
・少額裁判サポートセンター　（各地の司法書士会に設置・無料）
・(公社)成年後見センター・リーガルサポート（全国50の支部）　東京電話相談　☎03-5379-1888

５　税理士の仕事と頼み方・費用

▼税理士は税務に関するエキスパート

税理士とは何か

　税理士は国家試験である税理士試験に合格し、国税局の管轄区域ごとに設けられた税理士会に加入しています。

　税理士の仕事は、納税者の依頼による①税務代行、②税務関係書類の作成、③税務相談、④租税に関する会計業務（決算書類の作成・記帳の代行等）、⑤租税に関する訴訟の補佐人となること、です。

　これらの業務は公共性が強いことから、例え無償であっても、税理士（弁護士、公認会計士含む）以外の者がこの業務を行うと罰せられます。税理士は本人の写真を貼付した税理士証票を所持し、税理士バッジを付けています。正規の税理士かどうかを確認したいときには、各地の税理士会に問い合わせるとよいでしょう。

税理士への相談・依頼

　税理士に相談・依頼するときには、相談や依頼する内容を具体的にして、必要な資料は用意しておきます。特に相談では、通常、時間も限られ、税法ではケースによって適用要件が異なり控除額などが違いますので、相談する項目・内容を整理しておいてください。

　また、税理士を紹介して欲しい場合には、各地の税理士会に連絡するとよいでしょう。税理士会の所在地が分からない場合には、日本税理士会連合会に連絡してください。

税理士の報酬

　報酬については、従前の報酬規程は廃止になり自由になりました。相談や依頼される場合には、報酬について依頼前に相談・協議し、出来れば契約書を作成しておくとよいでしょう。

〔データ〕

・日本税理士会連合会　東京都品川区大崎 1-11-8 日本税理士会館 8 階 ☎03-5435-0931
・各地の税理士会（国税局の管轄区域ごとにある）
・税理士会では、確定申告の時期には、公共施設や街頭に無料法律相談所を開設して、簡単な相談に応じています。

6 弁理士の仕事と頼み方・費用

▼知的財産関係のエキスパート

弁理士とは

弁理士は国家試験である弁理士試験に合格し、日本弁理士会に登録している人を言います。○○特許事務所という名称で仕事をしている人です。

弁理士の業務の概略は以下のとおりです。

①特許、実用新案、意匠、商標、国際出願、国際登録出願における手続き。特許、実用新案、意匠、商標に関する異議申立て、または裁定についての経済産業大臣に対する手続きの代理。これらの手続きに関する鑑定その他の業務。

②特許、実用新案、意匠、商標、回路配置・特定不正競争に関する仲裁事件の手続きの代理。

③特許、実用新案、意匠、商標、回路配置、著作物に関する権利もしくは技術上の秘密の売買契約、通常実施権の許諾に関する契約等の締結の代理人・媒介・相談。

④特許、実用新案、意匠、商標、国際出願・国際登録出願、回路配置・特定不正競争に関する事項について補佐人となる（弁理士法5条）。また、一定の事件については訴訟代理人となる（同法6条、6条の2）。

弁理士への依頼と費用

特許等の申請は先願主義（特許庁に先に出願した者に権利を与える）なので、技術開発が成功したら一日も早く出願することが大切です。また、最近では特許等に関する紛争も増えています。権利侵害なのかどうかなどについては、弁理士に相談するとよいでしょう。

なお、費用については、依頼者と弁理士の合意によって決めることとされています。依頼の際に報酬についての説明を十分受けて、報酬額を決定してください。

〔データ〕
・日本弁理士会　東京都千代田区霞が関3-4-2　本部☎03-3581-1211
（相談・紛争解決機関など）
・「特許、意匠・商標なんでも110番」　東京☎03-3519-2707
名古屋・大阪・福岡にもあります。事前に連絡をしてください。
・日本知的財産仲裁センター　東京本部☎03-3500-3793
関西・名古屋支部もあります。

7 社会保険労務士の仕事と頼み方・費用

▼社会保険関係のエキスパート

社会保険労務士とは

社会保険労務士は国家試験である社会保険労務士試験に合格し、かつ2年以上の実務経験がある者で全国社会保険労務士会に登録している人です。

社会保険労務士の業務は多方面にわたっていますが、大別すると労働社会保険関係、人事・労務管理、年金関係の業務に分類できます。具体的には以下の業務を行います。

①代理・代行業務――(1)労働基準法、労働者災害保険法、雇用保険法、健康保険法、厚生年金保険法、国民年金法、介護保険法などの申請書等の提出、(2)休業補償、出産育児一時金、出産手当金、傷病手当金などの請求、(3)労働保険、社会保険の加入・脱退、給付金、助成金などの請求

②書類作成――労働者名簿、賃金台帳、就業規則、賃金、退職金規定など

③相談指導――賃金、退職金、労働時間、福利厚生、年金、採用、人事、賞与、解雇、定年、教育訓練、能力開発、安全衛生管理、個別労働関係紛争の事前防止や解決、紛争調停委員会におけるあっせん代理、労務診断など

社会保険労務士の仕事は、企業が業務の委託をするケースが多いのですが、年金等では相手が個人の場合もあります。

社会保険労務士の報酬

社会保険労務士の仕事に対する報酬は、全国社会保険労務士会連合会が定めた報酬基準をベースに、都道府県社会保険労務士会が定めた標準額によって決められていましたが、現在は廃止され、各社会保険労務士が定めることになっています。仕事を依頼する前に、報酬については決めておきましょう。

〔データ〕

・全国社会保険労務士会連合会　東京都中央区日本橋本石町 3-2-12 社会保険労務士会館 ☎03-6225-4864㈹
・都道府県の各社会保険労務士会　総合労働相談所
　東京都社会保険労務士会　総合労働相談所（毎週火・木曜日）☎03-5289-8833
・社労士 110 番　東京都社会保険労務士会（毎週月・水曜日）専用☎03-5289-8844
・社労士会労働紛争解決センター　0570-064-794
・年金相談センター　東京都社会保険労務士会（毎週金・第 2 第 4 土曜日）☎03-5289-8833

8 行政書士の仕事と頼み方・費用

▼行政書士の業務は役所への書類の申請など

行政書士の業務

行政書士は行政書士試験に合格等をし、行政書士の登録を受けている者です。

行政書士の業務は、①役所に提出する申請書類（許認可等）作成・申請代行、②遺言書等の権利義務、事実証明および契約書の作成、③官公庁に対して提出する書類についての相談、などを行います。

具体的には、①建設許可関係、②農地法関係、③会社設立、④相続・遺言、⑤内容証明、⑥開発許可関係、⑦産業廃棄物許可関係、⑧風俗営業許可関係、⑨自動車登録、⑩外国人の出入国事務関係、⑪各種契約書の関係、などです。

業務は依頼された書類を作成することから、複雑多様なコンサルタント業務を含む許認可手続きの業務へと移行しています。

また、今日、福祉行政の重視にともない、国民と行政との書類のやり取りも多くなり、国民が官公庁へ提出する資料も多くなり、また、複雑で専門的な知識を必要とする書類も増加しています。こうした書類の作成では、行政書士に依頼するとよいでしょう。

行政書士の報酬

行政書士の報酬については、従前は知事の認可を受けた報酬規程によりましたが、これは今日では廃止され、各行政書士が個々に自由に定めて、事務所の見やすい場所に掲示することになっています。

ただし、個々のケースとなると、その内容の難易や労力の多寡によって異なる場合もありますので、トラブルとならないためにも相談あるいは依頼される前に、費用についてはあらかじめ相談されることをお勧めします。

〔データ〕

・日本行政書士会連合会　東京都港区虎ノ門4-1-28 虎ノ門タワーズオフィス10階
☎03-6435-7330

・各都道府県行政書士会

（関連相談先等）

・東京都行政書士会　市民相談センター　☎03-5489-2411

9 不動産関係の専門家の仕事

▼不動産関連には多くの専門家がいます

不動産鑑定士

一般の人が不動産の鑑定評価を決めることは難しいものです。こうしたことから、昭和38年に「不動産鑑定評価に関する法律」が制定され不動産鑑定士という資格が誕生しました。

相続などで土地の評価額でもめている場合などで利用するとよいでしょう。なお、不動産鑑定士は、鑑定評価に付随したコンサルタント業務も行っています。

土地家屋調査士

土地家屋調査士は、不動産登記のうち表示登記（表題登記など）を担当する専門家です。表題登記とは、所有権などの権利の登記に先だってする登記で、不動産の形状に関する登記のことです。もう少し詳しく言えば、登記簿の表題部という欄があり、この欄には土地の場合には、所在、地番、地積が記載されます。この表題登記の申請をするのが土地家屋調査士で、登記の申請に当たっては、土地・建物の調査・測量などが行われます。

宅地建物取引業者・宅地建物取引士

宅地建物取引業者は国土交通大臣、あるいは都道府県知事の免許を受けた者です。国土交通省あるいは都道府県に業者名簿があり、免許番号や商号、役員などが載っていますので、どういう業者か調べるには有用です。

宅地建物取引士は、宅地建物取引士資格試験に合格した者で、宅地建物取引士の登録をしている人です。宅地建物取引士は、事務所等に一定の人数を置かなければならず、売買等の仲介においては重要事項の説明をしなければなりません。

なお、新しい資格として、「マンション管理士」「管理業務主任者」があります。

〔データ〕
・（公社）日本不動産鑑定士協会連合会　東京都港区虎の門3-11-15 SVAX TTビル9F　☎03-3434-2301㈹
・日本土地家屋調査士会連合会　東京都千代田区三崎町1-2-10 土地家屋調査士会館　☎03-3292-0050

（苦情申立て等）
宅地建物取引業者・知事免許⇨各都道府県の担当課（監督官庁）
　　　　　　　　　大臣免許⇨国土交通省の担当課（監督官庁）

10 福祉相談と専門職の仕事

▼福祉関係では専門職が養成されています

民生委員――民生委員は、市区町村の住民で、その地域の住民の生活状況を把握し、保護が必要な人に適切な指導を行い、福祉事務所や福祉施設などの関連機関に通知します。民生委員は民間の篤志家で、都道府県知事の推薦により、厚生労働大臣が委嘱します。

社会福祉士――社会福祉士は、福祉事務所や身体障害者更生相談所などで、身体上・精神上の障害があり、環境上の理由で日常生活に支障がある人の福祉に関する相談を受け、助言または指導などの援助をする専門職です。

社会福祉主事――社会福祉主事は、都道府県や市区町村で働く福祉に関する専門職です。生活保護法や児童福祉法、母子及び父子並びに寡婦福祉法、老人福祉法、身体障害者福祉法、知的障害者福祉法などに定める援助を行い、必要に応じて相談や指導をします。

介護福祉士――介護福祉士は、各種の社会福祉施設などで、日常生活に支障がある人のために、入浴、排泄、食事などの介護を行い、その家庭への介護指導を行う専門職です。

児童福祉士――児童福祉士は、都道府県の児童相談所で働く専門職で、児童の保護その他、児童の福祉に関する相談を受け、必要な指導を行います。

身体障害者福祉士――身体障害者福祉士は、都道府県の身体障害者更生相談所や市区町村の福祉事務所で働き、専門的な知識や技術がいる相談や指導を行います。また、市区町村相互の連絡調整や情報提供をしたり、福祉事務所の職員に必要な技術指導を行います。

その他、身体障害者相談員、知的障害者福祉士、知的障害者相談員、児童委員などがあります。

〔データ〕
〔福祉相談〕

・福祉事務所⇨社会福祉主事などの専門職が相談等に応じる。
・児童相談所⇨児童福祉主事などの専門職が相談等に応じる。
・婦人相談所⇨婦人相談員が相談等に応じる。

〔巻末特集〕最近の法制度に関するトピック

1．デジタル社会の法律トラブルにどう対処するか

■SNSの普及で未知のトラブルも増えた

どんなに気をつけていても、私たちは法律トラブルに巻き込まれることがあります。そんな時、詳しい対処法は知らなくても、的確な解決法を教えてもらえる相談先がわかれば、慌てることはありません。

第2部では、よくある法律トラブルを取り上げ、その紛争ごとの具体的な解決法や相談先を紹介してあります。

ここでは、急速に普及したスマホ（スマートフォン）やSNSによるトラブルのほか、国や自治体が推進するマイナンバーカードのメリット・デメリットなど、デジタル社会特有の法律トラブルの対処法を解説します。

スマホの普及でSNSの利用者が急増したことにより、昨今のコロナ禍でも、リモート授業や在宅勤務が容易になりました。帰省できない子供や孫と、互いの無事を確認したり、会話を楽しむことで、少しは寂しさを紛らわすことができたという人は多いでしょう。また、SNSを使えば、遠く離れて暮らす家族や友人だけでなく、内外の見知らぬ相手とも、簡単にコミュニケーションを取ることができるほか、自分の意見をいつでも手軽にネット上に投稿することも可能になったのです。

しかし便利さの反面、顔の見えない相手とのやりとりは、悪質商法や詐欺、出会い系サイトなどのトラブルに巻き込まれるリスクもあります。SNSでプライバシーを勝手に晒されたり、誹謗中傷の投稿をされて、大きな損害を被る事件も数多く起きています。

この他、令和4年4月1日から、成年年齢が満18歳に引き下げられましたが（民法4条）、飲酒や喫煙、馬券の購入は、従来どおり20歳になるまでは禁止です。

■被害を受けたら速やかに対策をとる

デジタル社会の法律トラブルも、その解決法や防御法は、原則として従来のそれと変わりありません。被害を受けたり、そのおそれがあると気づいた場合には、速や

かに必要な対処をとることです。放置しておくと、被害を拡大させたり、解決を遅らせることになります。

なお、対処の仕方がわからない場合には、自分1人で悩まず、家族や友人に相談することです。弁護士や行政機関の相談窓口もあります（左表参照）。

〔法律トラブルで困ったときの解決法〕

①法律上どうなっているかを検討する
- 被害が生じたときはできるだけ証拠を集めておく
  ⇒誹謗中傷の投稿記事、ネット通販の勧誘画面のスクリーンショット、通販業者とのやりとりのメールなど

②困ったときは専門家に相談する
- 誹謗中傷の投稿の削除要請、通販の購入契約の解除などの手続き⇒業界団体の相談窓口
- 法律相談⇒各地の弁護士会の法律相談センター、
  都道府県・市区町村の法律相談窓口
- 紛争解決手続き、解決機関の紹介⇒法テラス
- 生命や身体、財産に被害が及んでいるとき、またはそのおそれがあるとき⇒警察

③トラブルの相手方と交渉する
- 相手と直接交渉する⇒被害が拡大する場合もある。交渉前に専門家に相談しておくといい。
- ADR（裁判外紛争解決）機関を利用する　⇒比較的手軽に利用できる。法的手段までは取りたくないという場合にもいい（194㌻参照）。

④法的手段をとる
- 民事調停⇒簡易裁判所で話し合う（200㌻参照）。
- 民事訴訟⇒判決で白黒付ける（206㌻参照）。

たとえば、SNS上に投稿された誹謗中傷の書き込みは、すぐに削除させる必要があります。拡散するおそれがあるからです。後から法的手段で削除命令を勝ち取っても、一旦貶められた社会的評価を元に戻すのは難しいでしょう。しかし、初めから、弁護士会や行政機関の相談窓口を利用していれば、適切な解決法を教えてもらえたはずです。

また、ネット通販も解約や返品でトラブルになりがちです。しかし、消費者が直接業者と交渉しても、有利な解決は望めません。この場合には、国民生活センターや消費生活センターに相談してから交渉することです。

■対処の仕方さえわかっていればトラブルは怖くない

ここでは、最近大きな社会問題になっているネット上のトラブルと、私たちの暮らしに今後影響を与えそうな新しい制度について紹介します。

①ＳＮＳでの誹謗中傷のトラブル
②ネット上の消費者取引（電子商取引）トラブル
③成年年齢引下げの完全施行で何が変わるか
④マイナンバー制度は暮らしをどう変えるか
⑤ダブルワークをめぐるトラブル

2. 増大するSNS上での誹謗中傷への対処法

SNSは暮らしに欠かせない社会インフラの一つ

ＬＩＮＥ、ツイッター、インスタグラム、ティック・トック、メタ（フェイスブック）など、登録すれば利用者同士で自由に交流できるＳＮＳ（ソーシャル・ネットワーキング・サービスの略）は今日、私たちの暮らしに欠かせないインフラの一つです。

利用者は、会員登録したＳＮＳ上に自分の意見、動画や写真などを自由に投稿できますし、他人の投稿内容に意見を付けて、あるいはそのまま再投稿することもできます。利用者同士がＳＮＳ上でコミュニケーションを取ることができる仕組みです。これにより、投稿は次から次へとネット（ウェブ）上で拡散し続けます。

なお、「令和2年通信利用動向調査（総務省）」によると、インターネットの利用目的・用途として、ＳＮＳは73・8％と、電子メール、検索に次いで第3位でした。

誹謗中傷の投稿を見つけたら、すぐ削除を求める

スマホの普及がＳＮＳの利用者を急激に増加させたと言われますが、誰もが自分の意見を自由に、かつ手軽に投稿できるようになった反面、真実でない虚偽（ウソ）の投稿や、他人を故意（意図的）に誹謗中傷する悪質な投稿も増えています。また、他人のプライバシーや個人情報を無断でネット上に晒す投稿者（発信者）もいて、それらの被害が大きな社会問題になっているのです。

実際、ＳＮＳでの度重なる誹謗中傷で自ら命を絶った人もいます。あおり運転とは無関係なのに、ＳＮＳ上で「加害車両の同乗者」と名指しされたため、嫌がらせの電話に悩まされたり、仕事先から取引を打ち切られるといった甚大な被害を受けた人もいます。

もちろん、誹謗中傷された被害者は、投稿した発信者に対し、次のような要求ができます（次頁表参照）。

①記事の削除を求める（同時に謝罪を求めることも）

②損害賠償を請求する　投稿により損失が生じた場合、不法行為に基づく損害賠償請求ができます。

③警察に告訴する　名誉毀損、侮辱、脅迫、信用毀損・

威力業務妨害などで、発信者を告訴できます。

ただし、発信者が削除などに応じなければ、被害者は最終的には民事訴訟を起こして、削除命令や賠償判決を勝ち取るしかありません。その場合、判決が出るまでに時間がかかるので、誹謗中傷の書き込みが拡散し、被害がより大きくなるおそれは大です。

〔ＳＮＳで誹謗中傷された場合の解決法〕

①発信者に投稿内容の削除や謝罪を要求する
- ・発信者が削除に応じない場合
  ⇒投稿されたＳＮＳを運営管理するサイト運営者または接続するプロバイダに削除を依頼する。
- ・サイト運営者・プロバイダが削除に応じない場合
  ⇒削除を求める仮処分命令（210㌻参照）や民事訴訟（206㌻参照）を地方裁判所に申し立てる。

②発信者を特定する（発信者が匿名の場合）
- ・プロバイダ責任制限法に基づき、サイトやプロバイダに発信者の個人情報の開示を求める（次頁参照）。

③発信者に損害賠償を請求する（謝罪記事掲載も含む）
- ・発信者が応じない場合⇒民事調停（200㌻参照）、民事訴訟（206㌻）を地方裁判所（訴額が140万円以下は簡易裁判所）に申し立てる。

※投稿内容が誹謗中傷に当たるか、損害を被ったかなどの立証責任は被害者側（誹謗中傷された側）にある。

④発信者の処罰を要求する
- ・投稿内容が、名誉毀損、侮辱、威力業務妨害・信用毀損などの罪に該当する場合⇒警察や検察に刑事告訴する。

※ネット上に発信者を誹謗中傷する内容の投稿をすることは自力救済に当たり、許されない。

誹謗中傷の書き込みを見つけたら、その投稿の削除をまず最初に行ってください（発信者に削除要請をする）。

■ＳＮＳの運営管理者やプロバイダに削除を要請する

発信者が削除に応じない場合は、発信者と利用契約を締結しているＳＮＳの**運営管理者**や接続するプロバイダ（特定電気通信役務提供者という。プロバイダ責任制限法2条3号）に削除を依頼します。

依頼する場合には、侵害された権利の内容（たとえば名誉毀損など）を具体的に記載した「**侵害情報の通知書兼送信防止措置依頼書**」の作成が必要です（投稿サイトのＵＲＬ、投稿の発信日時なども記載）。違法・有害情報相談センターなど相談先の中には、依頼書の記載方法を教えてくれるところもあります（次々頁下段表参照）。

なお、ＵＲＬや発信日時はＳＮＳ上の投稿記事や動画に表示されています。誹謗中傷の書き込みを見つけたら、証拠として、その画面をスクリーンショットで保存しておきましょう。ＵＲＬや発信日時は、依頼書を作成する場合だけなく、発信者に後から損害賠償を請求する場合や匿名の発信者情報を開示させる場合にも必要です。

もっとも、誹謗中傷の被害者（依頼者）から削除依頼を受けたSNSの運営管理者やプロバイダは、発信者の投稿が依頼者の権利を明らかに侵害していると判断した場合でも、「通信の秘密」や「表現の自由」の観点から、リベンジポルノなど一部の投稿を除けば、原則として発信者の許可なく投稿を削除することはありません。

依頼者の権利を侵害していると判断しても、発信者に削除を要請するだけで、投稿を削除するかどうかは発信者任せです。ただ、要請後7日以内に発信者から返信がない場合に限って、その投稿を削除することになっています。発信者が削除を拒否した場合、運営管理者やプロバイダは独自の判断で削除できず、依頼者の削除依頼を拒否します。依頼者（被害者）は誹謗中傷の投稿の削除を求める民事裁判を地方裁判所に起こし、裁判で削除を認める判決を勝ち取るしかありません。

発信者情報の開示を求める

SNS上の誹謗中傷により社会的信頼が低下し、損失を被った被害者は、発信者に対し、その損害（精神的な損害含む）を賠償するよう請求できます。しかし、発信者が匿名の場合には、被害者は損害賠償の請求をするに当たり、まず発信者が誰か特定しなければなりません。

一見、特定は難しそうですが、発信者は接続するプロバイダと本名で利用契約を結んでいます。発信者が匿名の場合、SNSの運営管理者やプロバイダに発信者情報（氏名、住所、メールアドレスなど）の開示を求めればいいのです（プロバイダ責任制限法4条1項）。

この開示請求には、「**発信者情報開示請求書**」の作成が必要です。書き方は前出の依頼書同様、違法・有害情報相談センターなどで教えてもらえます。なお、運営管理者やプロバイダに開示を拒否された場合、被害者は次の二段階の法的手続きが必要です（左頁上図参照）。

①発信者のIPアドレスの開示の仮処分を申し立てる

サイトの運営管理者を相手取り、地方裁判所に申立てをします。IPアドレスとはネット上の住所のことです。

②発信者情報の開示を求める裁判を起こす

発信者のIPアドレスが特定できたら、プロバイダを相手取り、地方裁判所に民事訴訟を提起します。裁判所が発信者の個人情報の開示を認めれば、発信者が特定できますので、損害賠償請求の手続きに移れます。

なお、仮処分の申立てや民事訴訟など、裁判手続きを利用して解決を図ろうとする場合には、弁護士の支援が不可欠です。また、サイトやプロバイダへの削除依頼や発信者情報の開示請求の手続きは、被害者本人だけでもできますが、弁護士や専門の相談先を利用すると、その手続きもスムースに運びます。

■誹謗中傷の投稿をされても1人で悩まない

ＳＮＳ上で誹謗中傷されても気にならないという人は、あまりいないでしょう。ほとんどの人は不快に感じたり、怒りを覚えるはずです。しかし、悩んだり、怒っているだけでは何も解決しません。まずは投稿を削除する方法を教えてくれる相談先に急いで連絡してください（左の下表参照）。前にも説明しましたが、大事なことは誹謗中傷の投稿をネット上で拡散させないことです。

なお、「殺してやる！」などと、投稿内容が危険で不安な場合は、最寄りの交番や警察署に相談してください。

〔ＳＮＳで誹謗中傷する発信者の特定方法〕

①投稿されたSNSサイトの運営管理者またはプロバイダに対し、発信者情報の開示を求める。

⇩ 開示を拒絶される

②サイトの運営管理者を相手取り、地方裁判所に発信者のIPアドレスの開示の仮処分を申し立てる。

⇩ 裁判所が仮処分命令　⇒サイトが発信者のIPアドレスを開示

③プロバイダを相手取り、地方裁判所にIPアドレスが特定された発信者の個人情報開示を求める民事訴訟を起こす。

⇩ 裁判所がプロバイダに発信者の個人情報の開示を命ずる

④プロバイダが発信者の個人情報を開示する。

〔開示される個人情報〕

- ・発信者の氏名
- ・発信者の住所
- ・発信者の電話番号
- ・発信者のメールアドレス
- ・タイムスタンプ（発信時間）など

※誹謗中傷された被害者は、開示された発信者情報を基に、発信者に損害賠償請求など法的手段を取る。

〔ＳＮＳ上の誹謗中傷で困ったときの相談先〕

他者（匿名とは限らない）による誹謗中傷の書き込みや個人情報・プライバシーの無断投稿などに悩む被害者は、以下の相談先で支援が受けられます。

- ・警察庁インターネット安全・安心相談
- ・都道府県警察サイバー犯罪相談窓口
  ※緊急性が高い場合には、110番で最寄りの警察に助けを求めること。
- ・違法・有害情報相談センター（法務省）⇒専門の相談員から削除依頼の方法なども教えてもらえます。
- ・法務省の人権相談⇒各地の法務局・地方法務局
- ・みんなの人権＃110番　☎0570-003-110
- ・女性の人権ホットライン　☎050-070-810
- ・子どもの人権110番　☎0120-007-110
- ・24時間子供ＳＯＳダイヤル　☎0120-0-78310
- ・誹謗中傷ホットライン（セーファーインターネット協会）

〔法律相談〕

- ・各地の弁護士会の法律相談センター
- ・都道府県の無料の法律相談所（99㌻参照）
- ・紛争解決手続き、解決機関の紹介⇒法テラス

3．ネット上の消費者取引のトラブル対処法

ネット通販にクーリング・オフはない

スマホの普及は、私たちの暮らしを大きく変えました。誰もが自分の意見や動画をSNS上に自由に投稿できるようになったほか、インターネットで買物をすることも生活の一部になっています。しかし、SNS同様、最近では、ネット上の消費者取引をめぐるトラブルも増えているようです。ここでは、よく使われる「ネット通販」のトラブルについて、その対処法を紹介します。

ネット通販は、パソコンやスマホの画面上で、簡単な操作をするだけで商品を購入できます。しかし、画面に表示される広告に法定の記載事項が入っていなかったり、消費者が誤認しやすい表示がなされていることもあって、トラブルが起きやすいのも事実です。

このネット通販を規制する法律には、特定商取引法と電子消費者契約法（電子消費者契約に関する民法の特例に関する法律）があります。また、民法や消費者契約法も、ネット通販のトラブル解決に欠かせない法律です。

ネット通販でも商品注文後に気が変わり、注文（売買契約の申込み）を止めたくなる消費者もいます。ただし、ネット通販には訪問販売のように、一定の期間内（売買契約の書類交付日から8日間）なら消費者が無条件解約できるというクーリング・オフ制度はありません。

ネット通販は返品特約次第で解約できないことも

ネット通販の場合、消費者がペナルティーなしに解約できるかどうかは、通販業者が広告に表示する返品特約（業者側が、自主的に商品の返品や契約の解除＝解約について定めた条項）の内容次第です。

たとえば、「商品引渡し後10日間は返品（解約）を受け付ける」という特約なら、その期間内は返品（解約）ができます。ただし、業者は必ず返品を認める義務はなく、「返品および解約は不可」と決めてもいいのです。この場合には当然、消費者は返品（解約）できません。

ネット通販の解約には、この返品特約が適用されます（原則）。しかし、返品特約が広告上に表示されていない

場合、消費者は商品を受け取った日から8日を経過するまでは、契約の申入れの撤回または契約の解除（解約）ができるのです（特定商取引法15条の3。左図参照）。なお、商品返品の費用は消費者持ちです（クーリング・オフの場合には、返品費用は業者持ち）。

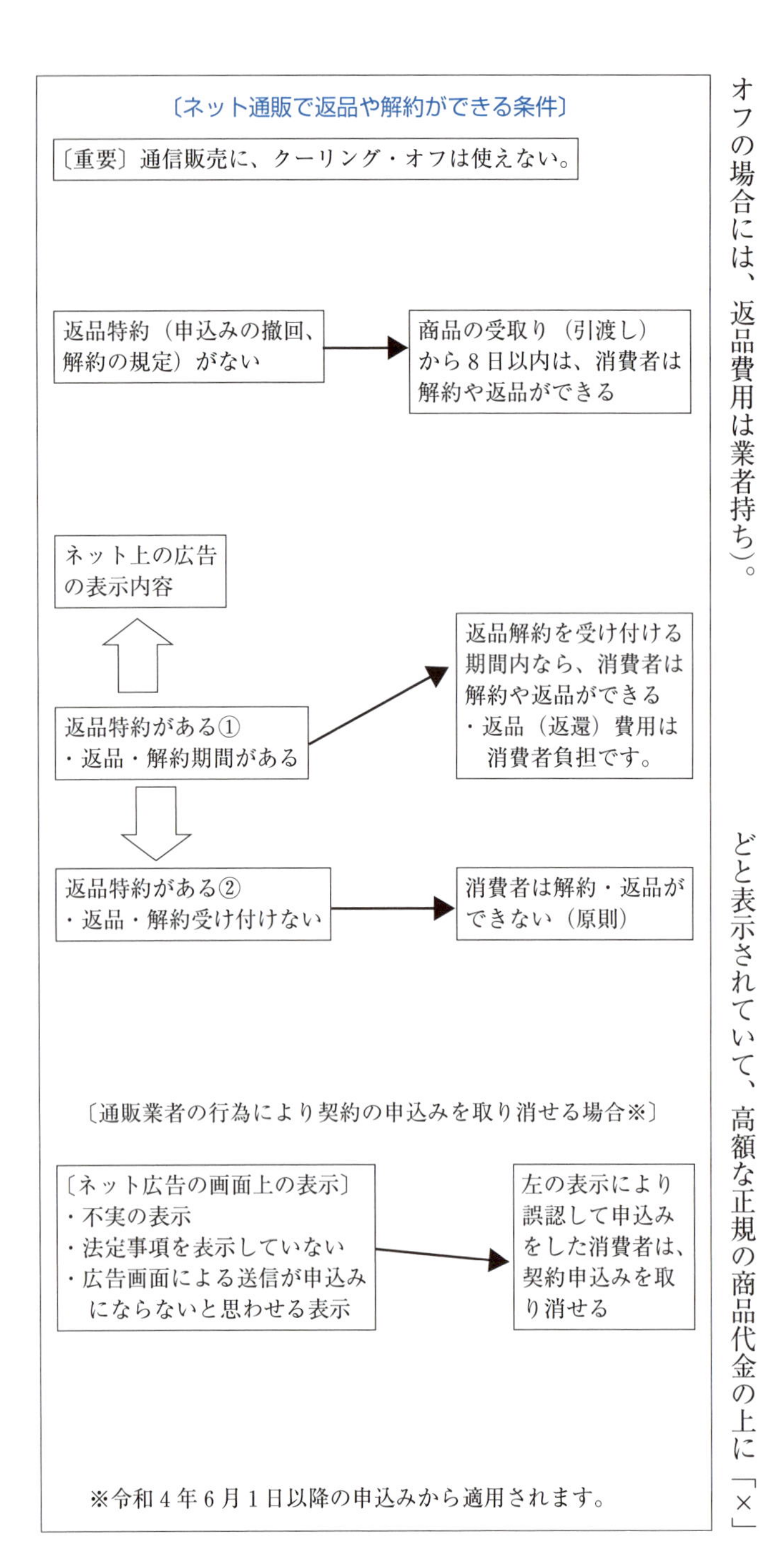

〔ネット通販で返品や解約ができる条件〕
〔重要〕通信販売に、クーリング・オフは使えない。
返品特約（申込みの撤回、解約の規定）がない
商品の受取り（引渡し）から８日以内は、消費者は解約や返品ができる
ネット上の広告の表示内容
返品特約がある①
・返品・解約期間がある
返品解約を受け付ける期間内なら、消費者は解約や返品ができる
・返品（返還）費用は消費者負担です。
返品特約がある②
・返品・解約受け付けない
消費者は解約・返品ができない（原則）
〔通販業者の行為により契約の申込みを取り消せる場合※〕
〔ネット広告の画面上の表示〕
・不実の表示
・法定事項を表示していない
・広告画面による送信が申込みにならないと思わせる表示
左の表示により誤認して申込みをした消費者は、契約申込みを取り消せる
※令和４年６月１日以降の申込みから適用されます。

■ネット通販の広告表示に関する規制が強化された

ネット通販では、画面上の派手な映像や大きく目立つ文字に、消費者は引きつけられがちです。化粧品や健康食品のネット広告で、「初回無料」、「おためし価格」などと表示されていて、高額な正規の商品代金の上に「×」

が付けられていたら、お得感で、その商品を注文したくなります。しかし、画面上の広告の片隅に小さく「定期購入」と表示されていて、翌月からは正規の代金を請求されて損をしたというケースは珍しくないのです。

この話のような消費者を惑わす広告表示には、苦情や相談が数多く寄せられていて、令和3年6月の法改正で、業者への規制を強化し、消費者に有利な次のような規定が盛り込まれました。

①消費者が、ネット通販の広告の表示を誤認し、意思に反して申込みをした売買契約は取り消せる

②注文の意思表示がなされていないのに、一方的に業者が送り付けた商品は、消費者は直ちに処分できる

ネット通販の業者は、消費者が誤認しないよう、広告画面には定期購入の契約であることをわかりやすく表示することが義務づけられました。令和4年6月1日以降、誤認して商品を注文した消費者は、「購入の申込みの意思表示は錯誤によるもの」だったとして、申込みの取消しを主張できます（前頁下図参照）。

■ネット通販では注文前に最終画面の確認をする

ネット通販の販売業者は、定期購入以外にも売買契約に関する一定の事項をホームページ上の広告に表示することを義務づけられています（特定商取引法11条の3）。不実な広告を誤認して商品を購入した消費者は、解約や契約の取消しができます。しかし、トラブル解決には時間がかかります。また、代金を払ってしまうと、業者に返金をさせるのは容易ではありません。

ネット通販を利用する場合、最終画面の「注文を確定」ボタンを押す前に、もう一度、売買契約に関わる広告の表示内容（商品代金や支払方法や支払時期、商品の引渡し時期、返品特約など業者に表示が義務づけられた事項）を確認することです。できればＰＣやスマホのスクリーンショットで保存しておくとよいでしょう。これが、ネット通販でトラブルに遭わない一番確実な防御法です。

なお、ネット通販で業者とトラブルになった場合には、1人で悩まず、消費者ホットラインや最寄りの消費生活センターなどに相談してください。また、1人で業者と直接交渉することも、ＮＧです。相手はプロですから、かえって被害を大きくするおそれがあります。

■送り付け商法の商品は直ちに処分してもよい

令和3年6月の法改正では、送り付け商法についても

規制が強化されました。販売業者が一方的に商品を送り付けても、法律上、売買契約は成立しません。消費者は、送り付けられた商品の受取りを拒否すればいいのです。間違って受け取った場合も契約は成立していません。

なお、改正前は、商品受取りから14日が過ぎないと、その商品を処分できませんでした（業者に引取りを要求した場合は連絡後7日経てば処分できる）。今回の改正により令和3年7月6日からは、業者に一方的に押し付けられた商品は、直ちに処分できることになったのです。

もちろん、業者から商品代金の支払いを要求されても、払う必要はありません。業者は法律上、送り付けた商品の返還も請求できないのです。

一方、消費者が勘違いで、あるいは業者の強引さに屈し、送り付けられた商品を引き取ってしまい、その代金も払ってしまったという場合も、諦める必要はありません。その業者に対し、返金を求めることができます。

なお、送り付け商法で業者と揉めて困っている場合や業者が代金支払いを強要してくるような場合は、1人で悩まないことです。また、直接業者と交渉してもいけません。

困ったときは、消費者ホットラインや弁護士会などの相談窓口で助けを求めてください（上表参照）。

〔身に覚えのない商品が届いたときの解決法〕

申し込まれてもいないのに、販売業者が消費者宛てに、勝手に商品を送り付けるのが「送り付け商法」です。
特定商取引法59条、59条の2に規定があります。

①頼んだ覚えのない商品は受け取らない
・商品を購入した（申し込んだ）覚えがない⇒業者が一方的に送り付けてきたものですから、受け取る必要はありません。受取りを拒否すればいいのです。

②商品を受け取ってしまった場合、すぐ処分できる
・一方的に送り付けられた商品⇒法改正により、令和3年7月6日以降は、受け取ったら直ちに処分できます（従来は14日経たないと処分できなかった）。なお、売買契約は成立していないので、業者側から商品の返還請求は法律上できません。

③業者から請求されても代金を支払う必要はない
・業者から代金請求された場合⇒支払う必要はない。

④困ったときは消費者相談窓口などに相談しよう
次のような相談先があります。
・消費者ホットライン　☎188
・都道府県の消費生活センター（69㌻参照）
・各地の弁護士会、都道府県の消費者相談窓口
・紛争解決手続き、解決機関の紹介
　⇒法テラス　☎0570-078374（コールセンター）
・最寄りの警察署（業者が支払いを強要する場合など）

4. 成年年齢引下げで何が変わるのか

18歳になれば親の同意なしに契約や就労ができる

民法改正で、令和4年4月1日から成年年齢が18歳に引き下げられました（民法4条。改正前は20歳）。法律上、18歳は成人として扱われます。具体的にどう変わったかは次ページの表で主な例を紹介してありますが、民法上、もっとも大きく変わったのは「**親権**」の問題です。

①親は親権を行使できなくなる
②子供は親権による保護を受けられなくなる

親権とは、子の利益のために子の監護や教育をしたり、子の財産を管理する親の権利・義務で、通常は子の父母が共同で持つことになっています。具体的には、未成年の子に対する居所の指定、職業の許可、子の財産の管理、婚姻の同意などがあり、成人に達しない子（未成年者）は、親権に服さなければなりません（民法818条）。

たとえば、子が親の同意なしに勝手に業者と売買契約を結んでも、親は後から契約を取り消すこともできます。親権により悪質商法から子を守ることもできたのです。

今回の法改正で、18歳になった子供は、親（法定代理人）の同意がなくても、結婚や契約など法律行為を自分の意思で自由にできるようになりました。しかし、その反面、契約や取引などで親の取消権が使えなくなるなど、未成年者だった頃のように親権による法律の保護が受けられなくなったのです。

飲酒、喫煙、競馬はこれまで通り20歳から

成年年齢に達すると、親の同意（許可）がなくても、自分の意思だけで法律行為ができますが、その法律行為でトラブルが起きた場合は、責任も自分で負わなければなりません。たとえば、多額の借金をして返済できなくなり、親に肩代わりをしてもらうこともあるでしょうが、これは親権者としての援助（保護）ではないのです。

なお、今回の法改正で、18歳になれば、飲酒や喫煙、競馬や競輪の馬券や車検の購入もできるようになったと思っている人もいるようですが、これらは従来通り20歳からです。

また、刑事事件（犯罪）を犯した18歳、19歳は、特定少年として少年法が適用されます。

■子供を成人と認めて、対等の立場で話し合おう

18歳になったら、もう親権を行使できないと言われても、大学の学費や小遣いを出している親にしてみれば、納得いかないでしょう。また、子供が単独で法律行為をして、多額の借金をしたり、悪質商法に騙されないか、不安になることも多いと思います。実際、成人になったばかりで、法律に疎い18歳、19歳の青年をカモにしようと、手ぐすねひいて狙っている大人たちもいて、子供が法律トラブルに巻き込まれるリスクは大きいのです。

そんな場合に備えて、子供を側面から支援できるように、親は次のような準備をしておいてください。

①子供を成人と認め、対等な立場で話し合う

子供の考えを頭ごなしに否定せず、その言い分に耳を傾けてください。親だからと一方的に考えを押し付けると、子供は法律トラブルの相談をしてくれません。

②一緒に悩むのではなく、一緒に相談窓口を訪れる

保証人でもない親が子供の借金の肩代わりをしたり、トラブル相手と直接交渉することはお勧めできません。これは甘えです。親として子供を本当に成長させたいのなら、各地の弁護士会や消費生活センターなどに子供と一緒に行き、その相談に付き合うことです。

成人して親権から外れることと、子供が困ったときに相談しやすい環境を作っておくことは矛盾しません。

〔成年年齢引下げで変わること、変わらないこと〕

〔18歳になれば、親の同意がなくてもできる〕
・銀行の預金口座の開設、証券口座の開設、生命保険や損害保険（自動車保険など）の加入
・売買契約、アパートの賃貸契約、携帯電話の加入など
・就労、会社の設立⇒親の同意は不要。自由にできる。
・相続人として遺産分割協議に加わる
⇒法定代理人は不要。本人の意思で決められる。
・結婚⇒婚姻適齢が男女とも18歳に。親の同意が必要　な未成年者の法律婚はなくなった。
・親の親権⇒外れる（未成年者への保護もなくなる）。

〔原則18歳は親の同意不要だが、一定の制限ある〕
・クレジットカード、カードローン⇒親の同意求めたり、従来通り20歳からとする銀行、金融業者もある。
・無担保ローン以外の借金、住宅ローンなど。

〔従来通り20歳にならないとできない〕
・国民年金への加入
・飲酒、喫煙、競馬・競輪などの公営ギャンブル
・自動車の中型免許取得⇒普通免許は18歳で取れるが、中型は2年間の運転経験が必要なため20歳から。
・国籍の選択⇒二重国籍の場合、どちらの国籍の選ぶか決める年齢が22歳から20歳に引き下げられた。
・犯罪を犯したとき⇒19歳までは少年法が適用される（18歳、19歳は、起訴時に実名公表も）。

5．マイナンバー制度は暮らしをどう変えるか

住民票がある全住民に12桁の個人番号が付いた

市区町村の広報誌で、「マイナンバーカードを作ると、買物で使えるマイナポイントが最大2万円分もらえる」というPR記事を、最近見かけます。このオマケ作戦が効を奏したのか、伸び悩んでいたマイナンバーカードの交付枚数は、令和4年2月1日現在、約5288万枚、人口の41・2%が取得しました。

このマイナンバーは、日本国内に住民票のあるすべての人に付されている12桁の個人番号のことです。また、マイナンバー制度は、個人番号を行政機関の事務手続きに利用して、情報の一元化による行政の効率化を図り、一方で、各種手続きを申請する国民の負担を軽減して、行政サービスを受けやすくすることを目的としており、令和3年9月からは、デジタル庁の所管になりました。

なお、マイナンバー（個人番号）や、後から紹介するマイナンバーカードの利用方法やその制限などについては、マイナンバー法（正式には、**行政手続における特定の個人情報を識別するための番号の利用等に関する法律**という）に、規定があります。

マイナンバーの利用は厳しく制限されている

マイナンバーを行政手続きに関する事務に利用できる機関は、行政機関、地方自治体、独立行政法人など法律で限られています（マイナンバー法9条1項。個人番号事務実施者という）。しかも、すべての行政手続きに利用できるわけではなく、法律や条令で定められた事務手続き以外には利用できません。たとえば、地方自治体の場合は現在、福祉、保健、もしくは医療その他の社会保障、地方税、または防災に関する分野でしか、マイナンバーを利用することができないのです（同条2項）。

具体的に、どんなふうに特定の個人のマイナンバーが取得、使われているのかを、税の分野で見てみます。

会社（事業主）は、従業員（その扶養家族を含む）のマイナンバーを支払調書に記載し、税務署など行政機関に提出することになっています。従業員は、会社の要請

があれば、自分のマイナンバーを会社に提出しなければなりません（左図参照）。銀行や証券会社なども同様に、顧客からマイナンバーを提出してもらい、記載した支払調書を税務署に提出します。税務署は、取得した特定の個人のマイナンバーを、法律や条令に定められた範囲内で、行政手続きの事務処理にだけ使えます。

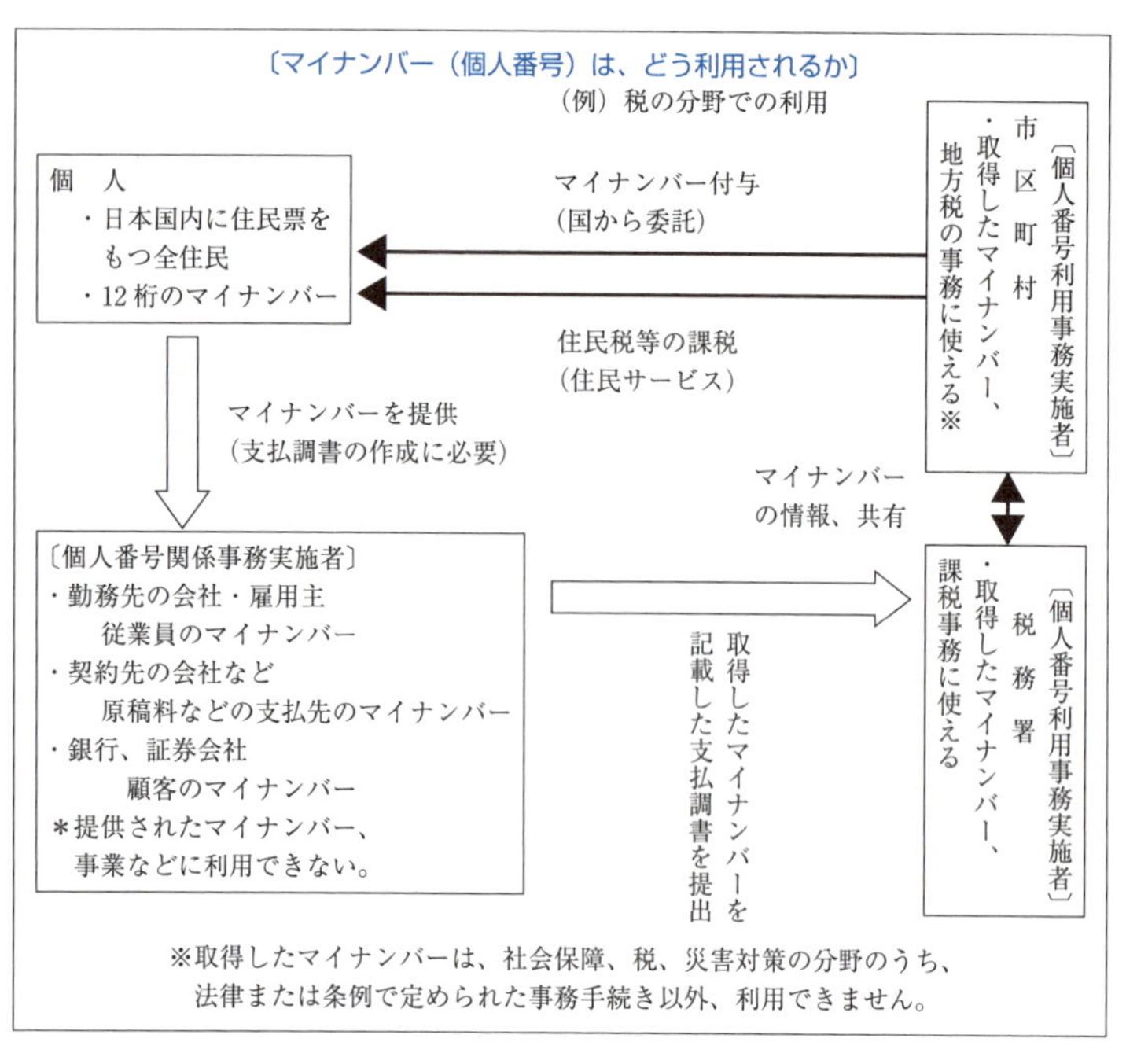

なお、特定の個人からマイナンバーを提出させた会社や銀行など（個人番号関係事務実施者という）は、その情報を法律や条例で認められた機関以外に漏らしたり、当該事務以外の業務に利用することは禁止です（罰則がある。従業員や顧客の同意があっても利用できない）。

マイナンバーカードは健康保険証として使える

マイナンバーカードは、マイナンバー（個人番号）が記載された顔写真付きのカードです。本人確認のための身分証明書として使えるほか、わざわざ市区町村の申請窓口に行かなくても、コンビニで住民票や戸籍謄本などの公的証明書を取れることは、よく知られています。

また、登録すれば、マイナンバーカードを健康保険証としても使えます。残念ながら、利用可能な医療機関や薬局はまだ少なく、既存の紙の健康保険証と使い分けるしかありませんが、今後、利用可能な医療機関は確実に増えていくはずです。健康保険証に限らず、将来的にはマイナンバーカード一枚で、行政サービスすべてが受けられる時代がくるのではないでしょうか。

　なお、マイナンバーカードには有効期限があり、10年ごとに更新が必要です。また、電子証明書付きの場合、電子証明書については5年ごとに更新の必要があります（有効期限の2～3か月前に更新手続きの通知が来る）。


〔マイナンバーカードの取得でできること〕

マイナンバーカードは、個人番号を証明する書類として利用できるほか、次のような場合に利用できます。

①本人確認の際の公的な身分証明書になる
　銀行の口座開設、パスポートの発給など、本人確認とマイナンバーの提示が同時に必要な場合も、このカード１枚の提示で済みます（本人確認だけなら運転免許証やパスポートでＯＫ）。

②コンビニなどで、公的な証明書が取得できる
　市区町村の窓口（郵送を含む）でしか申請できなかった住民票、印鑑証明書、戸籍謄抄本などの証明書が、最寄りのコンビニなどでも取得できます（市区町村によりサービス内容が異なる）。

③健康保険証としても使える
　登録が必要ですが、マイナンバーカードは健康保険証としても使えます（利用できる医療機関・薬局は、まだ一部なので、紙の健康保険証と使い分ける必要はある）。

＊複数のカードを持ち歩く必要があった行政サービスを、将来的にはマイナンバーカード１枚でできるようになることが期待されます（市区町村によりサービス内容が異なる）。

④各種の行政手続きがオンライン申請できる
マイナポータルへログインして、自分の医療費や特定健診のデータを確認することや、e-Tax などの電子申請もできます。また、ネットバンキングの登録にも使えます。

〔マイナンバー、マイナンバーカードの相談先〕
・マイナンバー総合フリーダイヤル　☎0120-95-0178
　個人番号、マイナンバーカードのことなら何でも。
・個人番号コールセンター　☎0570-783-578
　紛失・盗難によるマイナンバーカードの停止など。

■マイナンバーカードは作れば得

マイナンバーカードを作るには、自分のマイナンバー（個人番号）が必要です。わかっていれば、簡単に作れます。申請方法は何種類かありますから、申請しやすい方法を使えばいいでしょう。

　たとえば、カードの交付申請書に顔写真を貼って郵送で申し込む方法もあります。スマホやパソコンによる申請も可能です。マイナンバーがわからないという場合には、マイナンバー総合フリーダイヤルに電話して問い合わせてください（上記表参照）。

　なお、令和4年4月1日以降に、新規にマイナンバーカードを申請する人は、最大5000円相当のマイナポイントがもらえます。この他、健康保険証の利用登録者には7500円相当が、公金受取口座の登録をすると同じくマイナポイント7500円相当が受け取れるなど、最大2万円相当のマイナポイントがもらえるのです（期限があるので実施機関に確認してください）。

6. ダブルワークをめぐるトラブル

副業を持つのが当たり前の時代になった

パート社員やアルバイトなど短時間労働で働く場合、いくつか仕事を掛け持ちする人も多いでしょう。しかし、フルタイムで働く正社員でも、自分のスキルを活かして副業を始める人が増えていると言います。

コロナ禍でテレワークが増え、残業が減ったことも、ダブルワークを後押しした原因の一つでしょう。

しかし、フルタイムで働く人（正社員とは限らない）は、ダブルワークをする場合は、まず会社の就業規則や労働契約などに、「副業（二重就業）禁止」の規定がないかを確認してください。副業禁止の条項がある場合は、会社の許可なくダブルワークをしていることがバレると、懲戒処分の対象になるおそれがあります。

終業後や休日、いわゆる余暇を何に使おうが自由だと思う人もいるでしょうが、ちょっとした小遣い稼ぎならともかく、勤めている会社とトラブルにならないよう、会社の許可を取ってから始めるのがベストです。

すでに、ダブルワークで働いている場合は、事後報告でもいいので許可をもらってください。最近では、副業を認める会社も多くなりましたから、報告が遅れても、ペナルティーを科されるとは限りません。

ただし、副業が、フルタイムで働く会社での仕事内容や取引先などがバッティングするような場合、競業避止義務に反するおそれがあります。会社の役員人事、新商品開発や特許機密、営業秘密などを知り得る立場にあると、懲戒処分や損害賠償の対象になります。

過重労働を防ぐため労働時間を厳しく管理する

ダブルワークをする場合には、二重就労（副業）禁止の就業規則の有無、競業避止義務への抵触のほか、過重労働の問題にも注意しなければなりません。

とくに、副業で働くのはフルタイム労働した後という場合、どうしてもオーバーワークになりがちです。過重労働に陥らないように、労働時間の管理は厳しく行ってください。

◆各種の法律手続の情報源　※この他にも、情報提供先は多くあります（本文参照）

・**日本司法支援センター（法テラス）ホームページ**　支援概要など　☎0570-078374

・**最高裁判所ホームページ**　裁判所の案内・裁判手続き・判例情報
・**各地の裁判所ホームページ**　など掲載

・**簡易裁判所民事手続き案内サービス**（民事調停・訴え提起前の和解・訴訟など）
　・裁判所のホームページ
　・窓口案内　（例）東京簡裁民事手続案内　☎03-3581-5289
　　　　　　　　大阪簡易裁判所民事手続案内コーナー　☎06-6363-1281
・**家庭裁判所家事手続案内**（家事調停・審判など）
　（家庭裁判所内の家事手続案内室）
・**東京地方裁判所　ウェブインフォメーション21**（民事執行関係）
　東京地方裁判所民事執行センター　☎03-5721-4630（総合案内）

・**e-Gov法令データ提供システム**（総務省）　インターネット配信・各種の法令・条文
・**各省庁のホームページ**　**所轄の法令・法改正情報**
（衆議院・参議院のホームページにも掲載）

・**登記・供託インフォメーションサービス**（各地の法務局・地方法務局）
（法務局のホームページに掲載）

・**タックスアンサー**（税金）国税局のホームページに掲載
・**電話相談**　**最寄の税務署に電話をすると、音声による案内が流れ、それに従い番号を押すと相談窓口につながります。**

・**日本弁護士連合会ホームページ**　法律相談案内・当番弁護士制度・報酬など掲載
・**各地の弁護士会のホームページ**　法律相談案内・当番弁護士・法律扶助など掲載

■ADR法（裁判外紛争解決手続の利用の促進に関する法律）について

ADRは裁判外紛争解決手続きと呼ばれ、裁判所の調停、行政機関、弁護士会、社団法人、民間団体が行う和解などによる解決手続きをいう。

ADR法（平成16年12月1日公布）は、上記の民間事業者が行う和解について、認証制度を設けて、報酬を得て和解の仲介業務ができるようにするというもので（認証がないと弁護士法違反となる）、また、認証業者に和解の手続きの申請をすると、時効完成が猶予される。平成18年4月1日から施行。

■公証人の手数料（抜粋）

種別		単位および額	
法律行為に係る証書	1.一般の場合の証書の作成	法律行為の目的の価額	手数料
		100万円以下	5,000円
		100万円を超え 200万円以下	7,000円
		200万円を超え 500万円以下	1.1万円
		500万円を超え 1,000万円以下	1.7万円
		1,000万円を超え 3,000万円以下	2.3万円
		3,000万円を超え 5,000万円以下	2.9万円
		5,000万円を超え 1億円以下	4.3万円
		1億円を超え 3億円以下	4.3万円に超過額5,000万円までごとに1.3万円を加算
		3億円を超え 10億円以下	9.5万円に超過額5,000万円までごとに1.1万円を加算
		10億円を超えるもの	24.9万円に超過額5,000万円までごとに8,000円を加算
		＊補充または更正の証書の作成について当該法律行為に係る証書が当該公証（人）役場において作成されている場合	上記の10分の5
	2.遺　言	①証書の作成（補充・更正に係るものを除く）	1の額に1.1万円を加算
		＊ただし，遺言の目的の価額が1億円を超える場合を除く	
		＊①の補充または更生の証書が当該公証人役場において作成される場合	1の額の10分の5
		②全部または一部の取消しの証書の作成	1.1万円
		＊②の補充または更正の証書の作成	上記の10分の5
		ただし、当該公証人役場において作成されている場合は，上記の10分の2.5	

■執行官の手数料（抜粋）

種別		内容	額
文書の送達・債務名義の送達			1,800円
差押え・仮差押執行事件の併合における差押え	執行債権	・20万円以下	3,500円
		・20万円を超え 50万円以下	5,500円
		・50万円を超え 100万円以下	7,000円
		・100万円を超え 300万円以下	9,500円
		・300万円を超え 1,000万円以下	11,500円
		・1,000万円を超えるもの	14,000円
		債権額不確定	14,000円
事件の併合・仮差押執行の差押執行への移行		・20万円以下	2,500円
		・20万円を超えるもの	差押えの場合の手数料の2分の1

■契約書に貼る印紙税額（抜粋）

課税物件	課税標準及び税率	
1　不動産、鉱業権、無体財産権、船舶若しくは航空機又は営業の譲渡に関する契約書	1　契約金額の記載のある契約書	
2　地上権又は土地の賃借権の設定又は譲渡に関する契約書	・1万円未満のもの	非課税
3　消費貸借に関する契約書	・10万円以下のもの	200円
4　運送に関する契約書	・10万円を超え 50万円以下のもの	400円
※不動産の譲渡契約書で譲渡額が1,000万円を超えるもの（平成9年4月1日から平成30年3月31日までの間に作成）については税率の軽減がある。	・50万円を超え 100万円以下のもの	1,000円
	・100万円を超え 500万円以下のもの	2,000円
	・500万円を超え 1,000万円以下のもの	1万円
	・1,000万円を超え 5,000万円以下のもの	2万円
	・5,000万円を超え 1億円以下のもの	6万円
	・1億円を超え 5億円以下のもの	10万円
	・5億円を超え 10億円以下のもの	20万円
	・10億円を超え 50億円以下のもの	40万円
	・50億円を超えるもの	60万円
	2　契約金額の記載のない契約書	1通につき　200円

■訴訟・調停等の申立手数料（貼用印紙額）

訴額		訴状・反訴状・独立当事者参加の申出書・共同訴訟参加の申出書	控訴状（請求について判断しなかった判決に対するものを除く）	上告状（請求について判断しなかった判決に対するものを除く）	支払督促申請書・異議申立により本訴になったときの追加額	和解から本訴になったときの追加額	民事調停法による調停申立書	調停から本訴訟になったときの追加額
万円		円	円	円	円	円	円	円
10	10万円までごとに1000円	1,000	1,500	2,000	500	0	500	500
20		2,000	3,000	4,000	1,000	0	1,000	1,000
30		3,000	4,500	6,000	1,500	1,000	1,500	1,500
40		4,000	6,000	8,000	2,000	2,000	2,000	2,000
50		5,000	7,500	10,000	2,500	3,000	2,500	2,500
60		6,000	9,000	12,000	3,000	4,000	3,000	3,000
70		7,000	10,500	14,000	3,500	5,000	3,500	3,500
80		8,000	12,000	16,000	4,000	6,000	4,000	4,000
90		9,000	13,500	18,000	4,500	7,000	4,500	4,500
100		10,000	15,000	20,000	5,000	8,000	5,000	5,000
120	20万円までごとに1000円	11,000	16,500	22,000	5,500	9,000	5,500	5,500
140		12,000	18,000	24,000	6,000	10,000	6,000	6,000
160		13,000	19,500	26,000	6,500	11,000	6,500	6,500
180		14,000	21,000	28,000	7,000	12,000	7,000	7,000
200		15,000	22,500	30,000	7,500	13,000	7,500	7,500
220		16,000	24,000	32,000	8,000	14,000	8,000	8,000
240		17,000	25,500	34,000	8,500	15,000	8,500	8,500
260		18,000	27,000	36,000	9,000	16,000	9,000	9,000
280		19,000	28,500	38,000	9,500	17,000	9,500	9,500
300		20,000	30,000	40,000	10,000	18,000	10,000	10,000
320		21,000	31,500	42,000	10,500	19,000	10,500	10,500
340		22,000	33,000	44,000	11,000	20,000	11,000	11,000
360		23,000	34,500	46,000	11,500	21,000	11,500	11,500
380		24,000	36,000	48,000	12,000	22,000	12,000	12,000
400		25,000	37,500	50,000	12,500	23,000	12,500	12,500
420		26,000	39,000	52,000	13,000	24,000	13,000	13,000
440		27,000	40,500	54,000	13,500	25,000	13,500	13,500
460		28,000	42,000	56,000	14,000	26,000	14,000	14,000
480		29,000	43,500	58,000	14,500	27,000	14,500	14,500
500		30,000	45,000	60,000	15,000	28,000	15,000	15,000
550	50万円までごとに2000円	32,000	48,000	64,000	16,000	30,000	16,000	16,000
600		34,000	51,000	68,000	17,000	32,000	17,000	17,000
650		36,000	54,000	72,000	18,000	34,000	18,000	18,000
700		38,000	57,000	76,000	19,000	36,000	19,000	19,000
750		40,000	60,000	80,000	20,000	38,000	20,000	20,000
800		42,000	63,000	84,000	21,000	40,000	21,000	21,000
850		44,000	66,000	88,000	22,000	42,000	22,000	22,000
900		46,000	69,000	92,000	23,000	44,000	23,000	23,000
950		48,000	72,000	96,000	24,000	46,000	24,000	24,000
1,000		50,000	75,000	100,000	25,000	48,000	25,000	25,000
1,000万円超～10億円までの部分 100万円までごとに		3,000	4,500	6,000	1,500	3,000	1,200	1,800
10億円超～50億円までの部分 500万円までごとに		10,000	15,000	20,000	5,000	10,000	4,000	6,000
50億円超の部分 1,000万円までごとに		10,000	15,000	20,000	5,000	10,000	4,000	6,000

▶このほ他にも予納郵券（郵便切手）が必要です。裁判所の窓口で確認してください。

［監修］

國部　徹（くにべ　とおる）

昭和35年12月9日生。東京大学法学部卒。弁護士（東京弁護士会所属）。

一般民事・家事事件をはじめ、労働事件や倒産事件、刑事事件など日常の出来事全般を取り扱う。

著書に「戸籍のことならこの1冊」（共著・自由国民社）がある。


［執筆］神木正裕・眞田りえ子・内海　徹・飯野　たから

［企画・製作］㈲生活と法律研究所
［本文イラスト］深野正士

法律トラブルを解決するならこの1冊

［初版発行］……………………2004年6月30日
［第6版発行］…………………2022年6月3日
［監修］……………………………………國部　徹
［編集］………………有限会社生活と法律研究所
［発行所］……………………株式会社自由国民社
〒171-0033　東京都豊島区高田3-10-11
☎03-6233-0781（営業）
☎03-6233-0786（編集）
https://www.jiyu.co.jp/
［発行人］……………………………………石井　悟
［印刷所］……………………………横山印刷株式会社
［製本所］……………………………新風製本株式会社